D0539977

Couverture
- Maquette:
  GAÉTAN FORCILLO

Maquette intérieure
- Conception graphique:
  JEAN-GUY FOURNIER

Équipe de révision

Jean Bernier, Danielle Champagne, Michelle Corbeil, René Dionne, Louis Forest, Monique Herbeuval, Hervé Juste, Jean-Pierre Leroux, Odette Lord, Paule Noyart, Normand Paiement, Jacqueline Vandycke

DISTRIBUTEURS EXCLUSIFS:

- Pour le Canada:
  AGENCE DE DISTRIBUTION POPULAIRE INC.*
  955, rue Amherst, Montréal H2L 3K4 (tél.: 514-523-1182)
  *Filiale de Sogides Ltée

- Pour la France et l'Afrique:
  INTER-FORUM
  13, rue de la Glacière, 75013 Paris (tél.: 570-1180)

- Pour la Belgique et autres pays:
  S.A. VANDER
  Avenue des Volontaires, 321, 1150 Bruxelles (tél.: (32-2) 762.98.04)

Barbara B. Brown

LE POUVOIR DE VOTRE CERVEAU

VOTRE CERVEAU A UNE PUISSANCE INSOUPÇONNÉE

Traduit de l'américain
par
Gérard Piloquet

le jour,
éditeur

L'auteur

Le docteur Barbara Brown a dirigé le département de physiologie expérimentale au Veterans Administration Hospital de Sepulveda en Californie. Elle a aussi donné de nombreuses conférences et écrit des articles et des livres, dont *New Mind, New Body* et *Stress and the Art of Biofeedback*.

© 1980, Barbara B. Brown

© 1984 LE JOUR, ÉDITEUR
DIVISION DE SOGIDES LTÉE

Tous droits réservés

Ce livre a été publié en anglais sous le titre:
Supermind, the Ultimate Energy
chez Bantam New Age Books
(ISBN: 0-553-14146-5)

Bibliothèque nationale du Québec
Dépôt légal — 4e trimestre 1984

ISBN 2-89044-179-2

•

Plan synoptique de l'ouvrage

Un engouement prononcé pour les pouvoirs de l'esprit humain s'affirme de nos jours. Au fur et à mesure que nous progressons dans l'inventaire de nos aptitudes, jusque-là ignorées, à maîtriser tout à la fois nos états d'esprit et nos fonctions organiques, un déluge de nouveaux modes d'utilisation de nos capacités mentales nous submerge littéralement.

En réalité, deux phénomènes fort différents s'affirment graduellement. Des deux, c'est le pouvoir régulateur exercé par l'esprit sur les fonctions de l'organisme qui semble le plus expédient. Ce pouvoir nous aura été révélé par les nouvelles techniques de relaxation corporelle, qu'il s'agisse du bio-feedback, de la méditation, de la visualisation ou d'autres encore, qui toutes visent à la maîtrise du corps par l'esprit.

Le second phénomène consiste en la remarquable intelligence que peuvent promouvoir certains états de transposition de la conscience. Cette capacité de commutation de l'activité mentale dont dispose l'esprit, laquelle permet l'émergence de mystérieuses inventions procédant de l'inconscient, n'est peut-être rien d'autre qu'une activité mentale distincte, dont le retentissement affecte nos fonctions physiologiques. En d'autres termes, si nous admettons que l'esprit est engendré par le cerveau — sans pour autant se confondre avec lui — alors, à partir du moment où l'esprit gouverne l'esprit, comme dans la méditation ou l'hypnose, il nous faut bien admettre aussi que l'esprit gouverne le cerveau.

À supposer qu'un jour il apparaisse que les mécanismes sous-jacents à ces deux opérations relèvent bel et bien d'un seul et unique phénomène, il reste que leurs effets sont de toute évidence si différents — les uns se traduisant par des remaniements organiques, les autres par des transformations de l'activité consciente — que nous pouvons, pour la commodité de la démonstration, les considérer comme des entités séparées. C'est la raison pour laquelle ces deux processus seront discutés distinctement dans cet ouvrage, dont les Première et Deuxième Parties traitent de la relation psychosomatique, alors que les Troisième et Quatrième Parties sont consacrées à l'exposé des arguments psycho-biologiques qui en imposent pour l'émergence de nouveaux pouvoirs dérivés de "l'inconscient".

La Première Partie de ce livre — en manière d'intro-duction — examine différentes propriétés de l'esprit que, pendant fort longtemps, psychologues et physiologistes ont dédaignées et qualifiées d'imaginaires, d'irréalisables, de chi-mériques ou d'accidentelles, et qui par la suite ont été authen-tifiées et ont fini par révéler le rôle important qu'elles jouent dans la formation de la personnalité. Cette Première Partie considère aussi le surprenant fossé qui sépare ce qu'on sait des facultés mentales de ce qu'on en ignore, en même temps qu'elle énonce le propos de ce livre, dont l'ambition est de démontrer la primauté de l'esprit, non seulement en tant que force suprême dévolue à la nature physique de l'homme, mais aussi en tant qu'ultime ressource dont celui-ci dispose pour promouvoir son bien-être physique et psychique.

La Seconde Partie démontre et discute la réalité du pouvoir exercé par l'esprit sur les fonctions vitales de l'orga-nisme. Cette démarche nous amènera à prendre en consi-dération une question connexe: la possibilité que la substance génératrice de l'esprit (le tissu nerveux) ait déterminé de bout en bout le processus évolutif de toute vie organisée. Aussi la Troisième Partie de l'ouvrage passe-t-elle en revue la théorie évolutionniste et génétique, en prenant pour présupposé que le phénomène évolutif intéresse avant tout le psychisme, la conscience, l'intellection, et pour postulat que la supériorité de l'homme tient à la suprématie de sa nature cérébrale. Enfin, la Quatrième Partie analyse le fonctionnement de l'inconscient et examine les conceptions nouvelles du rôle joué par lui dans l'ensemble des comportements faisant intervenir l'intelligence humaine.

La terminologie descriptive de l'esprit étant sujette à bien des interprétations, la brève définition lexicale qui figure ci-après permettra au lecteur d'interpréter clairement certains mots qu'il retrouvera constamment dans les pages de ce livre:

Esprit: système opérationnel par lequel s'accomplissent chez l'individu des processus d'interéchange générateurs de pensée, de perception, de mémoire, d'imagination et de volition.

Esprit-cerveau: j'utilise ce syntagme pour exprimer l'idée selon laquelle l'"esprit" représente le produit d'activités échangées entre lui-même et le cerveau; autrement dit, pour exprimer l'idée que le cerveau affecte l'esprit et réciproquement.

Conscience: état par lequel l'individu connaît qu'il existe, qu'il ressent et qu'il pense. Il s'agit donc d'un produit résultant de l'activité esprit-cerveau.

Conscientisation: processus de récognition des choses et des événements qui rend possible la communication intelligible avec soi-même ou avec autrui.

Conscience consensuelle: représentation mentale procédant à la fois de la conscientisation et de l'activité inconsciente héritée de l'environnement socioculturel.

Supraconscience: ensemble des aptitudes innées, intrinsèques, par lesquelles l'esprit-cerveau est capable d'évaluer, d'organiser, de comprendre, et aussi de contrôler aussi bien le corps que le cerveau.

Barbara B. Brown

Première partie

•

L'esprit, le corps
et le cerveau:
l'état de la question

•

Chapitre 1

Le mystère de l'esprit

Énigmes et paradoxes

Ce qui procède de l'esprit humain peut être tout aussi admirable, prodigieux, miraculeux, ou tout aussi effroyable, inquiétant, redoutable, que ce qui procède de la nature elle-même. À l'origine de cette schizophrénie naturelle de l'homme, un effluve impalpable émanant d'une substance animale appelée cerveau, organe constitutif de l'être physique, mais qui pourtant est doté de propriétés évolutives tellement plus affirmées que celles de l'organisme considéré dans son ensemble que c'est à peine si nous soupçonnons l'ampleur de ses aptitudes à déterminer le cours de toute nature vivante, y compris la sienne.

Le bond qui, sur l'échelle phylogénétique, a permis de passer des singes anthropoïdes au genre *Homo* n'a été qu'un fait divers sans importance, comparé à ce que fut la genèse d'une nouvelle forme de vie que rien ne laissait prévoir: le psychisme, la perception de l'individualité, la séparation du moi de la substance physique, bref, tout ce qui fait qu'une espèce peut être qualifiée de *sapiens*. Devenue esprit, la création a engendré des facultés qui n'étaient que vaguement esquissées chez nos précurseurs phylogéniques: l'aptitude exclusivement humaine à conceptualiser l'essence d'événements et d'ensembles complexes, à créer des images, des symboles abstraits transmissibles de génération en génération et aussi — suprême accomplissement de l'esprit que rien n'égale, si ce n'est la création du cosmos — la capacité d'imposer de l'ordre dans un univers qui, jusque-là, en était dépourvu.

Le mystère de l'esprit est à ce point gigantesque que même le plus doué d'entre les grands esprits n'est pas en mesure d'en appréhender toute l'ampleur, et moins encore d'explorer les infinies possibilités de son pouvoir. Voilà sans doute qui explique mieux que tout pourquoi, pendant des siècles, les humains n'ont manifesté guère plus qu'une curiosité bien éphémère pour les possibilités offertes par leur propre outillage mental. Pendant cinq millénaires peut-être, l'homme s'est détourné des mystères de son esprit, considérant parfois celui-ci comme un impondérable, un insaisissable écho de l'Absolu, et parfois comme une mécanique énigmatique au fonctionnement complexe, mais néanmoins très ordinaire. Aucune de ces deux attitudes ne nous a incités à découvrir d'où vient cette énergie, apparemment inextinguible caractéristique de l'esprit, pas plus qu'à comprendre d'où ce dernier tire le pouvoir d'ordonner et de maîtriser l'univers matériel tout entier.

Durant la plus grande partie de l'histoire humaine, les pouvoirs de l'esprit ont été ensevelis sous l'ignorance et le mythe, quand ils n'ont pas été tenus par les philosophes pour sacrés et hors d'atteinte, ou au contraire considérés par la science comme des phénomènes parfaitement prévisibles et sans spécificité notable.

Selon les doctrines religieuses proclamant que l'esprit-conscience de l'homme est l'oeuvre d'un pouvoir spirituel supérieur, les simples mortels doivent abdiquer leurs droits de manipuler et de potentialiser l'aptitude de l'esprit à mieux comprendre sa propre nature; cela au bénéfice exclusif des buts spirituels qu'est censée poursuivre l'existence. Pourtant, cette volonté de participer de la conscience cosmique ou de connaître Dieu par l'intercession d'une communication divine est essentiellement, pour ne pas dire exclusivement, une démarche de l'esprit. La révélation spirituelle en est une parfaite illustration. Si nous révérons nos saints, si nous croyons fermement en la réalité d'une transmission divine, c'est que nul ne s'aventure à demander au prêtre ou au pandit: "Qu'est-ce qui prouve l'authenticité de votre révélation, de votre charisme?" Rien. Car la révélation échappe à la démonstration et au témoignage: elle ne s'accomplit que dans l'esprit. C'est l'esprit qui connaît et authentifie l'Ultime Réalité; c'est lui qui accède à un certain pressentiment de l'Absolu ou prend conscience de la nature ontologique de l'Être. C'est encore lui qui interprète et témoigne, qui fait acte de foi et anime les changements qui s'opèrent dans la conscience et dans le comportement. Qu'il soit question d'une révélation d'ordre surnaturel ou d'une conception élaborée par l'esprit — ce qui, en soi, est déjà miracluleux —, peu importe, puisque aucun processus introspectif, naturel ou sacré, ne peut être rendu intelligible ni transmis à autrui sans qu'au préalable les pouvoirs de l'esprit ne coopèrent à la démarche. Car nous ne savons toujours pas si l'esprit perçoit le "surnaturel" ou bien s'il constitue en lui-même l'"instance suprême", étant donné que nous n'avons aucune certitude quant au rôle qu'il joue dans l'appréhension de ce qui semble hors de portée de ses propres facultés d'entendement. La circonspection observée par les philosophes dogmatiques face à l'exploration de la nature même de l'esprit n'a malheureusement cessé de faire obstacle à la compréhension des méthodes grâce auxquelles nous pourrions exploiter et développer nos prédispositions spirituelles. Si les philosophies nous apprennent à traquer les zones d'ombre, elles ne nous enseignent guère comment nous y prendre pour y voir clair.

Pour sa part, la science traite elle aussi l'esprit comme une entité intouchable, hors d'atteinte de toute investigation, quand elle n'en nie pas purement et simplement l'existence, en affirmant qu'il ne s'agit là que du produit de l'activité mécanique du cerveau. L'étude scientifique de celui-ci se borne en effet à scruter attentivement l'activité chimique et électrique des cellules cérébrales. Or il est difficile, pour ne pas dire impossible, de relier l'univers atomique de l'encéphale au domaine immatériel de la pensée, de l'affectivité et de l'idéation. Bien que la science ne cesse de nous parler du cerveau, elle n'est guère en mesure de dire grand-chose de l'esprit, voire d'en dire quoi que ce soit, puisqu'elle est incapable d'expliquer comment il fonctionne et se nourrit, comment il est susceptible de se développer pour que ses facultés s'exercent plus efficacement, tout comme elle est incapable de concevoir quelle est son ultime destinée.

En fin de compte, et en dépit d'un acquis philosophique et scientifique plurimillénaire, ce que nous pouvons affirmer à propos de l'esprit se résume à bien peu de chose. Le philosophe et le savant confinent l'homme moderne dans un plat pays de perplexité précaire où, à la recherche de son identité, il s'enlise quelque part entre le concept scientifique d'une nature primordiale libre de toute entrave et l'idéal philosophique inaccessible d'une fusion avec l'esprit universel.

En dépit d'une compréhension de plus en plus poussée de la nature de l'homme et de ses aptitudes, rien ne nous fait présager une exploitation plus humaine, plus perfectionnée, des qualités intrinsèques de l'esprit. L'abjection de la guerre et de la misère, les carences de la démocratie, la probité suspecte des pouvoirs, l'oppression et les tueries qui ravagent le Tiers-Monde, la négligence du sage et parfois la folie de nos aînés, les impératifs économiques impitoyables de la médecine moderne, la glorification par les media de comportements infâmes, ce n'est là qu'un aperçu des victoires de l'animalité primitive de l'esprit, venues saccager ce que l'homme, et lui seul, détient de beauté, d'énergie et de pouvoir pour affirmer son propre accomplissement spirituel.

Le dilemme de la société moderne est en fait un déchirement: celui d'être tiraillée entre l'idéal humanitaire des philosophes et la conviction des biologistes, pour qui l'homme n'est rien qu'un animal complexe. Un tel dilemme ne fait en somme que souligner les deux extrêmes de nos aptitudes mentales, puisque d'une part il met en évidence nos aspirations à une existence de justice et de plénitude universelles, et que de l'autre il révèle en nous les émotions les plus viles et les plus dénuées d'intelligence. Comment une telle dichotomie de notre nature est-elle possible? Qu'est-ce donc qui nous fait entrevoir un Âge d'Or et qui, dans le même temps, nous en interdit l'accès? Rien d'autre, bien sûr, que cette activité de l'esprit s'accomplissant en arrière-plan de tout ce qui grandit l'homme et de tout ce qui le détruit. Aucune espèce, sinon la nôtre, ne porte en elle ce même pouvoir de décider de sa survie ou de son anéantissement.

"Esprit", "conscience", "pensée", "vie spirituelle", "conscientisation", sont des mots qui illuminent notre discours comme le fait le soleil en se réfléchissant sur un miroir. Ils sont les signes qui rendent intelligibles des objets sans substance et qui pourtant nous en disent plus sur les qualités de l'homme que ne le fait aucun des mots désignant son corps, son outillage ou son habitat. De toute l'histoire de l'Occident, par exemple, c'est principalement des êtres symbolisant l'accomplissement de l'esprit et de la conscience que nous conservons le souvenir: les Vinci, les Galilée, les Darwin, les Pavlov. C'est principalement ceux qui ont incarné la conscience, la spiritualité ou la pensée dans ce qu'elles ont de plus élevé que nous honorons: les saint Jean, les Platon, les Einstein. Pourtant, nous n'en savons guère plus aujourd'hui sur l'esprit et la spiritualité de l'homme qu'au début de notre histoire. Car il n'est qu'un aspect de sa substance vitale, un seul et unique trait de l'univers vivant que l'homme se soit abstenu d'explorer: son propre esprit.

Des perspectives nouvelles

Il arrive de temps à autre à la science et à la philosophie d'émettre une opinion sur la nature de l'esprit. Pourtant, aussi impressionnantes que puissent paraître leurs spéculations, aucune n'emporte la conviction par des preuves substantielles. Aucune des théories sur l'origine ou l'essence de l'esprit n'est non plus soutenable, pas plus qu'aucune ne rend compte de ces dépassements spirituels que nous nommons conscientisation, imagination et compréhension. L'énigmatique façade de l'esprit humain nous dérobe un fouillis confus de semi-conjectures, fragmentaires ou ébauchées, à propos de ce qui constitue peut-être le plus grand des pouvoirs existants, en cet univers comme en n'importe quel autre.

Il se pourrait bien qu'un jour les années 70 nous apparaissent rétrospectivement comme celles durant lesquelles se sera dessiné l'âge de l'esprit. L'élargissement de notre champ de communication et la vitesse quasi instantanée de nos échanges prodiguent assurément à l'homme de quoi nourrir ses pensées comme jamais encore cela ne s'est produit au cours de notre histoire. Mais ce flot d'informations sur les activités humaines telles qu'elles se déroulent, dans chaque recoin et à chaque niveau de la société, n'est pas seul à témoigner de l'intérêt croissant porté à l'esprit et à la conscience. Soudainement, semble-t-il, voilà qu'un peu partout on entreprend de s'interroger sur soi-même, qu'on se met à découvrir des pouvoirs de l'esprit longtemps occultés.

Il ne s'agit pas ici de ces effluves spirituels insaisissables, éphémères et surnaturels qu'on désigne sous l'appellation générique de perception extra-sensorielle, car ces capacités qui peu à peu se révèlent sont autonomes. Et bénéfiques aussi, puisque, même dans leur état embryonnaire actuel, elles permettent à bien des individus des récentes générations d'accéder à la paix intérieure, et qu'en outre la révélation cognitive de la puissance de l'esprit facilite grandement la compréhension entre les peuples.

De nos jours, presque tout le monde perçoit l'engouement qui se dessine pour cette récente conscientisation de l'esprit. D'ailleurs, le mot conscientisation lui-même, ou encore des expressions telles que transposition de la conscience, méditation transcendantale, guérison par l'esprit, sont là pour souligner clairement l'intérêt tout neuf porté aux ressources internes de l'esprit. L'attention croissante qui entoure les techniques d'autosuggestion, de visualisation, de guérison par les pouvoirs du magnétiseur, de conscience corporelle, d'autorelaxation, d'intégration psychosomatique, ou encore la vogue des textes zen, de la méditation par le yoga et de certaines autres variations sur le thème de l'esprit, tout témoigne de l'affirmation d'une perception nouvelle du spirituel en tant que source d'énergie rédemptrice de l'existence.

Par-delà l'exaltation que procure à l'individu la découverte en lui de ce potentiel, par-delà cet enthousiasme pour l'exploration de l'être dans son intimité, se profile un profond changement dans la nature et dans la conduite mêmes de l'homme. Le courant de conscience qui touche une bonne part du corps social s'est commué en un mouvement très spécifique d'introspection, de conscientisation et d'affirmation du moi, lequel a permis de mettre en évidence des virtualités de l'esprit jusque-là laissées en friche et de forger de nouveaux outils surprenants d'efficacité quand on en use à des fins d'accomplissement de la personnalité, d'élargissement du champ de conscience, d'harmonie psychosomatique et de réalisation du potentiel humain.

Cet intérêt tout neuf pour l'esprit et pour la conscience n'est, à la lettre, qu'une contestation des structures spirituelles telles que nous les a léguées l'autoritarisme dogmatique et tout-puissant de la science, de la philosophie et de la religion, dont les mandarins et les caciques ont pendant si longtemps considéré que l'esprit relevait exclusivement de leur juridiction. En dépit des admonestations de ces autorités, les générations d'aujourd'hui découvrent d'elles-mêmes que l'esprit est synonyme de pouvoir suprême.

Pareil argument n'est pas dépourvu d'assises. En effet, les voix d'une poignée de scientifiques s'élèvent pour nous suggérer la primauté du spirituel. La personnalité même de ceux qui apportent ainsi leur caution à la cause de l'esprit est loin d'être sans importance, puisqu'il ne s'agit généralement pas de besogneux de la science qu'aiguillonne la fantaisie de se faire un nom. Ceux qui se font entendre pour affirmer l'existence d'un esprit tout-puissant, indépendant de la matière organique constitutive du cerveau, se recrutent au contraire parmi des hommes qui ont consacré toute leur vie à l'étude de l'encéphale considéré comme générateur de l'esprit — pour autant qu'on admette que celui-ci existe — et comptent parmi les chercheurs dont les travaux sur la complexité cérébrale font autorité. Je mentionnerai pour exemples sir John Eccles, Roger Sperry, Wilder Penfield, Hans Selye et Karl Pribam. Or, si leurs conclusions demeurent précautionneuses comme il sied aux assertions des scientifiques intègres, il reste que leur discours ne laisse pas d'ouvrir de nouveaux horizons dans le domaine de l'expérimentation consciente.

À présent que la science découvre l'aptitude de l'esprit à guérir le corps, à diriger le contenu des rêves et à développer la conscientisation, d'autres pouvoirs spirituels nous seront-ils encore révélés? L'homme est-il à coup sûr en train d'évoluer vers un plus haut niveau de spiritualité?

Chaque fois que je m'adresse à un public de non-scientifiques, je suis toujours surprise de constater que l'homme de la rue ne se rend pas compte que les savants et leurs disciplines, croyant étudier l'esprit, n'ont en fait abouti qu'à nier son existence en assignant des fonctions mentales à ces mécanismes bien ordonnés que sont les myriades de relais nerveux du cerveau. Il y a une dizaine d'années encore, je n'avais pas moi-même remis sérieusement en question cet axiome universellement admis. D'avoir consacré ma vie à des sciences fermement axées sur les données de l'expérimentation physique ne m'a pourtant jamais empêchée de juger à leur juste valeur les merveilles de l'esprit humain. Au fil des années, maintes fois j'ai déploré que le génie de l'homme, ses vastes visions, soient rejetés par la science comme de simples illusions, des interprétations erronées réductibles à de vulgaires transformations chimiques et mécaniques s'effectuant dans les cellules cérébrales.

Mais en fin de compte, j'en suis venue à conclure moi aussi — et cela, je crois, par une démarche purement analytique et logique — que le consensus scientifique selon lequel l'esprit se ramène à une cérébralité exclusivement mécanique a bel et bien vécu. Peu à peu, je me suis rationnellement convaincue (le mot rationnellement en dit long sur le scepticisme qu'une longue tradition scientifique a profondément ancré en moi!) que les données que nous fournit la recherche plaident plus en faveur de l'existence d'"un esprit-qui-est-quelque-chose-de-plus-que-le-cerveau" qu'elles n'accréditent la thèse d'une simple action mécanique cérébrale.

Je crois pouvoir avancer de solides arguments plaidant pour l'existence à l'état virtuel d'une intelligence supérieure en tout homme, d'un esprit né de son cerveau, mais indépendant de lui et doté d'une puissance extraordinaire, insoupçonnée, riche de capacités multiples. Ces arguments, je les fonderai sur des données d'observation et sur le raisonnement logique. Car ce livre ne se donne pas pour objet d'égrener des théories tirées de l'exceptionnel, même si des cas de ce genre y sont occasionnellement rapportés. Tout au contraire je ferai appel, pour les besoins de ma démonstration, à des observations, des analyses, des faits et des expérimentations scientifiques, de même qu'aux déductions qu'on en peut logiquement dériver. À supposer qu'un jour la science soit en mesure d'expliquer chaque prouesse, chaque fantaisie, chaque phénomène relevant de l'esprit et de la conscience, elle ne peut en attendant que s'enrichir de façon incommensurable en considérant l'esprit *comme s'il opérait autrement que ne le font les mécanismes du cerveau*.

L'objet des chapitres qui suivent est d'abord de discuter la nature de cette capacité absolue et innée qui permet à l'esprit d'opérer en tant que régulateur de toutes les fonctions organiques, depuis la propagation de l'influx nerveux et l'activité cérébrale directionnelle jusqu'aux réponses mentales et corporelles apportées au stress du quotidien. En un second temps, j'examinerai l'autre versant de l'esprit, à savoir cette intelligence extraordinaire et infuse que recèle l'inconscient, en commençant par ses facettes qui n'ont pas encore été, mais qui pourraient être révélées à la lumière des annales scientifiques et de l'observation biologique naturelle. Je ferai remarquer au passage que nous faisons les frais d'une remarquable duperie chaque fois que la science nous réitère ses théories sur la phylogenèse et sur la transmission génétique; que ces théories gagneraient à être relayées par une approche plus cohérente de l'évolution de l'esprit. Enfin j'examinerai, en la replaçant dans une perspective nouvelle, la nature multispirituelle de divers états de conscience *non pathologiques* susceptibles de sous-tendre l'évolution de la supraconscience.

Dans ce livre, je me suis efforcée de mettre en ordre aussi bien ce que la science dogmatique connaît que ce qu'elle ignore de l'esprit ou de la conscience. Puis, si je me suis tout particulièrement efforcée d'analyser l'acquis scientifique, c'est qu'il appelle implicitement à conclure en l'existence d'un esprit que l'on peut considérer bien plus comme une entité autonome que comme un produit de l'activité cérébrale. Chemin faisant, il apparaîtra comme une évidence que postuler la suprématie de l'esprit sur la matière corporelle, y compris sur celle du cerveau, est infiniment plus valide et pertinent que d'adhérer aux truismes sur lesquels s'appuie à répétition la science pour démontrer que l'esprit n'est rien de plus que la résultante d'une action mécanique du cerveau.

Ces multiples évidences, j'en suis convaincue, sont autant de signes annonçant l'émergence d'un superpouvoir de l'homme, d'un esprit "nouveau". Si cette émergence s'accomplit, s'il est démontré que l'esprit "ancien" n'a pas exploité pleinement ses possibilités, c'est donc bien que les signes existent et ne nous auront pas trompés. Si les signes existent, alors nous pouvons les mettre en ordre et commencer à comprendre le rôle joué par l'esprit dans l'évolution et l'épanouissement de l'espèce humaine.

•

Chapitre 2

Le royaume de l'esprit
Les données et les inconnues

Croyances et attitudes

Dans le chapitre d'introduction, j'ai déploré le piètre état des connaissances entourant le domaine de l'esprit. J'ai dénoncé le refus, opposé par la science, de prendre en considération l'idée selon laquelle l'esprit pourrait se gouverner de lui-même, de façon autonome et indépendante du cerveau, idée qui selon moi aurait le mérite de replacer la recherche dans une perspective plus conforme aux besoins de l'homme d'aujourd'hui. Il n'est que temps de discuter pareille question, moins par pure satisfaction intellectuelle que parce qu'en tout être sommeille un esprit doté de facultés et d'aptitudes supérieures. C'est que l'homme moderne, obnubilé par les merveilles de la nature physique, les a négligées et pratiquement réduites au silence.

Il convient d'abord de déblayer le terrain. Car ce qui est remarquable, c'est que l'individu moyen qui émet en toute bonne foi une opinion sur l'esprit — et, à cet égard, plus d'un homme de science doit être tenu pour un individu moyen — ne se rend absolument pas compte que, dans sa grande majorité, l'autorité scientifique considère l'esprit comme s'il s'agissait là d'un concept extravagant. D'un concept qui n'a pas lieu d'être. Or, la plupart des gens s'imaginent pourtant que la science avalise l'esprit, qu'elle l'étudie, alors que, quand elle le nomme, c'est au cerveau qu'elle fait référence. Au contraire, quand l'homme de la rue parle de l'esprit, c'est bien à lui, et à lui en tant que tel, qu'il fait allusion. Et, bien entendu, l'influence sociale et politique exercée par la communauté scientifique ne fait qu'accroître ce malentendu.

Pourtant, au sein même de cette communauté se livre un conflit informulé, et radicalement réprimé, entre la hiérarchie détentrice du dogme — laquelle nie l'éventualité d'un "esprit-qui-serait-plus-que-le-cerveau" — et des groupes dispersés de chercheurs qui vivent et raisonnent en marge du grand courant consensuel de la pensée scientifique. Ces "autres" savants sont partagés entre des concepts et des données logiques, véri-fiables, accréditant la puissance cachée de l'esprit et la néces-sité pratique de cautionner les convictions dominantes de leurs pairs, ceux-ci désavouant formellement l'idée que l'esprit puisse être séparé du cerveau. Ils se fondent sur l'argument qu'il n'existe aucune preuve physique, expérimentale de l'exis-tence du spirituel, alors qu'on peut démontrer que cerveau est synonyme d'esprit. Du fait que c'est l'"establishment" qui définit, par le biais du consensus socio-politico-scientifique, ce qu'il est acceptable de croire, toute contestation de l'idéologie dominante est quasiment impossible. Se démarquer de la dogmatique consensuelle équivaut donc à s'exclure de la communauté scientifique et à sombrer dans l'oubli. (Encore que, de temps à autre, des renégats obtiennent ainsi les honneurs de la presse à grand tirage.) Pour comprendre l'attitude de ces "autres", il nous suffit d'ailleurs de nous mettre à leur place — c'est-à-dire d'imaginer les consé-quences intellectuelles, sociales et économiques que leur vaudrait une insurrection ouverte — et de nous tenir le raison-nement suivant: "Considérant que j'aspire à la réussite et à la reconnaissance de mes travaux scientifiques, ai-je intérêt à heurter de front les conceptions théoriques bien arrêtées de ceux qui font autorité dans ma discipline, pour tenter d'accréditer la notion d'un esprit surpassant le cerveau? Non, de toute évidence. À moins de risquer délibérément ma carrière, ma crédibilité professionnelle, et d'accepter que ceux de qui dépend mon avenir en fassent des gorges chaudes ou bien décident de ne plus tenir compte de mon existence.''

Il n'est donc pas surprenant que la nécessité de survivre, économiquement et psychologiquement, règle l'évolution de la pensée scientifique. Une telle nécessité a retenu plus d'un chercheur de premier plan de relancer le dialogue sur les attributs les plus impressionnants dont soit dotée la nature de l'homme: l'esprit et la conscience. Car les exigences pratiques de la survie sont à notre époque si impératives qu'elles ont imprégné l'ensemble de la communauté scientifique, au point d'obliger ses représentants à consacrer le plus clair de leur intellect à consolider leur réussite économique et sociale avant même de considérer ce que doit être la véritable tâche de la science. C'est l'obligation sociale de survie individuelle qui fait dévier cette dernière de ses buts et qui, par ailleurs, explique pourquoi nous en savons bien peu sur l'esprit. (Nombre de savants qui aujourd'hui s'insurgent contre le dogme esprit-cerveau ont commencé par acquérir leur notoriété grâce à de brillants travaux tout à fait dans la ligne des idées reçues du consensus.)

Pourtant, s'il existe un espoir d'appréhender l'esprit et d'explorer ses possibilités véritables, il demeure indispensable de bien comprendre au préalable ce qu'on sait concrètement de lui, de départager le mythe de la théorie fructueuse, de prendre la mesure de ce qu'on en ignore ou en néglige et principalement de révéler à quel moment la science a relégué la donnée factuelle derrière la théorie. Une fois que les multiples inconnues qui entourent l'esprit seront circonscrites, une fois qu'il sera parfaitement compris combien nous en savons peu sur ses dimensions extraordinaires, il est évident qu'on ne pourra plus balayer le spirituel comme s'il ne s'agissait que d'une fantaisie inventée de toutes pièces par des incompétents. Alors au contraire, libérés des préjugés indéfendables de la science, esprit et conscience s'affirmeront non seulement en tant que réalités, mais en tant que substrats du futur et de l'évolution de l'homme.

Les ressources inexploitées
de l'esprit et de la conscience

Ni la science ni la philosophie ne nous sont d'un grand secours pour pénétrer la nature des ressources uniques dont dispose l'esprit humain ou celle des opérations complexes qui s'effectuent en lui comme dans la conscience. Nous en savons bien peu, par exemple, sur le moyen de perfectionner nos représentations mentales, de promouvoir en nous une pensée créative, de stimuler nos aptitudes à conceptualiser, de développer notre représentation de nous-mêmes et des autres, de comprendre nos mécanismes inconscients ou encore d'authentifier l'art et de percevoir instinctivement l'ordre et l'harmonie. La science n'a pas non plus étudié le moins du monde certaines opérations de la conscience pourtant notoires, comme la faculté de circonvenir la douleur, d'opposer aux situations d'urgence d'ingénieux dispositifs de secours, de nous abandonner à l'onirique du sommeil ou de l'éveil, de contraindre nos corps à se dépasser dans l'activité sportive ou artistique, de nous transporter dans ce curieux état second qu'est l'hypnose, enfin de nous adonner à la pensée constructive ou à la perception infraliminale.

La science ne sait pratiquement rien de ce qui fait d'un enfant un génie, pas plus qu'elle ne peut expliquer pourquoi le génie se perd, pourquoi certaines mémoires ont une capacité prodigieuse, pourquoi certains états de mysticisme peuvent se prolonger très longtemps, pourquoi la logique onirique apporte parfois des solutions à des problèmes concrets qui ne relèvent pas du rêve, pas plus qu'elle ne peut nous expliquer non plus la nature de la persuasion et du sentiment d'échec ou encore le mécanisme par lequel le stress social peut être cause de pathologie organique.

Par ailleurs, nous ne savons rien des mécanismes de l'intuition et de l'introspection, ni pourquoi il nous arrive de nous souvenir de rêves procédant des abysses de notre inconscient, ni comment se réalise la duplication de la conscience dans le somnambulisme, ni ce qui rend certains rêves prémonitoires. Nous ne savons pas pourquoi la foi et les placebos peuvent guérir, ni comment naissent les hallucinations, ni ce qui se produit dans l'esprit quand nous éprouvons un sentiment de déjà vu, ou lors des représentations de l'hypnose. Nous ne savons pas non plus ce qui cause la cécité ou les synesthésies de l'hystérie, ni pourquoi la stimulation d'un système sensoriel peut retentir sur les autres systèmes. Nous sommes incapables d'expliquer la fatigue ou le malaise général qui accompagnent la neurasthénie, ou la dissociation psychosomatique caractéristique des travestis. Nous avons une compréhension bien mince, pour ne pas dire inexistante, de la disjonction qui s'opère entre le corps et l'esprit dans diverses formes de névrose et de psychose, disjonction dont les manifestations peuvent être aussi diverses que le sentiment de flotter dans les airs, caractéristique de certains états d'anxiété, et l'atomisation de la pensée qu'on observe parfois dans la schizophrénie paranoïde. Nous ne comprenons pas encore ce que sont l'amour, l'affliction, la conversion religieuse, ni ce qui rend certains esprits dissemblables des autres, comme cela se produit dans le cas des peintres, des musiciens ou des mathématiciens.

Nous ne savons pas pourquoi notre comportement peut varier d'un extrême à l'autre quand, dans le travail ou dans le jeu, nous nous intégrons à un groupe d'êtres humains. Ainsi nous arrive-t-il parfois de nous laisser influencer, par notre entourage ou par une foule, au point de nous avilir et de dégrader notre propre nature d'homme. Alors qu'en d'autres occurrences, quand par exemple nous participons d'un certain esprit de corps, vivons collectivement un moment privilégié ou, dans un sport d'équipe, éprouvons le réconfort de jouer sur notre propre terrain et devant des supporters conquis d'avance, nous surprenons en nous des aptitudes à peine soupçonnées.

Notre ignorance s'étend même à certains domaines de l'esprit que pourtant nous avons le mieux étudiés: l'apparition de l'intellect émergé des bas-fonds de la dépravation, de l'oppression ou d'un apparent défaut de capacité mentale. Car il existe plus d'un exemple d'intellection jaillie des générations les plus infortunées et les plus primitives de l'esprit. Témoin cette petite fille rejetée par une tribu jivaro dégénérée et qui, recueillie par des archéologues, devint elle-même plus tard une archéologue de premier plan. Témoin encore celui dont je m'honore de partager l'amitié, fils de misérables glaneurs, parmi les derniers que compte encore l'Afrique, qui, n'ayant reçu aucune instruction avant l'âge de douze ans, est à présent devenu un universitaire notoire après avoir glané, cette fois, de multiples diplômes. D'autres exemples en témoignent encore, tel celui de Larry, cet enfant taxé dès son jeune âge d'arriération mentale, que nul ne se soucia jamais d'envoyer à l'école: seul, sans le secours de l'enseignement ni même d'un encouragement humain, il finit par acquérir le niveau d'instruction d'un diplômé du secondaire.

Ce sont là quelques-unes des prouesses dont sont capables l'esprit et la conscience. Car le spectre des aptitudes mentales est incommensurable et leur pouvoir virtuel prodigieux. Pourtant, face à cette ultime ressource de l'homme et de son univers, tout ce que s'est contenté de faire le corps constitué de la science et de la religion a été de tisonner précautionneusement cette braise avec des gants d'amiante, un peu comme un astronaute s'y reprend prudemment à deux fois avant de poser le pied sur la poussière lunaire.

Seule une infime fraction des dons et des pouvoirs secrets de l'esprit a été exploitée. À ce jour encore, seuls de courageux psychologues et thérapeutes se préoccupent épisodiquement, qui d'agencer le contenu des rêves, qui de diriger la représentation mentale pour infléchir le cours des processus physiologiques, qui de maîtriser la douleur par une intervention de l'esprit, qui encore de recourir à la méditation ou à l'auto-hypnose pour modifier les états de conscience. Mais ce qui s'impose à présent, c'est de soutenir un effort sérieux pour exploiter les facultés et les dispositions de l'esprit, et non plus simplement pour puiser en eux de simples accommodements aux vicissitudes et aux exigences ordinaires de l'existence. Nous n'avons encore élaboré aucune méthodologie systématique pour perfectionner nos capacités mentales, pas plus que nous n'en avons élaboré pour tirer parti de la clairvoyance et du discernement que peut nous prodiguer un renouvellement de nos états d'esprit et de nos états de conscience.

Les cloisonnements de l'esprit et de la conscience

L'absence d'intérêt pour l'esprit et pour la conscience que manifeste la recherche biomédicale et psychologique est responsable de la précarité des connaissances sur l'univers subjectif et subconscient, connaissances qui permettraient à l'homme de perfectionner ses capacités mentales innées et de s'en servir à des fins productives. En revanche, la profusion d'informations dont nous disposons à propos des réactions électrochimiques de l'organisme humain aux stimuli extérieurs contraste étrangement avec nos maigres connaissances des processus mentaux et des états de conscience. Car si le savoir scientifique accumulé sur la vision, l'audition, les émotions instinctives, les différents types d'apprentissage et les autres traits du comportement est extrêmement approfondi, c'est à peine si la science a effleuré les innombrables activités mentales et les modifications de la conscience.

Un jour, j'ai par curiosité dressé la liste des opérations de l'esprit-cerveau les plus étudiées par la science, mais sur lesquelles nous ne disposerions en fait que de très peu, voire d'aucune information vraiment vitale si nous voulions nous en servir pour développer pleinement les capacités de l'esprit humain. Cette liste est fort longue.

Nous en savons très peu, par exemple, sur la perception, cette opération mentale par laquelle nous attachons des significations à nos sensations. Pourtant, la science est riche de connaissances sur la nature physico-chimique de la sensation, sur la façon dont l'énergie de l'environnement affecte les organes des sens et se convertit en influx nerveux, sur ce qui influence le message sensoriel ou encore sur les transformations subies par ce message en telle ou telle localisation du cerveau.

Mais nous ne savons pour ainsi dire rien de la perception, le mécanisme le plus important par lequel nous attribuons une signification à ce que nos sens détectent. Une des plus étranges propriétés de la perception tient à sa capacité d'appréciation subjective, processus par lequel nous décelons par exemple la lettre "I" dans l'ensemble des messages véhiculés par nos sens, ou par lequel encore les événements et les objets de notre environnement prennent pour nous des significations particulières, à différents moments et en différentes circonstances. Ces interprétations qui nous sont propres résultent souvent, sinon toujours, de processus qui s'accomplissent aux confins du conscient et de l'inconscient. L'ensemble de l'opération très élaborée par laquelle nous évaluons un message sensoriel, exception faite des bribes d'information directement captées par notre attention consciente, obéit à une activité subconsciente (ou inconsciente) de guidage. Or compte tenu des innombrables niveaux et labyrinthes inhérents aux processus d'association sensoriels, perceptifs et mentaux qui sont mis en jeu, circulent et commutent en deçà du niveau congnitif, l'esprit conscient aurait bien du mal à traduire en termes objectifs les sensations et les associations internes liées à toute activité mentale. Il s'ensuit que les appréciations subjectives du moi, de l'expérience vécue et de la vérité ontologique sont difficiles à transmettre et à étudier, alors que pourtant il s'agit là des activités les plus essentielles aux êtres humains.

Un aspect fort important — encore que bien souvent ignoré — de la perception est représenté par sa capacité sélective, ce procédé salutaire et parfois pernicieux grâce auquel nous opérons un tri quasi automatique entre les scènes, les sons ou les développements conjoncturels que nous percevons, en même temps que nous nous rendons sourds et aveugles à tout le reste. Des processus mentaux très perfectionnés sont ainsi mis en jeu, de façon parfaitement inconsciente, pour inhiber toute conscientisation de ce que nos yeux voient et nos oreilles entendent. La perception sélective est un dispositif de l'esprit que nous utilisons pour éliminer les causes de distraction et centrer notre attention sur ce qui nous semble le plus propice à conforter notre bien-être, comme cela se passe quand il nous importe de résoudre un problème, de nous fixer sur quelque chose ou de nous reposer l'esprit en le laissant vagabonder.

Les physiologistes inclinent à croire que les circuits du cerveau, mis en activité à titre d'évaluateurs de l'environnement, sont en mesure de traiter seulement une quantité d'information et qu'une concentration de l'attention peut bloquer ces circuits, empêchant ainsi l'appréciation d'événements qui dépassent cette limite. Pourtant, nous connaissons tous notre propre aptitude à nous rappeler les objets et les faits auxquels nous n'avons porté aucune attention. Tout à fait à l'encontre de l'opinion scientifique, ce phénomène soulève l'idée que l'esprit serait susceptible de contenir un mécanisme capable non seulement de condenser notre foyer d'attention, mais aussi d'entreposer au même moment un surplus d'information ainsi perçu, sans pour autant amener cet apport à l'état de conscience lucide.

Un autre mode de perception, lui aussi extraordinaire, a tout autant été négligé par la psychologie expérimentale: la perception infraliminale, autrement dit cette faculté remarquable grâce à laquelle les humains perçoivent des messages visuels et auditifs, les interprète et réagisse à eux de façon spécifique, appropriée, sans même avoir clairement pris conscience ni de les avoir perçus, ni de leur avoir fourni une réponse.

La science a débusqué presque tous les processus chimiques et physiques qui interviennent lorsqu'un organisme détecte des informations dans l'écosystème. Mais ce qui lui échappe, c'est *comment* l'individu intercepte les significations personnelles et sociales du message sensoriel. La plupart des chercheurs semblent satisfaits à partir du moment où ils peuvent démontrer comment les fibres nerveuses acheminent l'information et réagissent à elle, mais cette mise à nu des mécanismes de l'intervention ne rend pas compte des modalités selon lesquelles l'information interceptée est utilisée pour développer la personnalité, l'intelligence ou tout autre comportement social complexe.

Les assertions scientifiques selon lesquelles ce sont nos expériences vécues qui nous instrusent et nous modèlent sont elles aussi désastreusement superficielles, car nous ignorons toujours *de quelle façon* l'expérience vécue et l'apprentissage sont intégrés dans les réceptacles individuels de l'esprit, puis associés au développement mental de l'être humain. L'expérience vécue est faite de multiples strates, de multiples facettes, et ne se prête pas à une intégration immédiate par le système nerveux central, comme semblent le croire les chercheurs en neurologie. Au contraire, elle s'élabore dans le temps et dans l'espace humains. Seuls un cerveau et des mécanismes de l'esprit extrêmement complexes peuvent permettre à l'individu d'élaborer et de tester des milliers d'associations diverses, de procédures grâce auxquelles ces associations sont comparées, de modes d'analyse rendant possible l'identification structurale d'objets et d'événements, en même temps qu'ils lui permettent de choisir entre plusieurs options logiques et de disposer de systèmes d'accès à des mémoires sélectives où sont entreposées des informations aussi bien adventices que non structurelles. De temps à autre, la recherche nous livre en pâture quelques données nouvelles sur la logique mentale ou la récognition structurelle, mais jusqu'à présent la science ne nous a proposé aucun thème unificateur autour duquel nous pourrions systématiquement explorer ces myriades d'opérations mentales ultra-perfectionnées.

En dépit de dizaines d'années de recherches sur la mémoire, les opérations essentielles de la mémorisation — stockage des informations en séquences logiques d'associations signifiantes, puis remémoration sélective de ce dont nous voulons nous souvenir — nous demeurent inconnues.

Les opérations propres à la mémorisation humaine sont extraordinaires. Quelques scientifiques estiment que nous gardons en mémoire quasiment tout ce qui survient durant notre existence. L'hypnose, ou encore la stimulation de certaines aires cérébrales au cours d'une intervention intracrânienne, peut faire ressurgir des souvenirs que les individus ont le plus grand mal à identifier et que parfois même ils ressentent comme tout à fait étrangers à eux. Ces souvenirs "ensevelis" sont parfois stupéfiants par leur logique même et par la signification que prennent leurs valences associatives. S'il est vrai, comme il est permis de le penser, que les centres cérébraux de la mémoire stockent des informations intéressant toutes les expériences vécues, les opérations par lesquelles l'esprit-cerveau conserve les données dans un ordre cohérent qui les rend spontanément disponibles et utilisables ne peuvent manquer d'être d'une invraisemblable complexité. Certains travaux nous ont considérablement aidés à comprendre la part que prennent les structures cérébrales dans la mémorisation et à comprendre aussi ce qui conditionne la mémoire à court ou long terme. Mais en revanche, la science est pratiquement incapable d'expliquer pourquoi ou comment certains souvenirs sont ensevelis dans l'inconscient abyssal de l'esprit, alors que d'autres, pourtant indésirables, s'incrustent obstinément à la lisière du conscient. La recherche a mis en évidence l'importance de l'attention et de la nécessité de mémoriser, ainsi que les influences exercées sur la mémoire par certains engrammes physiologiques et génétiques tels que l'empreinte du premier âge ou les amnésies pathologiques. Mais aucune connaissance scientifiquement établie n'explique comment différents souvenirs élémentaires peuvent s'associer de façon cohérente, ni comment s'effectuent les enchaînements de souvenirs, ni comment se fait l'apprentissage de l'oubli.

De l'autre versant de la mémoire relèvent cette remarquable capacité mentale qu'est la récognition — autrement dit la conscientisation d'événements, de personnes ou d'objets déjà identifiés dans le passé — et aussi cette capacité d'évocation et de restitution spontanée d'informations signifiantes puisées dans le fonds illimité des souvenirs. La subtilité de ces systèmes mnémoniques de réactualisation est si mystérieuse que nous n'avons pas la moindre idée de leur mode de fonctionnement. Dans l'évocation volontaire — quand par exemple nous essayons de nous rappeler le numéro de téléphone d'un ami ou les vêtements que nous portions la veille —, l'esprit conscient mandate l'inconscient pour qu'il recherche dans les archives de la mémoire des bribes d'information très précises. La théorie psychologique ramène ordinairement cet exploit à une simple opération mécanique d'association. Mais la théorie ne tient pas compte d'une chose: avant même qu'une opération mentale, fût-elle mécanique, puisse localiser dans les archives de la mémoire le "dossier" approprié, il faut au préalable qu'une connaissance quelconque oriente l'activité de recherche dans la bonne direction.

L'acquis scientifique est en mesure de décrire un grand nombre des facteurs qui influencent la mémoire et l'évocation des souvenirs, mais n'a qu'une bien faible idée des modalités selon lesquelles la réminiscence intentionnelle peut localiser le souvenir adéquat. Rien de concret ne vient non plus expliquer de façon satisfaisante le souvenir spontané, fortuit ou involontaire, ou encore les mécanismes mentaux associés à ces souvenirs aisément recouvrables, qui d'ordinaire sont évoqués sans la moindre difficulté.

La réminiscence, l'évocation ou la récognition des concepts abstraits sont encore plus miraculeuses. Quand, dans une situation déterminée, nous désirons faire appel à certaines abstractions complexes — la formule permettant de calculer les intérêts composés, par exemple —, quelle est donc la nature du déclic qui, dans notre mémoire, nous restitue de tels concepts? Comparer le cerveau à un ordinateur, comme le font souvent les spécialistes du cortex, revient à négliger une évidence de taille, à savoir que, dans le cas de l'ordinateur, c'est une intervention extérieure qui décide des opérations que la machine doit effectuer.

L'esprit conscient identifie telle ou telle donnée qualitative liée au concept, puis commande et dirige la recherche, parmi les souvenirs enfouis dans l'inconscient, des indices de repérage grâce auxquels vont surgir le mot correct, l'expression adéquate, qui à leur tour font instantanément apparaître l'ensemble du concept, dans sa totalité et sa cohérence. Quelque chose dans l'esprit doit savoir comment et où scruter la mémoire, avant de commander cette recherche qui s'achève en évocation. À ce stade pourtant, le processus n'est pas encore accompli en totalité, puisqu'une autre fonction mnémonique doit encore "identifier" le concept recouvré et vérifier qu'il est bien conforme à celui qu'on sollicitait. Car, si un contrôle cérébral de ce genre n'existait pas, l'esprit serait envahi de concepts inadéquats et devrait se livrer à un nombre invraisemblable d'adéquations avant de sélectionner le concept requis. Une telle manifestation réduirait à néant tout le processus d'apprentissage et démentirait le principe de parcimonie caractéristique des opérations esprit-cerveau.

C'est dans le domaine de la pensée humaine — de la pensée créative et volitive — que nos connaissances scientifiques se révèlent le plus indigentes.

La science a étudié comment l'information (les sensations et les matériaux de l'apprentissage, par exemple) est *fournie* aux mécanismes de la pensée; elle a étudié les transformations énergétiques s'accomplissant dans le tissu nerveux, disséqué les opérations effectuées par des systèmes capables de concevoir des constructions intelligentes comparables à celles que peuvent générer les ordinateurs et rendu compte de certains phénomènes physiques du même ordre; elle a étudié les changements qui se produisent dans les neurones et dans les comportements à l'apparition du langage, le retentissement de l'attention sur la pensée productive, les influences exercées par l'intégration de l'information, ou par celle des images, des lois de l'apprentissage, de la résolution des problèmes et des processus décisionnels. Mais la science ne peut émettre que de vagues suppositions sur les mécanismes de la pensée.

Pour mieux pénétrer l'intimité de la fonction cérébrale, la science s'appuie sur des modèles organisationnels, mais ces modèles n'ont encore expliqué ni l'intuition, ni le ressentiment, ni la logique de la représentation fantasmatique, ni la projection imaginaire dans le passé ou le futur; pas plus qu'ils ne peuvent expliquer pourquoi et comment le mode de pensée diffère d'un individu à l'autre. Quant à l'activité la plus achevée de l'esprit — la faculté d'introspection, de prise de conscience de soi, d'auto-analyse et d'analyse du cheminement par lequel s'accomplit notre pensée —, elle demeure encore pour nous la mystérieuse "boîte noire" des miracles de l'esprit que nul ne semble oser ouvrir.

De tous les attributs magiques de l'esprit, le phénomène de la conscience est peut-être celui qui défie le plus la compréhension. Concept bien équivoque, si l'on songe que le mot "conscience" s'applique tout aussi bien à ce qu'il y a de définissable qu'à ce qu'il y a d'inexprimable dans nos sentiments intimes comme dans les appréciations que nous portons sur le monde et sur les relations qui nous unissent à lui. Le mot conscience recouvre en réalité plusieurs variétés de processus conscients, allant de la conscientisation du vécu susceptible d'être communiquée à autrui (ce que je fais, ce que je pense, etc. C'est d'ailleurs la signification que bien des scientifiques donnent à ce mot.) à la perception, à la sensation qui se situe très en deçà du seuil de ce que nous pouvons formuler. La conscience de l'être physique, le sens de l'identité, de "l'altérité", de l'harmonie, de l'ordre, de la continuité, sont autant de sensations intégrées et spécialisées relevant de la totalité esprit-corps, laquelle est bien plus qu'une simple juxtaposition de composantes et de fonctions physiques.

La partie "inconscient" du spectre de la conscience est reléguée par la pensée scientifique au rang de nature animale primitive; son importance est donc considérée comme très relative. L'inconscient n'est pourtant qu'un des aspects de ce continuum qui va de la "conscience de rien", propre au sommeil profond, à la conscience claire de l'éveil. Mais il n'empêche que nous nous empressons d'attribuer aux ténèbres de "l'inconscient" tout ce qui, dans la pensée comme dans le comportement, ne nous est pas intelligible. Pourtant, l'inconscient a lui aussi une réalité propre, une substance propre, aussi éthérées soient-elles; et j'entends démontrer qu'il est à l'origine des mécanismes de presque tout ce que nous appelons l'esprit. Il est tout de même curieux que la science moderne affiche une telle apathie pour les miracles accomplis par l'inconscient, pour le phénomène de la créativité, de l'expression artistique, de la perspicacité ou de l'intuition. Du royaume de l'esprit et de "l'inconscient", c'est principalement sa pathologie qui fait l'objet d'études.

C'est pourtant des prolongements inexplorés de l'inconscient que naissent ces états d'esprit inhabituels que sont les rêves, les fantasmes, le détachement de soi, les expériences spirituelles exceptionnelles, l'illusion, l'extase ou les sensations de joie et de paix intérieures. Ces merveilles de l'activité mentale, on ne s'est guère soucié jusqu'à présent de les explorer scientifiquement.

La science, bien sûr, n'ignore pas tout des conditions qui permettent à la pensée de procéder aux opérations d'analyse et de synthèse, ni non plus des conditions requises pour que s'effectue le processus de décision, d'évaluation d'une information, de détermination du but à atteindre, de formulation d'une intention, d'élaboration des défenses assurant la survie individuelle, de conceptualisation de l'éthique et de l'esprit civique. Ces conditions, la science en a opéré la classification. Mais les énumérations et les descriptions qu'elle en a faites ne nous apprennent guère *comment* s'y prend l'intelligence pour conceptualiser dans l'abstrait une expérience vécue pour former des symboles, pour se mettre en état d'hypnose, d'actualisation ou d'exploration du moi. Nous ne disposons d'aucun indice pour comprendre de quelle façon l'esprit recrute le corps pour accomplir ses desseins, pour transformer en acte ce qui au départ n'était qu'intention d'agir ou pour comprendre encore de quelle façon l'esprit peut modifier l'instinct. Nous ne comprenons rien non plus des opérations mentales qui aboutissent à ces qualités humaines que nous nommons loyauté, amour, sens de l'identité, volonté de puissance, plaisir ou compréhension.

Au moment où j'ai commencé à recenser les ressources inaccomplies de l'esprit et de la conscience, puis les opérations mentales qui, en dépit de bien des travaux, nous sont peu intelligibles, j'ai constaté que notre connaissance des activités supérieures de l'homme est bien lacunaire; en même temps j'ai été surprise de découvrir à quel point ce recensement était interminable. Quand je scrute les textes et les traités consacrés au cerveau, au comportement et à la nature de l'homme, le fonds des connaissances accumulées me semble impressionnant. Répartis entre des centaines d'universités, des centaines de milliers de livres traitent du cerveau, de l'émotion et des conduites humaines. Mais ce que ces livres passent sous silence, c'est ce qu'on est incapable de dire sur les fonctions de l'esprit, de la conscience et de l'intelligence.

Mesurer toute l'immensité du territoire qu'il reste à explorer, c'est s'exposer à un choc assez brutal pour provoquer en nous quelque frayeur. À supposer que l'esprit, par exemple, puisse nous révéler ses infinies et subtiles aptitudes à élaborer les symboles complexes du rêve, ou le trait de génie occasionnel, ou un état endogène de supraconscience, ou encore ce qui peut mettre un terme aux affres de la douleur, à supposer que l'esprit puisse accomplir pareilles choses, alors il se pourrait bien que la répugnance de la science à explorer la supernature de l'homme au bénéfice de l'homme ne soit rien d'autre qu'une forme de suicide intellectuel.

Peut-être l'espèce humaine est-elle encore trop jeune. En tant que représentant de la seule espèce détenant le pouvoir de gouverner ses propres destinées, l'homme a sans doute besoin d'un peu de temps pour démontrer qu'il est *capable* d'user de ce pouvoir, tout comme il lui a fallu un certain temps pour se donner la capacité d'agir sur les éléments de l'univers physique. La science est encore pour l'homme un outil neuf. Elle a d'abord découvert les lois de la nature et appris à soulager l'effort qu'exige la vie physique... en même temps qu'à détruire la vie. Qui sait si à présent elle n'est pas à la veille de faire de nouvelles découvertes sur la vraie nature du psychisme humain et sur les ressources inexploitées de l'esprit?

Les ressources de l'esprit

Nous pouvons tous constater que l'esprit dispose de capacités bien supérieures à celles que nous lui prêtons. Tel l'éclat de l'or qui nous révèle à distance la mine, le précieux gisement de l'esprit se signale à notre attention par ces brefs scintillements qui, de temps à autre, nous font entrevoir la richesse de la veine. Il se peut fort bien que tous les efforts déployés jusqu'ici pour localiser le maître-filon de l'esprit —

par le biais de l'hypnose, de la représentation en images ou de la méditation transcendantale — soient aussi sommaires et hasardeux que le furent jadis les efforts des chercheurs d'or, quand ils ne disposaient en tout et pour tout que d'une mule, d'un pic pesant et d'un méchant crible.

Explorer sérieusement l'esprit, c'est se heurter aux solides interdits sociaux qui frappent tout ce qui touche au spirituel. La science — chacun sa vocation — se cantonne dans l'étude des mécanismes du cerveau et s'aveugle volontairement sur les miracles de l'esprit, dont la littérature mondiale nous fournit pourtant plus d'une preuve. En outre, et du fait même que pour elle il ne semble nullement évident que de tels miracles puissent s'accomplir, la science désavoue toute l'hypothèse selon laquelle l'esprit disposerait de facultés différentes de celles dont peuvent rendre compte la physique théorique et la statistique. Puis, à l'autre pôle de la communauté qui détient le monopole de la spiritualité, l'autorité ecclésiastique anathémise le péché moral que représente toute velléité d'empiéter sur ce qu'elle tient pour une grâce naturelle accordée par Dieu.

Ceux qui entendent s'aventurer sans restrictions dans le champ de l'esprit sont encore paralysés par un autre handicap: la précarité de leur statut. En effet, les spécialistes de la question rechignent à leur fournir les données utiles ou à leur faire partager la connaissance dont ils disposent, préférant mettre en réserve et amasser la moindre bribe d'information dans cette invisible chambre forte qu'on appelle la Science. Sous prétexte de se garder des interprétations extrémistes, et en maintenant toute information critique sous le boisseau, hors d'atteinte de la curiosité publique, la science se garde ainsi de toute controverse sur la nature et sur les pouvoirs de l'esprit.

Il n'est donc pas étonnant que l'homme de la rue, le nonscientifique, éprouve quelque crainte à la perspective d'explorer son propre esprit, puisqu'on lui a ressassé que c'est là violer les commandements de la science et de la religion. Dépourvus d'information comme d'expérience sur les possibilités et les prodiges dont l'esprit, au sens individuel comme au sens le plus large, est capable, ni l'individu ni la société n'osent s'opposer aux spécialistes patentés de la question, pour affirmer que d'autres formes de spiritualité existent, authentiques et puissantes, et qu'il n'est pas impossible qu'en elles se résume tout l'être humain.

Je fais le voeu qu'un jour proche l'homme puisse éprouver les merveilles de son esprit et apprenne à se servir de sa conscience pour épanouir plus pleinement et son être, et le genre humain tout entier. Or si je formule ce voeu avec toute la passion dont je suis capable, il reste que cette passion pour la libération de l'esprit et de la conscience s'enracine aussi profondément dans la science et la philosophie que dans mon expérience personnelle.

Car si c'est l'expérience personnelle qui m'a conduite à me poser des questions, c'est à la science et à la philosophie que je dois la réalité du présent et du passé, et c'est de l'une comme des autres que je retire deux visions fort contrastées du futur: la première étant celle d'une évolution vers un dépassement de l'esprit et de la supraconscience, la seconde celle d'une stagnation spirituelle et d'un suicide social. Cette dernière éventualité refroidit bien sûr mes passions. Mais en même temps elle stimule mon désir de transmettre ce que mon expérience, personnelle et scientifique, m'a fait accepter comme une évidence, à savoir qu'en chacun de nous existe un esprit supérieur, dont les possibilités sont quasiment illimitées.

Des années de travaux sur la physiologie et le comportement de l'homme et de l'animal m'ont amenée à cerner quelques-uns des obstacles qui s'opposent à la compréhension de l'esprit humain. La science ne s'enrichit et ne progresse qu'en annexant des acquis désespérément minces. Quand elle se trouve confrontée aux caprices et aux extravagances de l'esprit, il lui est alors difficile de s'affranchir des mythes et de l'autorité rassurante que lui dispensent ses sorciers. Ayant eu la chance d'être associée à bien des recherches d'avant-garde sur l'organisme, l'esprit et le comportement, il était inévitable que je mesure de mieux en mieux l'indigence et les limites de notre réflexion sur la nature de la conscience.

Ce qui, paradoxalement, pèche dans les interprétations de l'esprit et de la conscience données par les spécialistes de ces questions, c'est qu'elles ne prennent en considération, et presque exclusivement, que les états d'esprit ou de conscience pathologiques. Autant que je m'en souvienne en effet, la psychiatrie, la psychologie et la biochimie ont centré le plus clair de leurs recherches significatives sur la schizophrénie, tandis que de leur côté les psychologues ont traqué l'émotion partout où ils ont pu lui supposer une origine animale instinctive. Médecine, psychiatrie et psychologie, toutes les trois héritières d'une vieille tradition thérapeutique, réservent tout naturellement leurs techniques et leurs acquis de plus en plus nombreux à l'étude de l'étiologie et à la recherche de traitements plus efficaces. Voilà qui ne laisse guère de place à l'exploration des autres qualités de l'esprit et de la conscience de l'homme.

Je crois pour ma part que le principal défaut des scientifiques — défaut fort explicable, car la pathologie pose de sérieux problèmes — est de vouloir ignorer que l'univers de l'homme abonde aussi en aberrations exemplaires, remarquables, de l'esprit et de la conscience, et que ces aberrations n'en sont pas moins utiles, instructives ou enrichissantes. Le génie, tel ou tel don particulier, les dispositions artistiques, les états d'extase, les extraordinaires performances physiques ou mentales réalisées sous l'effet du stress, l'hypnose, la perception infraliminale, l'imaginaire, le rêve, la mémoire phénoménale, le sentiment de déjà vu, la créativité, sont autant d'états d'esprit et d'opérations mentales qui contribuent au progrès et au bien-être de la société. Autant de bonnes raisons aussi de prendre au sérieux l'étude systématique des attributs atypiques, mais non pathologiques, de l'esprit et de la conscience.

La guérison par l'esprit

Nous pouvons, vous et moi, changer la science. Chaque fois que se répand *effectivement* et par des moyens de propagation non scientifiques une information nouvelle et prometteuse sur la nature de l'être humain, la science est pour ainsi dire mise en demeure de répondre à la pression publique exercée sur elle pour qu'elle satisfasse plus pleinement aux exigences humaines. C'est ainsi que, depuis plus d'une dizaine d'années, la position scientifique sur ce qu'est l'être humain et sur ce qu'il n'est pas — position dominante qui jusque-là faisait autorité — a été fortement battue en brèche.

Balayée par une vague de récentes découvertes (l'efficacité du yoga, l'amélioration des fonctions organiques par la méditation, le soulagement des symptômes physiques du stress par l'autorelaxation, la récupération de bien des incapacités fonctionnelles par le biofeedback), la science ne pouvait plus se contenter de se réfugier dans ses retranchements. Si une poignée de médecins se refuse encore à admettre qu'un simple quidam, de sa propre initiative et avec un peu d'aide, peut modifier aisément et simplement les fonctions physiques de son propre organisme, il est presque unanimement admis aujourd'hui que l'esprit a le pouvoir de gouverner le corps.

Que les spécialistes des sciences biomédicales en soient ou non convaincus, il n'empêche que leurs certitudes ont été fortement ébranlées par l'impact sur la santé des nouvelles conceptions de l'existence. De surprenants comptes rendus émanent aujourd'hui de nos administrations gouvernementales ou de nos sociétés scientifiques, pour établir par exemple que la maladie coronarienne accuse une forte baisse de fréquence, que les effets de la sénescence se font sentir de plus en plus tardivement ou que des malades conjurent d'eux-mêmes, par un effort de volonté, des affections réputées fatales. Il est bien certain que tous les troubles pathologiques de l'homme ne cèdent pas aux forces mystérieuses de l'empire sur soi-même. Mais à partir du moment où les inconditionnels de la dogmatique médicale admettent eux-mêmes que "vivre mieux", c'est sauver des vies, on peut parier sans risque d'erreur qu'il y a anguille sous roche.

Peut-être la médecine traditionnelle a-t-elle été la seule à en être surprise. Pendant des décennies, et sans doute même pendant tout le temps qu'il a fallu pour que l'empirisme devienne science, jamais la médecine n'a remis en question sa doctrine, pourtant arbitraire, selon laquelle les fonctions vitales de l'organisme ne sauraient et ne pourraient être placées sous le contrôle de l'esprit.

La science a tenté de justifier sa longue indifférence pour les pouvoirs de l'inconscient en affirmant que ce type d'activité mentale ne pouvait être étayé par une documentation capable de répondre aux exigences scientifiques avec toute la précision souhaitable. Car la science exige, c'est un fait, l'examen *systématique* des phénomènes. Mais si les données physiques constituent en effet le moyen le plus pratique et le plus précis de rendre compte d'un phénomène, elles ne sont pas pour autant l'unique moyen de le faire. Après tout, c'est bien sur la pathologie des émotions que se fonde la psychologie pour diagnostiquer les conflits inconscients. Elle pourrait donc tout aussi bien se fonder sur la productivité mentale pour tirer des conclusions applicables à l'harmonie et à la créativité inconscientes.

Depuis fort longtemps, il me semble que la médecine et la psychologie se sont abritées derrière une sorte de cécité hystérique pour ne pas être obligées d'accepter l'évidence d'un contrôle de l'esprit sur les fonctions organiques. Tout se passe comme si la science — ou plutôt l'inconscient collectif de la science — avait craint de se voir déposséder, par un intangible pouvoir, de son autorité et de son influence sur les âmes et sur les corps. De sorte qu'elle s'est inventé mille bonnes raisons de ne pas examiner la moins immédiatement évidente des aptitudes de l'esprit.

Peut-être la difficulté a-t-elle été double: le contrôle par l'esprit des fonctions organiques s'opère principalement par des processus mentaux rarement accessibles à la conscience claire, tandis que ces processus mentaux inconscients sont plus difficiles à mesurer et à étudier que, disons, la spiritualité. La cécité hystérique offre une bonne illustration de cette double difficulté. Elle est l'exemple idéal qui nous révèle fort bien à quel point peut être révélatrice la plus simple analyse du phénomène corps-esprit. Car en fait, n'importe qui est à même de démêler les données ahurissantes fournies par cet exemple; n'importe qui est à même d'en tirer des conclusions sur les facultés critiques de l'inconscient et sur le remarquable pouvoir dont il dispose de promouvoir de profonds changements organiques.

La cécité hystérique est une affection exclusivement forgée par l'esprit. Comme la plupart des phénomènes hystériques qui se produisent quand les fonctions psychiques cessent de s'exercer dans leur relation normale au corps, à la conscience claire ou au réel, elle offre un exemple frappant des inexplicables schèmes que peut inventer spontanément l'esprit pour exercer un contrôle absolu sur une fonction organique des plus vitales.

On explique le plus généralement l'hystérie par le fait que l'inconscient, ou quelque chose dans l'inconscient, perçoit une menace dirigée contre la sécurité du moi et préserve l'image du moi en élaborant du mieux qu'il peut un système de protection contre l'imminence de cette menace risquant de porter atteinte au bien-être. Ce qui rend l'hystérie problématique, c'est la perception du danger, l'élaboration et la construction de la défense; tout se passe dans les replis obscurs de l'inconscient, sans que jamais, ou quasiment jamais, le moindre indice ne vienne alerter la conscience claire.

Je citerai ici à titre d'exemple un cas dont je fus personnellement le témoin. Un jour, du temps que j'étais étudiante, la nouvelle se répandit à travers tout le campus qu'une de nos condisciples, une jeune fille exceptionnellement intelligente et que tout le monde aimait beaucoup, venait soudain de perdre la vue. Nous fûmes tous affligés par cette catastrophe survenant à une époque de fin d'année universitaire, où chacun travaillait d'arrache-pied, et plus bouleversés encore par cette malheureuse coïncidence qui privait notre amie de la vue à une semaine de l'examen final. Chaque jour, nous allions à l'hôpital prendre de ses nouvelles. Bientôt, nous fut asséné le second choc: notre condisciple n'était pas fonctionnellement aveugle. Elle était frappée de cécité hystérique.

Ce fut là un rude coup pour notre système de valeurs — nous qui avions été élevés dans la certitude que toute affection organique procède d'une cause physique — que de découvrir le pouvoir total des dangers inconnus et latents de l'esprit humain. On nous expliqua alors, tout comme on nous l'expliquerait aujourd'hui, que l'inconscient peut être perturbé par les difficultés qui se présentent, ce qui l'amène à se doter de moyens de défense contre les menaces, réelles ou imaginaires, qu'il perçoit. À cette époque tout comme aujourd'hui, il était donc évident que l'inconscient était le refuge secret du pouvoir de l'esprit. Mais alors que chacun est convaincu de l'existence dans notre inconscient d'un maître magicien capable de corrompre notre entendement et de rendre logique ce qui relève de l'affectivité, les spécialistes (handicapés eux aussi par une cécité hystérique?) ne savent pratiquement rien des opérations internes de l'inconscient, ni des pouvoirs extraordinaires d'un esprit capable de réduire l'être physique à l'obéissance totale.

Compte tenu de ses capacités intellectuelles que maintes fois elle avait affirmées, cette ancienne condisciple à qui je viens de faire allusion avait toutes les raisons d'attendre de la vie réussite et bonheur. Tout laisse à penser pourtant que chez elle une partie de l'esprit — cet inconscient ténébreux et inconnu — percevait et, très certainement, créait une difficulté. Mais cette difficulté n'affleurant pas à la conscience lucide, l'inconscient ne pouvait utiliser que ses propres dispositifs pour élaborer une réponse infaillible au problème que sa logique interne l'avait conduit à tenir pour réel. À n'en pas douter, la cécité est un antidote souverain quand il s'agit de se dérober à une épreuve exigeant impérativement qu'on y voie clair. L'aptitude grâce à laquelle l'inconscient exerce sur une fonction physiologique et physique un contrôle qu'il lui est ordinairement impossible d'exercer — faire appliquer l'ordre de *ne pas* voir — représente sans nul doute une des facultés les plus prodigieuses et les plus méconnues de l'esprit humain.

Quand une partie de l'esprit est capable (1) de tirer aussi adroitement parti d'une perception pour inventer de toutes pièces un problème entre elle-même et quelque chose d'extérieur à elle, puis (2) de concevoir une solution logique et adéquate au problème créé, sous la forme d'une défense assez solide pour résister aux impacts ultérieurs que ce problème peut avoir sur l'esprit et les émotions, et enfin (3) de donner des ordres au corps pour qu'il adopte la conduite de riposte nécessaire à la défense, n'est-ce pas là précisément ce que nous attendons de l'intelligence humaine? Mais (4) quand l'identification et la résolution du problème s'opèrent tandis que la conscience claire n'est capable ni d'identifier ni de résoudre, nous pouvons seulement conclure que ce sont des processus intellectuels inconscients qui assument, de bout en bout de la séquence des actions mentales, ces subtiles opérations de pensée.

L'aveuglement de tant de spécialistes devant le génie de l'esprit caché n'est peut-être rien d'autre qu'un processus inconscient comparable à la cécité hystérique. La théorie psychodynamique admet parfaitement que l'inconscient est capable de se créer des conflits et d'élaborer des dispositifs de protection contre les effets de ces conflits. Mais la façon dont s'y prend l'inconscient pour accomplir des prouesses mentales aussi complexes n'est toujours pas connue et n'a toujours pas été étudiée. La science s'obstine à ne tenir compte de l'inconscient qu'à partir du moment où il est assez perturbé pour être cause de désordres psychosomatiques avérés. Même quand il advient que la psychothérapie ou la chimiothérapie ramènent l'inconscient perturbé à un état normal et tolérable, tout le crédit en est porté au compte de l'esprit conscient.

Contrairement à une idée fort répandue, l'activité mentale inconsciente n'entraîne généralement *pas* de résultats fâcheux. La plupart du temps, les processus mentaux inconscients sont créatifs, positifs et bienfaisants. Si l'on examine les activités inconscientes énumérées dans l'exemple "névrotique" mentionné ci-dessus, on se rend compte que chaque phase du processus se déroule selon des modalités éminemment logiques et efficientes, à l'exception de la phase (1), celle de la perception du problème (l'étudiante en question percevait comme problématique ce qu'elle interprétait)*.

---

* Scientifiquement parlant, le terme perception prête à confusion, du fait qu'on l'emploie sous deux acceptations: 1/l'identification qualitative d'objets et d'événements détectés par les sens et 2/la connaissance de la *signification* de ces objets ou de ces événements. C'est dans ce dernier sens que j'use ici du mot perception.

Prenons cependant le cas où la perception est correcte et où un problème réel se pose entre le moi et un quelconque aspect de l'environnement. Dans cette hypothèse, la suite de la séquence est exactement la même. Nous élaborons des solutions au problème ou bien nous inventons des moyens de défense contre l'offensive émotionnelle, et nous commandons à notre corps de coopérer en adoptant une expression comportementale conforme aux solutions de défense proposées. La seule différence entre le processus névrotique et le processus normal est que, dans le premier cas, certaines perceptions sont évaluées de façon inadéquate. La principale raison pour laquelle les perceptions ne sont pas évaluées avec justesse tient à l'insuffisance des informations appropriées qui permettraient de déterminer si ce qui est perçu risque ou non de mettre en péril le bien-être. Quand les perceptions sont inadéquates, l'esprit n'est pas en mesure de proposer des solutions efficaces. Mais dans un cas comme dans l'autre, c'est la logique et l'intellection de l'inconscient qui jouent le rôle principal dans la résolution du problème.

Dans les innombrables archives que détiennent les sciences du comportement humain, il existe en fait une véritable moisson de comptes rendus, qui tous témoignent de l'extraordinaire gamme de pouvoirs dont dispose l'esprit pour gouverner le corps. Certaines évidences nous sont rendues obscures par la terminologie rituelle des disciplines du comportement, alors que d'autres ne sont pas perçues par les scientifiques eux-mêmes. Du fait des contraintes et des traditions qui pèsent sur la mise en forme des bilans scientifiques, nombre de ces évidences n'y sont pas explicitement consignées, mais il n'en reste pas moins manifeste, incontestable, que les activités physiques et physiologiques du corps sont modifiées par l'activité mentale et que les opérations intellectuelles inconscientes gouvernent, selon des modalités qui leur sont propres, les mécanismes physiologiques régulateurs des fonctions organiques lorsque l'esprit ne souhaite pas prendre lui-même la direction des opérations physiques.

Je me propose d'exposer dans les pages qui vont suivre quelques faits d'évidence et de logique incitant à conclure que la nature unique de l'esprit humain possède pour le moins l'étrange pouvoir de guider, de gouverner et de surdimensionner les fonctions physiques de son propre substrat vivant, le cerveau. Mon argumentation se proposera de démontrer (1) qu'une partie de l'esprit, l'inconscient, peut conscientiser tous les événements survenant dans l'organisme, qu'il s'agisse de phénomènes isolés intéressant une seule cellule ou d'un état global d'intégration organique; (2) que l'inconscient est un trait subtil et perfectionné de l'intelligence humaine; (3) que les fonctions physiques (physiologiques) du corps humain expriment en permanence l'activité mentale de la pensée, qu'en fait elles ne sont que le reflet de l'activité intellectuelle; (4) que, lorsqu'il y est poussé par les circonstances, l'inconscient peut exercer son contrôle sur les fonctions biologiques (par le biais de l'intention et de l'attention inconsciemment dirigées, d'une conscientisation inconsciente accrue par l'expérience et l'apprentissage, et aussi par le biais de l'intention et de l'attention dirigées par la conscience claire); (5) que l'inconscient peut à son tour être influencé par la conscience claire, et plus particulièrement par la conscience consensuelle, et (6) que le processus de la pensée traduit en lui-même l'exercice d'un contrôle volontaire sur l'activité physique du cerveau.

Deuxième partie

•

L'intégration corporelle

Chapitre 3

•

Les subtilités de l'esprit

L'esprit gouvernant la matière

L'adoption, à laquelle on assiste aujourd'hui, de nouveaux modes de vie axés sur la prise de conscience de ce qui est bénéfique au corps et à l'esprit représente peut-être le changement le plus spectaculaire qui se soit accompli dans une mentalité américaine en pleine fermentation. Bien des gens se rallient désormais au présupposé optimiste selon lequel "prendre soin de son corps", c'est se prémunir contre la maladie et les fléaux si répandus dans la société moderne. Mais si ce respect du corps procède d'une démarche concrète ostensible, il reste que le véritable instrument de prévention et de protection, du corps comme de l'esprit, n'est autre que cette capacité encore latente et bien peu exploitée dont dispose l'esprit humain, capacité qui lui permet d'interpréter et de contrôler les opérations s'effectuant à l'intérieur de l'organisme.

Mais ce pouvoir de l'esprit sur le corps, s'il ne laisse pas de convaincre ceux qui en usent, est loin d'avoir jamais emporté la conviction des scientifiques, pour qui ces phénomènes de domination du corps par l'esprit — que bien peu ont tenté de systématiser afin d'en faciliter la compréhension — relèvent le plus souvent de l'anecdote personnelle et rien de plus. Pourtant, je suis convaincue que l'analyse des comptes rendus rapportant des cas de ce genre permettrait d'en dégager les caractéristiques. Pour avoir longtemps et intensément réfléchi aux causes possibles de certaines expériences que j'ai personnellement vécues, c'est de ces expériences que je m'autoriserai pour montrer que les indices qu'elles fournissent justifieraient amplement une exploration plus systématique du phénomène esprit-corps.

La maîtrise du corps

Dans ce domaine, mes expériences personnelles ne diffèrent en rien de celles de beaucoup de gens. Mais étant donné que ma qualité de chercheur m'a sans doute davantage inclinée que d'autres à l'expérimentation, les exemples que je rapporte risquent de sembler particulièrement spectaculaires. Le plus frappant d'entre eux se rapporte à une amygdalectomie que j'ai dû subir alors que j'avais atteint l'âge adulte.

Du temps que j'étais étudiante en médecine, j'avais un professeur d'oto-rhino-laryngologie qui se servait ordinairement de moi pour illustrer ses cours et expliquer comment on pose un diagnostic. Pour cela, il me plongeait au fond de la gorge d'encombrants miroirs laryngoscopiques, de sorte qu'il m'était devenu très pénible de supporter ces séances: je me sentais angoissée à la seule idée qu'on allait me scruter l'intérieur de la bouche. Aussi, ayant été persuadée par ce professeur que mon état en imposait pour une amygdalectomie, j'étais littéralement prise de panique. Au point de demander au chirurgien de m'accorder trois mois pour m'y préparer. Trois mois durant lesquels je ne cessai de me convaincre que l'opération serait toute simple, indolore et exempte de complication.

Mais quand fut venu le moment de l'intervention, le tissu adénoïdien se révéla d'une telle friabilité qu'il fut quasiment impossible d'anesthésier localement. "Hant his! Enl'hez-hes hand hême", bafouillai-je de dépit. Ce qui, éructé à travers l'outillage qui me maintenait la bouche grande ouverte, voulait dire: "Tant pis! Enlevez-les quand même." Déjà le chirurgien me retirait les pinces hémostatiques. Surpris, il me demanda si j'étais bien certaine de vouloir être opérée en dépit des circonstances. Je le lui confirmai. Au diable l'anesthésie! Irrité, mais me prenant au mot, il m'enfourna de nouveau dans la bouche les pinces, ses doigts, un scalpel et quelques compresses maintenues chacune à l'extérieur par un fil. Tandis qu'il opérait, je me redressai pour arracher les compresses de ma bouche.

— Faites attention! me cria-t-il. Vous voyez bien que le champ est stérile!

— Je le sais bien, mais je ne saigne pas non plus, réussis-je à lui dire en m'efforçant de garder le sourire.

Il se remit au travail. Moi, je grommelais en regardant ma montre.

— Vous feriez bien de vous presser, lui dis-je encore. Bientôt quinze minutes. C'est long, pour un chirurgien réputé le plus rapide de l'Ouest.

Il me sourit et retira les champs, pour me signifier qu'il en avait terminé.

— Jamais encore je n'ai opéré de cette façon-là! s'exclama-t-il.

Je n'avais ressenti aucune douleur. Je n'avais pas saigné. Et je n'eus par la suite aucun mal à m'en remettre. Le pouvoir de l'esprit sur la matière.

Cette aptitude mentale secrète à gouverner les fonctions vitales de l'organisme m'a été utile à plusieurs reprises, bien que j'avoue ne pas savoir ce qui permet d'exercer à l'esprit des effets aussi remarquables. Tout ce que je sais, c'est que sur le moment je voulais qu'il en fût ainsi, et que de curieuse façon l'esprit conscient, dans ces circonstances, laisse le champ libre à l'inconscient pour qu'il puisse accomplir ses prouesses.

Ce pouvoir particulier de l'esprit peut être requis en cas d'urgence, comme ce fut le cas pour moi le jour où le tranchant d'une portière de voiture brutalement refermée m'amputa presque du pouce. Jusqu'à la salle d'opération, je fis de mon mieux pour maintenir en contact les morceaux de doigt sectionnés et, là, déclarai en gémissant au chirurgien que j'étais hypersensibilisée aux anesthésiques locaux, cette hypersensibilisation étant apparue quelque temps après mon amygdalectomie. Aussi répara-t-il les dégâts et sutura-t-il la plaie à vif, tandis que de mon côté je me concentrais pour éviter de souffrir.

Ce chirurgien fut si impressionné par mon stoïcisme qu'il en oublia de me prescrire un médicament antalgique capable d'atténuer la douleur pulsative que me valait cette masse tuméfiée et encapuchonnée d'épais bandages qui avait été mon bon vieux et fidèle pouce. Tant et si bien qu'une fois de retour chez moi, je me rendis compte qu'il me faudrait m'accommoder toute seule de cette douleur térébrante.

Faute d'analgésiques ou de sédatifs, je décidai de m'en remettre au pouvoir de l'esprit. Inlassablement je me répétais à moi-même que je n'allais pas souffrir. Or, pour faire bonne mesure, car le chirurgien m'avait révélé que mon doigt resterait informe et insensible, je formulai à mon propre usage je ne sais quelle sorte d'injonction de façon que mon pouce guérisse, exempt de toute cicatrice. La douleur ne cessait de perturber ma concentration d'esprit, mais je continuai à intensifier mon effort mental. Pendant toute la journée, je transpirai littéralement, tant je m'appliquais à convaincre mon pouce de ne pas me faire souffrir et de guérir parfaitement. Le soir, cet effort m'avait épuisée. Je décidai de m'alimenter d'une tasse de potage, de renoncer, de me jeter sur mon lit et de crier tout mon soûl, si tant est que crier m'aiderait à passer la nuit. En me rendant à la cuisine, je passai près de la table roulante chargée de bouteilles d'alcool. Un déclic se fit dans ma tête.

"Toi et ton esprit omniprésent!" me réprimandai-je. "Quelques lampées de ce bon vieux soporifique et hop! envolée, la douleur!" Persuadée qu'en toute chose, y compris l'effort mental, il convient de se modérer, je bus. Le pouvoir de l'esprit ne doit-il pas parfois le céder à quelque chose de plus efficace, surtout si ce pouvoir est immature? Toujours est-il que, alcool ou pas, mon pouce guérit rapidement et ne garda pour tout stigmate de ma mésaventure qu'une très discrète cicatrice.

Il semble étrange de conter ici ces histoires de suprématie de l'esprit sur le corps. Du temps de mon enfance, ma grand-tante ne confiait qu'à un petit groupe d'amis bien choisis ce qu'elle pensait secrètement des pouvoirs de l'esprit. Elle avait adopté la philosophie fort simple d'Émile Coué* et se répétait cent fois par jour à elle-même des formules de ce genre: "Je me sens de mieux en mieux, je me sens de mieux en mieux..." Tout comme ses confidents, ma grand-tante était convaincue de pouvoir invoquer des puissances inconnues qui, par quelque nébuleuse correspondance, étaient en liaison avec des entités spirituelles ou avec Dieu — je n'ai jamais trop su au juste si c'était avec les unes ou avec l'autre —, et par là même capables d'exercer des effets miraculeux sur l'esprit comme sur le corps et l'âme.

De nos jours, c'est pourtant un concept du même ordre qui s'impose peu à peu en tant que thérapie légitime et mesure médicale préventive. Cela ne prouve qu'une chose, c'est que nous sommes davantage préparés à exploiter systématiquement nos capacités mentales, et que les résultats obtenus grâce aux nouvelles techniques d'éveil du corps et de l'esprit désarment peu à peu nos réticences et nous inclinent davantage à parler ouvertement de nos expériences personnelles dans ce domaine.

Car nos propres expériences sont *bien loin* d'être uniques. Des histoires comparables aux miennes, les cercles de famille et les souvenirs personnels en recèlent des milliers. Il est évidemment bien triste que nul n'ait songé à faire l'observation critique de cette force potentielle apparemment innée grâce à laquelle chaque esprit humain semble pouvoir maintenir l'organisme en bonne santé.

Bien que nous ne soyons pas en mesure de résoudre l'énigme du contrôle exercé par l'esprit sur les fonctions phy-

---

* Pharmacien français qui, au début de ce siècle, avait fondé à Nancy un centre de psychothérapie par l'autosuggestion. Sa "philosophie" a le plus souvent été popularisée sous le nom de *Méthode Coué*. (N.d.T.)

siologiques du corps, nous pouvons néanmoins faire un premier pas dans l'étude systématique de ces potentialités humaines, et cela en isolant les traits les plus manifestes de la suprématie exercée par le psychisme sur le soma. C'est en effet l'analyse logique des données qui peut nous permettre d'interpréter les mécanismes régissant les phénomènes naturels. Leur compréhension exige sans doute beaucoup de temps, mais nous pouvons à tout le moins tenter une première approche en commençant tout simplement par énumérer les faits d'observation. Nous pouvons, par exemple, tenter de dégager les caractéristiques distinctives des expériences vécues que je viens de conter.

De ces expériences, il se dégage tout d'abord qu'un processus thérapeutique s'est accompli sans intervention extérieure d'aucune sorte. Il s'en dégage ensuite que les effets analgésiques exercés mentalement équivalaient au bas mot à ceux d'un narcotique modérément puissant, la codéine par exemple. En outre, bien que le dessein de commander au corps et que les ordres donnés aient été parfaitement perçus par la conscience claire, cette dernière était incapable d'évaluer lucidement toute autre forme d'activité cognitive ou physiologique. La seule conclusion que nous pouvons en tirer, c'est que l'opération déterminante — à savoir l'exécution du dessein — relevait du domaine de l'inconscient. Enfin, les actes mentaux mis en jeu étaient des actes circonstanciés, intelligents, productifs, orientés vers la survie, qui par là même confortaient le bien-être global de l'individu.

Voilà donc isolées les caractéristiques les plus importantes de ces expériences vécues. Il ne fait aucun doute que quiconque aura éprouvé des phénomènes de ce genre pourra en dégager exactement les mêmes caractéristiques. Mais, pour l'instant, l'analyse s'arrête là et n'est pas encore en mesure de nous apprendre à mobiliser infailliblement ces pouvoirs mentaux. Pour cela, il nous faut au préalable inventorier plus minutieusement ce que nous savons et ce que nous ignorons des relations qui s'exercent entre l'esprit et le corps.

La nature primitive de l'être physique

Ne se contentant plus de savoir que l'esprit possède la faculté d'influencer le corps, bien des gens souhaitent en connaître davantage, c'est-à-dire suffisamment, pour "percevoir" cette faculté et apprendre à user d'elle pour accomplir au mieux leur être.

Pourtant, la plupart éprouvent une certaine difficulté à s'y retrouver dans le jargon dont se servent la psychologie et la médecine pour décrire l'extraordinaire complexité fonctionnelle du corps et de l'esprit. Car l'étude des modalités propres à ces mécanismes compliqués préoccupe bien trop ces disciplines pour qu'elles prennent le temps de les rendre intelligibles au vulgaire. Pourtant, ce sont là des concepts qui nous sont indispensables si nous voulons exploiter pleinement notre énergie mentale. En tout état de cause, cette distillation des interactions esprit-corps, pour en tirer la quintessence, a compté parmi mes passions les plus vives. Je résumerai donc dans les deux sous-chapitres suivants ces opérations qui, même ramenées à un exposé squelettique, démontrent combien il est impératif d'explorer les dons et les ressources de l'inconscient.

Commençons par décrire succinctement comment fonctionnent les systèmes organiques essentiels à la vie. Une fois acquise la compréhension des fonctions élémentaires du corps, il ne sera pas difficile d'expliquer comment l'inconscient — et l'esprit conscient — interviennent pour modifier le schéma fonctionnel organique.

Je considère *The Shape of Intelligence**, de H. Chandler Elliott, comme l'un des ouvrages de "vulgarisation" les plus passionnants et les plus riches qui aient jamais été écrits sur les mécanismes du corps humain. L'auteur, un neurologue, a su y résumer l'essentiel des grands réseaux fonctionnels dont les interactions s'exercent à travers l'organisme; il a ramené ces réseaux à des systèmes hiérarchisés, élémentaires et ordonnés, qui expliquent parfaitement le rôle

---

* Édité par Scribner's, New York, 1969.

de chaque cellule, de chaque tissu histologique, de chaque organe, dans le fonctionnement physiologique normal de l'organisme humain. Cette analyse remarquable a le mérite de présenter le corps comme un mécanisme totalement et automatiquement adapté. À toute stimulation, il oppose la réponse extraordinairement appropriée qui assure sa survie. L'opérateur de cette machinerie d'une grande complexité, c'est le cerveau, centre de contrôle spécialisé capable d'intégrer l'information en provenance de l'écosystème et d'élaborer en conséquence les réactions adaptatives qu'impose le maintien bien compris de l'activité vitale.

Et pourtant, ce livre ne fait aucune allusion à l'esprit. De fait, les sciences axées sur l'étude du cerveau font rarement place à un tel concept. Or il va de soi qu'en passant l'esprit sous silence on en arrive à la surprenante conclusion que l'organisation et le maintien en activité du corps humain sont relativement primitifs, simples... et en tout point comparables à ceux d'une machine. Car seuls les processus qui ont pour siège l'esprit confèrent au corps et au cerveau leur adaptabilité et leur extrême perfectionnement.

Réduites aux principes selon lesquels s'effectuent leurs opérations élémentaires, les fonctions du corps humain sont étonnamment simplistes et guère plus élaborées que celles qui se déroulent dans l'organisme du chat, du rat ou de l'éléphant. Cette constatation est parfaitement conforme à la pensée médicale, qui admet généralement que les systèmes (ou divisions) du corps se ramènent en tout et pour tout à trois: l'ostéomusculaire, le nerveux autonome auquel s'ajoutent les organes ou viscères qu'il innerve, et le nerveux central.

Attachés aux os du squelette, les muscles striés constituent l'essentiel de la masse corporelle. Ils sont les effecteurs des ordres émanant du cerveau et seraient dépourvus de toute motricité sans les nerfs qui leur proviennent du système nerveux central (encéphale et moelle épinière). En fait, les nerfs ne permettent guère aux muscles que de se contracter. En termes fonctionnels, la relaxation n'est autre que de la non-contraction. De plus, les muscles présentent une certaine spécialisation, mais ce n'est pas là un attribut propre au tissu musculaire: quel que soit le degré de spécialisation d'un muscle, cette spécialisation dépend directement de l'excitation d'origine nerveuse qui vient le stimuler. Supposons qu'on veuille exécuter en douceur un quelconque mouvement musculaire — taper du doigt par exemple —, il faut pour cela qu'un groupe adéquat de fibres musculaires s'active et se contracte; or ce phénomène dépend du nombre bien déterminé des impulsions nerveuses qui sont transmises au groupe musculaire sollicité, cela à un moment bien précis, à partir des centres supérieurs de coordination situés dans la moelle épinière et le cerveau. Tout se ramène donc au système nerveux central, sans lequel le système ostéomusculaire ne serait rien qu'une marionnette réduite à l'impuissance, inutile tant que l'appareil cérébral n'est pas là pour tirer les ficelles*.

Quant au système nerveux autonome (SNA) ou neurovégétatif, il assure le bon fonctionnement des organes internes indispensables à la vie, et cela grâce à un dispositif automatique de régulation en retour mettant en jeu un contrôle central harmonisant les activités viscérales. Ce contrôle s'opère par réactions aux informations sensorielles perçues, par exemple en activant le péristaltisme quand la pression endo-intestinale augmente. En réalité, les viscères peuvent fort bien accomplir leurs fonctions sans intervention du SNA, dont le rôle normal est d'exercer un contrôle sur toutes les fonctions internes et aussi sur certaines fonctions spécialisées: équilibre thermique, hydrique, pression sanguine, élimination des déchets organiques, réponses aux stimuli sexuels, digestion, etc.

Le SNA se subdivise en systèmes sympathique et parasympathique (le mot sympathique, qui peut étymologiquement être interprété dans le sens d'"entente mutuelle", sous-entend que l'action de ce système est protectrice des

---

* Il existe dans la moelle épinière un minisystème nerveux capable d'inhiber *activement* la contraction musculaire, mais ce système n'est principalement mis à contribution que dans la régulation en retour intervenant entre la moelle et le muscle.

mécanismes vitaux; quant au mot parasympathique, dont l'affixe *para* signifie "à côté de", il suggère l'existence d'un autre système de même origine, et dont le rôle est de compenser les effets du premier). Quand les fonctions organiques sont sollicitées — par les repas, l'effort physique, le danger, etc. —, c'est essentiellement le système sympathique qui mobilise les activités internes; mais dès que le besoin de ces activités ne se fait plus sentir, c'est alors le parasympathique qui est mis automatiquement à contribution pour ramener à l'état normal organes et fonctions internes.

Le SNA présente passablement d'analogies avec le système nerveux des insectes. En fait, son organisation est très primitive. Anatomiquement, le SNA relève en totalité du cerveau inférieur, est situé dans la région de l'hypothalamus et sert de liaison avec l'hypophyse, organe endocrinien central. De cette localisation dans le cerveau inférieur, les prolongements nerveux sont diffus; il est pratiquement impossible de les isoler. Mais bien des évidences physiologiques laissent à penser que le SNA se raccorde à beaucoup, sinon à la totalité des centres nerveux supérieurs. Il est certain, par exemple, que la crainte d'un danger imaginaire peut stimuler le SNA et retentir sur l'activité viscérale. Il reste pourtant que ce système, tout comme le système ostéomusculaire, demeure primitif et indifférencié dans ses fonctions, tant que ces dernières ne sont pas coordonnées et dirigées par une intervention du cerveau.

Enfin, et de tous les trois le plus important, vient le système nerveux central (SNC). Il consiste en un agrégat de cellules nerveuses dotées de fonctions similaires et logées dans le cerveau en même temps que les liaisons fonctionnelles qui partent de celui-ci ou aboutissent à lui. Il s'agit donc du centre nerveux essentiel à l'organisation et au fonctionnement de l'organisme. Le SNC inclut tout ce qui se rapporte à la transmission nerveuse, depuis les fibres dites "réceptrices" qui, à partir de tous les organes des sens, envoient des informations au cerveau, jusqu'aux cellules terminales qui excitent et activent les organes périphériques (muscles, coeur, etc.). En tant que collecteur de tous les messages avertisseurs des changements qui se produisent dans l'environnement de l'organisme humain — grâce aux sens visuel, auditif, olfactif, tactile, vibratoire, et aux récepteurs sensitifs contenus dans les muscles et les viscères —, le noyau cérébral central procède à la sélection critique de l'information qui lui parvient, afin de promouvoir dans l'organisme les modifications adaptatives permettant à celui-ci de survivre et de fonctionner dans un environnement en perpétuel changement.

La nature des interéchanges psychosomatiques

Un des attributs les plus miraculeux du corps humain, c'est ce système grâce auquel les fonctions supérieures de l'esprit et l'ensemble des éléments vitaux de l'être organique peuvent communiquer de façon ordonnée et répétitive.

Entre le cerveau et le corps, d'innombrables réseaux nerveux véhiculent l'information générée par le cortex et la distribuent à l'ensemble des organes et des muscles, en même temps qu'ils assurent les interéchanges s'effectuant entre les multiples centres spécialisés de la moelle épinière et le cerveau. À l'époque où, pour la plupart, nous avons étudié la physiologie et la neurologie, nous avons appris que les nerfs sensitifs acheminaient vers le cerveau les informations provenant des organes et des aires périphériques du corps et que, d'autre part, les nerfs moteurs et efférents (ou centripètes) transportaient les informations en sens inverse, le cerveau guidant ainsi les activités organiques.

Aujourd'hui, il nous semble difficile de croire que les spécialistes de la biologie médicale aient pu être aussi naïfs, cela jusqu'à une époque aussi récente. Mais peu importe, puisque nous avons fini par apprendre que le fonctionnement de l'organisme met en jeu bien autre chose que des nerfs véhiculant de l'information provenant du système nerveux central et retournant à lui. Nous avons fini par comprendre que les fonctions physiques du corps dépendent de systèmes de contrôle et de régulation (feedback systems) grâce auxquels l'organisme reçoit en retour des données d'information lui permettant de corriger son fonctionnement et de le rendre plus efficace.

Ainsi, chaque système "automatique" de régulation en retour — qu'il s'agisse des mécanismes neurobiochimiques réglant l'acidité gastrique, ou bien des neurones du cortex alertant d'autres neurones cérébraux pour qu'ils soient attentifs à une nouvelle information afférente — est toujours assorti (en principe) d'un mécanisme de contrôle binaire, lequel décide si telle ou telle fonction en cours d'accomplissement s'exerce de façon convenable et appropriée, ou si au contraire elle a besoin d'être modifiée selon la nature de l'information interceptée par le système nerveux central.

Un système de régulation en retour (feedback control system) est un système qui intervient dans une fonction donnée et qui pour cela utilise presque toujours l'information fournie sur le résultat de son intervention. Ce principe de déroulement des phénomènes naturels est aussi fondamental que le sont les principes de la thermodynamique.

Ces systèmes de régulation en retour qui régissent toutes les fonctions organiques, animales et humaines, et aussi tous les comportements, se ramènent dans leur principe à des systèmes de contrôle mécaniques, comparables à peu de chose près au thermostat domestique réglant la température de la maison ou encore aux systèmes informatisés de guidage permettant le pilotage automatique des avions. Le "contrôle" ainsi exercé n'est rien d'autre qu'un dispositif mécanique, capable de comparer à la marche globale du système l'information utile qui lui est founie sur les conditions de l'environnement. Quand il s'agit d'un thermostat, par exemple, le contrôle consiste à comparer le degré thermique qui règne dans un environnement sélectionné (l'information est alors fournie "en retour" (feed back) au système central de régulation) au degré thermique sur lequel est réglé le thermostat. S'il existe une différence entre les deux températures, le système commande la mise en marche de l'appareil de chauffage. Si la température extérieure est à peu près la même que celle sur laquelle est réglé le thermostat, rien ne se produit. Le corps est pourvu d'un système identique pour maintenir constante sa température et aussi pour assurer la régulation de toutes ses fonctions, qu'il s'agisse de l'acidité gastrique, du degré de dilatation pupillaire, du taux de glycémie ou du clignement des yeux. Si le centre de contrôle — le cerveau — décèle une différence entre les activités telles qu'elles se déroulent et les activités telles qu'elles devraient se dérouler, alors les mécanismes appropriés de l'organisme sont sollicités, pour que telle ou telle fonction soit corrigée et réadaptée aux conditions environnementales.

Tout système fonctionnel tend à des buts bien déterminés, et quand il s'agit de systèmes fonctionnels automatiques, les limites entre lesquelles ces buts peuvent être remplis sont très précisément déterminées d'avance. Si, par exemple, notre main entre en contact avec un objet chaud, une information "thermique" est envoyée en retour au centre de contrôle — le cerveau —, qui détecte ainsi que les limites dans lesquelles le bon fonctionnement organique peut s'accomplir ont été enfreintes. Le centre de contrôle intervient alors pour ramener la fonction perturbée dans les limites où elle doit s'exercer, cela en activant les commutateurs nerveux dont l'effet sera de nous faire retirer la main de la source de chaleur. Le but recherché est bien entendu de maintenir l'organisme en état de bien-être. D'où la nécessité de définir au préalable les écarts thermiques acceptables.

Pour tous ceux que préoccupent l'esprit et la conscience, des analyses de ce genre sont autrement satisfaisantes que l'étude "réductionniste" de ces phénomènes complexes, laquelle se contente d'analyser partiellement leurs éléments constitutifs et leur mode de réponse aux stimuli. Presque tout ce qui se rapporte à l'être humain a été étudié selon des techniques d'approche "réductionnistes". Il aura fallu attendre des années après la Seconde Guerre mondiale pour que l'analyse de systèmes (ou cybernétique) et la servorégulation commencent à influencer les sciences du comportement. Aujourd'hui encore, rares sont les spécialistes du comportement humain qui adhèrent aux principes pourtant fort simples sur lesquels repose l'analyse des systèmes considérés comme des ensembles. Pourtant, comprendre comment s'opère la régulation en retour permet d'aborder l'étude de l'organisme vivant en le considérant comme un tout doté de systèmes autorégulateurs.

La cybernétique — terme dérivé d'un mot grec signifiant le timonier, l'homme de barre — est la science qui se donne pour objet d'étudier la communication et le traitement de l'information appliqués au contrôle comportemental des systèmes biologiques, physiques et chimiques. La révélation la plus spectaculaire de la cybernétique restera probablement la démonstration du rôle essentiel joué par l'information en retour dans les systèmes de contrôle automatique*.

Le contrôle central est exercé par l'esprit

S'il est vrai, comme il le semble, que les systèmes organiques fonctionnent grâce à des mécanismes simples et automatiques, la question essentielle qui se pose alors est la suivante: comment s'articulent entre eux les centaines d'automatismes permettant la coordination de l'activité physique et du comportement humain intelligent? On rend compte du mode d'interaction de différents systèmes physiologiques (dans le but de maintenir l'organisme en état de fonctionnement harmonieux) par l'existence de mécanismes régulateurs s'exerçant à différents niveaux, et selon une hiérarchie bien déterminée**.

---

* Par information en retour (*feedback information*), il faut entendre toute information qui se rapporte à des événements extérieurs susceptibles d'influencer le fonctionnement interne d'un système. Tous les systèmes organisés, qu'il s'agisse de l'amibe, du four électrique ou de l'être humain, sont équipés de récepteurs sensitifs capables de détecter les changements extérieurs pouvant retentir sur leur fonctionnement. Ainsi détectée, l'information adéquate est "retournée" au système considéré.

** Un bon exemple de fonctionnement de ces systèmes "supérieurs" hiérarchisés (entendons par là qu'ils sont plus cérébraux ou plus intelligents), capables d'exercer un contrôle physiologique sur des systèmes élémentaires de régulation en retour, consiste à fixer intensément quelque chose. Normalement, l'oeil cligne et se détourne de l'objet fixé. Ce sont là des opérations automatiques qui préviennent l'assèchement de la cornée et la fatigue excessive du globe oculaire. Car, à partir du moment où l'attention se fixe sur une chose

Figure 1

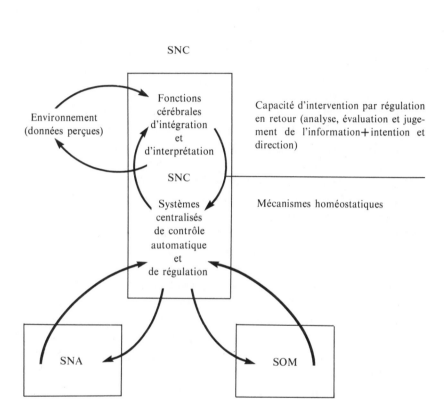

SNA: viscères innervés par le système nerveux autonome
SOM: système ostéomusculaire tributaire des nerfs sensitifs et moteurs
SNC: système nerveux central

---

ou sur une scène en raison de leur signification inhabituelle, l'observation peut durer fort longtemps, au point que l'humidification de la cornée est insuffisante et que les globes oculaires sont soumis à une fatigue difficilement supportable. Ceci s'explique du fait que, en l'occurence, un système de rang "plus élevé", et en rapport avec la cognition, intervient pour inhiber l'action normale exercée par les mécanismes de régulation en retour spécifiques de l'oeil.

Si bien souvent, au lycée ou à la faculté de médecine, il peut sembler ardu de comprendre la structure ou les interactions fonctionnelles du corps humain, le schéma de la Figure 1 les fera apparaître dans une perspective nouvelle qui ne laissera pas de surprendre. Si l'on simplifie le tortueux dédale des structures biologiques et des fonctions physiologiques de façon à donner de leurs éléments essentiels et importants des représentations schématiques (comme dans la Figure 1), on dispose ainsi d'un cadre de compréhension bien délimité, à partir duquel il est facile de saisir à quel point l'ensemble esprit-cerveau tient sous sa dépendance des fonctions organiques dont nous allons à présent discuter.

Le diagramme de la Figure 1 représente schématiquement les principaux systèmes de régulation en retour et montre de quelle façon les fonctions mentales supérieures dominent et contrôlent toutes les autres fonctions organiques. Étant donné notre certitude que pratiquement tous les mécanismes du cerveau et du corps s'effectuent grâce à la régulation en retour, il devient évident que les opérations cérébrales désignées du nom d'esprit sont en mesure d'affecter *toutes* les activités physiologiques de l'organisme humain, y compris les activités électrochimiques du cerveau lui-même. Que les opérations mentales affectent l'activité cérébrale, voilà qui est clair quand on examine le caractère de l'interaction qui s'accomplit entre les processus mentaux supérieurs et l'environnement. Tandis que les fonctions cérébrales d'intégration et d'interprétation utilisent l'information en provenance de l'environnement pour adapter en conséquence le comportement et les activités physiologiques de l'individu, ces mêmes fonctions d'intégration et d'interprétation peuvent fort bien, tout à la fois, se conformer à l'information perçue et aussi la modifier — il arrive, par exemple, qu'on soit si absorbé par la planification de l'emploi du temps de la journée qu'on en oublie de remarquer les tartines qui se calcinent dans le grille-pain.

Chez les espèces les plus évoluées, les fonctions et les conduites du corps sont régies par deux mécanismes distincts: les mécanismes "automatiques" d'adaptation aux changements de l'environnement par intervention des systèmes de régulation en retour (c'est le cas de toutes les fonctions vitales) et les mécanismes d'*intervention sur les automatismes*, relevant des fonctions supérieures d'intégration qui sont le propre de l'esprit-cerveau, dont le but consiste à promouvoir un changement intentionnel et approprié. (Notons que l'intervention de ces mécanismes intellectuels dans l'activité physiologique peut être indifféremment bénéfique ou préjudiciable, consciente ou inconsciente.)

La théorie de la régulation en retour des opérations de l'esprit-cerveau aboutit en fin de compte à se poser la question suivante: qu'est-ce qui exerce l'ultime contrôle?

Pour la plupart des théoriciens du feedback, l'ultime contrôle des fonctions vitales et comportementales relève des capacités décisionnelles des réseaux nerveux associés à la faculté de juger, d'associer et de comparer des informations de plus en plus complètes et abstraites. Mais à l'exemple de l'éternelle interrogation sur l'origine de la vie, la question que pose la théorie de la régulation en retour revient à ceci: qu'est-ce qui décide du maître-contrôle de l'activité esprit-cerveau? Mon diagramme de la Figure 1 montre que les fonctions cérébrales supérieures d'intégration-interprétation interagissent avec l'environnement (interne et externe) et aussi utilisent l'information en provenance de l'environnement pour adapter les conduites et les activités de l'individu. Mais les processus mentaux supérieurs influencent eux aussi ces informations perçues. C'est dire que l'activité esprit-cerveau modifie constamment les perceptions et que les perceptions modifient elles aussi constamment l'activité esprit-cerveau.

La Figure 1 explique donc qu'en maintenant l'individu en relation avec son environnement la fonction de l'esprit est essentiellement d'intégrer et d'interpréter l'information émanant de l'environnement. Étant donné que les individus fonctionnent comme des ensembles intégrés, *aucun* processus décisionnel relevant de l'activité cérébrale ne suffit à commander l'adoption d'un comportement intégré dépendant des multiples données d'information interactives qui sont nécessaires à l'élaboration d'une réponse appropriée. Seul un produit de l'énergétique cérébrale tel qu'un *modèle* d'activité doté d'une capacité de contrôle simultané des multiples systèmes fonctionnels (l'esprit) est capable de mettre en corrélation l'extraordinaire diversité des éléments et des variations de l'environnement avec les éléments et les variations innombrables de l'organisme humain. L'essence de l'esprit tient à cette capacité qui lui est propre de pouvoir extraire les milliers de bits d'information qui nous sont indispensables pour que s'effectue la régulation mentale de nos activités organiques et pour commander à ces activités d'intervenir de façon hautement spécifique sur les organes physiques responsables de nos fonctions physiologiques.

Si le fonctionnement de l'organisme est devenu automatique grâce à l'innervation, cela est dû aux bons offices d'un système nerveux central qui, en outre, a développé l'esprit. Au fur et à mesure que la vie animale s'est faite plus complexe, les réflexes primitifs ont été "abandonnés", cependant que les relais nerveux se sont multipliés pour coordonner les actions de tous les systèmes physiologiques et, tout compte fait, pour se constituer en cerveau. Au fur et à mesure que le cerveau a promu l'esprit, il a laissé à l'être physique des instructions sur la façon d'assurer, grâce à des circuits appropriés, la régulation en retour de ses activités propres, afin que cette régulation (dans certaines conditions bien délimitées) devienne un automatisme. Mais à l'exemple du comité de direction de n'importe quelle organisation, l'esprit s'est ménagé de pouvoir exercer ses fonctions de commandement sur le corps chaque fois que son intervention se justifie ou s'impose.

•

Chapitre 4

La perception corporelle, berceau de la conscience

La conscience naît de la perception

Que l'esprit soit capable d'intervenir dans la régulation d'états intra-organiques est une idée dont les implications sont proprement stupéfiantes. Or, les hommes de science n'éprouvent pas moins d'effroi que Monsieur Tout-le-Monde quand ils finissent par être confrontés à cette force apparemment inexorable, dérivée d'une énergie intangible, mais capable de maintenir en mouvement les molécules de l'être humain. Tenter de comprendre comment un esprit "invisible" et immatériel peut commander à la nature physique, voilà qui est lourd d'ambivalence. Car le vrai problème, de toute évidence, consiste à dissiper les inexactitudes dont regorge une mythologie scientifique vigoureuse et dogmatique, mais aussi à expliquer pourquoi la compréhension du phénomène nous est rendue si difficile. Nous en savons si peu sur les capacités mentales de l'être humain que les explications qui nous sont données (à propos des phénomènes illustrant la domination du corps par l'esprit) piétinent entre la réfutation des vieilles croyances et l'urgence d'une redéfinition de nos activités mentales complexes.

Complication bien inutile, si l'on songe que tout individu a eu maintes fois l'occasion d'éprouver le pouvoir exercé par l'esprit sur le corps. Presque tout le monde, par exemple, a eu des verrues (ou bien connaît quelqu'un dans ce cas) qui ont disparu par la seule vertu d'un souhait. Ce tour de magie dû à l'esprit est fort commun. Pourtant, il sape les fondements mêmes de l'argumentation scientifique.

Selon certaines recherches récentes menées dans cette direction, les phénomènes de contrôle du corps par l'esprit auraient tous pour point de départ une concentration de l'attention, ou plutôt une dérivation de l'attention vers la source de l'information: l'intimité de l'être physique. Une fois que l'attention est dirigée vers cette source, les sens dont l'homme dispose en nombre remarquable commencent à détecter les myriades de contraintes physiques auxquelles est soumis l'être interne. Étant donné que l'individu dispose sans doute de vingt-deux types différents de sens biologiques* et que nombre de ces sens coopèrent pour détecter et interpréter les réseaux complexes de substances biochimiques en mouvement, il n'est donc pas surprenant que l'information détectée par l'appareil sensoriel fournisse au cerveau des données sur les fonctions organiques. Le cerveau rassemble alors cette somme d'informations, en opère la synthèse de façon à localiser les sensations, à estimer l'intensité de l'activité en cours et à la comparer aux données de l'expérience passée, afin d'évaluer sa conformité aux normes; le cerveau, à la fin, élabore cet ultime produit de l'activité cérébrale que nous appelons perception. La perception est le début de l'activité mentale.

Même si nous ne sommes guère avancés encore dans l'explication du pouvoir de l'esprit sur le corps, ce que nous savons de cette opération mentale essentielle et déterminante (la perception) est si lacunaire que nous devons ici ouvrir une

---

* La description détaillée de ces sens a été faite par Roger W. Wescott dans son livre *The Divine Animal*, Funk & Wagnalls, New York, 1969.

parenthèse. Nous l'avons déjà vu, la difficulté vient de ce que la science s'est surtout préoccupée d'étudier les *sensations* liées à des phénomènes physiques *externes* (sensations de chaleur, de froid, de pression, etc.) sans attacher beaucoup, ou sans attacher la moindre importance à la façon dont la *signification* prise par les sensations transforme ces dernières en perceptions. En outre, la science est muette sur les perceptions liées à des événements internes.

La lecture d'un texte qu'on peut considérer comme d'avant-garde m'apprend par exemple que perception = sensation + transformation — grâce à l'expérience, l'apprentissage et les motivations — de l'information détectée par les sens. Désireuse d'en savoir davantage sur la nature de cette transformation, je fouille d'un bout à l'autre le livre en question. Mais bien en vain: ces puissantes influences exercées par l'esprit n'y sont plus mentionnées nulle part*. Car, si la science semble fort satisfaite de tout ce qu'elle nous a appris sur notre *mode* de perception de l'environnement, elle laisse à d'autres le soin de répondre à l'importante question de savoir ce que nos sensations *signifient*.

Il nous appartient donc de trouver les fils qui unissent le corps à l'esprit et transforment en perceptions les sensations venues d'ailleurs. Mais quand on y regarde de près, dans le meilleur des cas, ces fils sont bien ténus. Les données les plus utiles nous viennent généralement d'anecdotes personnelles, mais ce genre de démonstration est bien loin d'emporter la conviction spontanée de la science. Pourtant, cette faculté *innée, inconsciente*, grâce à laquelle l'esprit peut interpréter dans l'abstrait les significations en provenance de plusieurs sens interactifs (sensations) pour les transformer en perceptions, puis en concepts et en éléments de compréhension complexes — c'est là une des tâches mentales les plus ardues

---

* Parmi les rares scientifiques qui aient osé spéculer sur notre façon de percevoir réellement le monde, il faut citer Charles Solley et Gardner Murphy. Bien que leurs travaux aient été publiés voici un certain nombre d'années, il est bien rare que les textes récents les citent et mentionnent comment les sensations sont interprétées par l'esprit. (C. Y. Solley and G. Murphy, *Development of the Perceptual World*, Basic Books, New York, 1960.)

—, est particulièrement bien illustrée par le célèbre cas de Helen Keller. Cette petite fille sourde, muette et aveugle, donna à l'âge de sept ans des preuves de génie intellectuel dont nous nous étonnons encore. À partir du moment où Helen a été confiée à une éducatrice — laquelle n'avait reçu pour instructions que de former dans la main de l'enfant les lettres de certains mots désignant des objets —, l'enfant a assimilé en un temps incroyablement court plusieurs règles de syntaxe, c'est-à-dire la structure élémentaire du langage*.

Point n'est besoin d'un autre exemple pour illustrer la capacité, innée chez l'homme, d'élaborer des concepts abstraits à partir d'une information sensorielle élémentaire. Car si l'esprit peut se servir des éléments fournis par la sensation brute pour opérer une synthèse exprimant l'essence même de l'intelligence humaine, comme dans le cas d'Helen Keller, alors il n'éprouvera pas de difficulté non plus à interpréter l'information qui lui est founie par l'organisme. C'est cette intégration intelligente, unificatrice et directionnelle des phénomènes physiques, même les plus élémentaires, qui fait de la compréhension inconsciente l'instrument capable de gérer avec succès les forces affectant l'être organique.

Les propriétés extraordinaires dont nous sommes dotés, nous les prenons rarement en considération quand il s'agit de comprendre soit la nature, soit la puissance virtuelle de l'homme. Ainsi, nous ignorons pratiquement la réalité de deux fonctions de l'inconscient hautement spécialisées et de première importance, puisqu'elles nous permettent à la fois de prendre conscience d'exister en tant qu'êtres spirituels et physiques et de nous maintenir constamment en relation avec tout ce qui est extérieur à notre être spirituel et physique. Ces fonctions opèrent de la façon suivante: (1) la conscientisation dépend de l'intégration de l'information événementielle en provenance d'aires et de systèmes très dispersés dans l'organisme; (2) nous sommes équipés de sens évolués qui dépendent

---

* Les enfants qui apprennent à parler appréhendent eux aussi de façon innée les règles du langage. Mais alors la relation de ce mode de conceptualisation aux stimulations sensorielles à l'état brut est escamotée par d'autres influences qui s'exercent simultanément.

de l'intégration de l'information événementielle et qualitative en provenance d'aires et de systèmes très dispersés dans la nature.

Selon moi, ces "sens" ou dispositifs de conscientisation, que la raison et l'évidence nous désignent comme attributs fondamentaux de l'esprit et dont nous n'avons pas encore pris conscience, ne sont autres que des guides de l'activité mentale inconsciente. Leur exploration nécessite un autre détour, mais que je crois nécessaire, si nous voulons saisir comment procède l'inconscient pour exercer sur le corps un contrôle intelligent.

La conscientisation biologique

Les sciences du comportement humain ne nous proposent que des définitions d'une surprenante pauvreté pour désigner les propriétés les plus fondamentales de l'esprit. C'est généralement aux termes de conscience et de conscientisation, d'ailleurs interchangeables, qu'elles font appel pour exprimer cet état particulier dans lequel l'individu connaît ou comprend une bonne part de ce qui se déroule autour de son individualité. Une définition de ce genre reste bien sûr imprécise, puisqu'elle n'établit pas de distinction entre les multiples niveaux de conscience qui nous sont familiers. En effet, certains états de conscience sont communicables à autrui, alors que d'autres ne peuvent être que suggérés, et que bien des sentiments se dérobent à toute communication, voire à toute description qu'on serait tenté de se faire à soi-même.

J'ai avancé ailleurs* qu'il existe une sorte de conscientisation de l'être physique incommunicable à la conscience claire de façon directe, tellement éloignée des états de conscience normaux qu'elle ne peut entrer en résonance qu'avec l'inconscient. D'où le nom de conscientisation biologique que je lui ai attribué pour exprimer que, quelque part en lui, l'esprit détient les moyens de connaître, et à n'importe quel

---

* "Biological awareness as a state of consciousness," B. B. Brown, *Journal of Altered States of Consciousness 2*, n⁰ 1 (1975).

moment, toute opération physique s'effectuant dans n'importe quelle partie organique du corps.

Prenons un exemple bien connu: celui de la fringale brutale, irrépressible, qui nous prend à l'idée de manger quelque chose que pourtant nous aurions bien du mal à décrire. Quand j'étais enfant, j'avais pour habitude d'attirer l'attention de ma mère en clamant que j'avais une faim vorace, mais sans être pour autant capable de dire avec précision ce que je souhaitais manger. De sorte qu'avant de me faire accepter quelque chose ma mère devait m'énumérer je ne sais combien de denrées comestibles. Plus tard, en analysant ce phénomène, j'ai découvert que ce n'était pas tant la faim en elle-même qui déterminait ma conduite que le besoin insistant d'éprouver une sensation gustative très particulière. Voilà pourquoi je fouillais inlassablement le réfrigérateur et les placards, dévorais des yeux les publicités alimentaires pour y trouver des idées et goûtais sans succès à tout ce qui était mangeable dans la maison. Parfois c'était un oeuf poché, parfois un bol de céréales, parfois des tomates cuites — que je déteste. Le plus déroutant, dans ces sortes de fringales, c'est qu'absolument rien ne semble satisfaire "l'affamé", si ce n'est la denrée spécifique qu'il est incapable d'identifier consciemment. S'il ne s'agissait là que du désir d'un aliment bien particulier, nous pourrions en conclure qu'il est question d'un simple caprice de l'esprit. Mais, à partir du moment où le caprice ne peut être satisfait que par une saveur bien particulière, à partir du moment où les sensations sont associées à la faim mais ne sont pas des sensations de faim, il semble que l'explication la plus rationnelle du phénomène consiste à admettre l'existence d'un besoin biologique identifié par l'inconscient, d'une conscientisation à laquelle réagit la conscience claire, mais sans pour autant pouvoir l'exprimer. Dès que ce besoin détecté par la conscientisation biologique est satisfait, la sensation disparaît.

L'observation prouve que les animaux réagissent eux aussi à la conscientisation biologique. Entre autres chiens, je possède un Lhassa au pelage très long et séparé exactement selon la ligne médiane du dos. Il suffit que je l'ébouriffe pour qu'immédiatement il se secoue avec vigueur, afin de rétablir la symétrie de son poil par rapport à la ligne dorsale. Je suppose donc qu'il possède une conscience innée du "partage" de son système pileux. Tel est d'ailleurs le cas de la plupart des humains, qui se sentent mal à l'aise quand ils se coiffent en ramenant une partie de leurs cheveux du côté opposé. Ces phénomènes traduisent l'existence d'une conscientisation grâce à laquelle les différentes parties de l'organisme se comportent en tant qu'éléments constitutifs d'un même "tout" biologique.

L'évidence qu'il existe une conscientisation biologique spéciale, s'accomplissant au-dessous du seuil de la conscience claire, est une évidence bien fragile, puisqu'elle repose uniquement sur le fait qu'aucune autre interprétation ne semble assez plausible pour expliquer qu'un chien se secoue quand on dérange son pelage ou qu'un individu se repeigne quand l'agencement de sa coiffure l'incommode.

C'est la technique récente du biofeedback qui est venue nous apporter la preuve aveuglante de l'existence, chez tout individu, d'une conscience biologique assez perfectionnée pour tenir compte de ce qui se passe dans une seule des cellules de l'organisme. Un de mes amis neurologue m'a rapporté ce qui me semble l'exemple le plus spectaculaire de cette aptitude de l'esprit à identifier jusqu'aux fonctions physiques les plus obscures, les plus insoupçonnables et les plus complexes.

On demanda un jour à ce praticien de procéder à l'examen électro-encéphalographique d'une petite fille de sept ans, arriérée mentale, et de diagnostiquer la nature de ses crises. Les électrodes fixées à son cuir chevelu, la fillette était donc assise à proximité de l'appareil enregistreur et, pour je ne sais quelle raison, il se trouva que de son siège elle pouvait voir défiler les ondes enregistrées sur l'écran de contrôle de l'oscillographe. Il s'agit en l'occurrence, on le sait, d'une série de gribouillages visuels répartis sur un nombre de canaux variant de huit à seize, dont l'interprétation est loin d'être simple. Les dix premières minutes d'enregistrement ne mirent en évidence aucune anomalie; mais un peu plus tard, tandis que la petite fille observait toujours le défilement des lignes oscillantes sur l'écran, une onde cérébrale atypique, une seule, apparut dans le dédale mouvant du tracé. Une onde visible pendant à peine un quart de seconde. Pourtant l'enfant avait eu le temps de l'apercevoir. Elle avait alors porté la main devant sa bouche en s'exclamant: "Oh! Excusez-moi!"

Elle avait perçu l'impossible, perçu l'imperceptible défaillance d'un groupuscule de cellules cérébrales, qui avait introduit une fugace distorsion dans le train d'ondes: elle avait su instantanément que quelque chose dans son corps fonctionnait anormalement.

Nombreux sont ceux d'entre nous qui, après avoir initié aux techniques du biofeedback des centaines de patients pour leur apprendre à contrôler leur activité électrocérébrale — et plus spécialement leurs ondes alpha et thêta —, ont été à même de faire des constatations du même ordre. Cette identification inexplicable du patient avec une émission d'ondes très particulières ayant pour origine son propre cerveau est sans doute le résultat le plus étonnant de ce type d'apprentissage. Car, dès qu'un sujet a appris à contrôler ces ondes, il devient impossible de l'abuser en substituant au sien un autre tracé électro-encéphalographique ou en essayant de lui faire prendre pour une onde alpha ou thêta ce qui n'en est pas une. Pour apprendre aux gens à contrôler certains types d'ondes bien précis, on s'aide d'un signal lumineux qui ne s'allume qu'au moment où les ondes en question sont présentes dans le tracé électro-encéphalographique. Normalement, les ondes alpha n'apparaissent que sporadiquement et ne persistent que durant une seconde ou deux. Pourtant, si l'on fait apparaître par intermittence le signal lumineux, selon une fréquence à peu près comparable à celle des ondes alpha mais indépendamment d'elles, les sujets entraînés réagissent invariablement par de l'irritation, déclarant que l'appareil est détraqué et formulant des protestations du genre: "Ce n'est pas mon onde alpha!"

Pour un théoricien de la psychologie, un comportement semblable est bien difficile à expliquer. Car *aucun sujet* n'a jamais pu auparavant vérifier l'existence de ces ondes cérébrales en s'aidant de ses sens. Non seulement l'enregistrement de ces ondes se fait électroniquement, en dehors de toute participation volontaire du sujet, mais encore celui-ci ne connaît, en cours d'apprentissage, la présence d'une onde alpha que par un signal lumineux. Un signal lumineux qu'il apprend à associer à un certain état ressenti. Or il faut bien admettre qu'un sujet entraîné est capable d'identifier avec une extraordinaire précision cet état très particulier qu'il ressent, mais qu'il lui serait impossible d'exprimer par le langage. Il s'agit donc bien d'une perception purement organique que nous n'avons pas encore appris à décrire.

C'est de la même façon que beaucoup de gens finissent par comprendre la nature de leurs allergies "à retardement". Certaines persones qui présentent une intolérance au chocolat, par exemple, ne manifestent de symptômes allergiques que douze ou dix-huit heures après en avoir mangé, de sorte qu'une phase de sommeil s'interpose généralement entre l'ingestion de l'allergène (le chocolat) et la symptomatologie allergique (le plus souvent, une céphalée vasculaire du genre migraine). Un tel décalage entre la cause et l'effet rend évidemment difficile l'association entre l'une des nombreuses denrées alimentaires absorbées la veille et le mal de tête du lendemain à l'éveil. Mais par la suite, la plupart des gens dans ce cas prennent conscience de certaines sensations internes bien précises, antérieures aux maux de tête et associent graduellement ces sensations au chocolat. Là encore, il s'agit de sensations qu'il est impossible d'expliciter verbalement. La meilleure description qu'on puisse en faire consiste encore à dire que le sujet a l'impression qu'une substance chimique lui met les nerfs à vif dans tout le corps. Bien que ces sensations ne puissent être verbalement explicitées, l'imagination est capable de les évoquer avec assez d'intensité pour que le sujet en vienne à éprouver un malaise à la seule vue du chocolat.

Un mode de perception plus évolué?

Il se peut que la représentation du corps et la perception de l'espace individuel soient intimement reliées à la conscience innée du moi biologique. Pour la plupart des psychologues, la représentation du corps est confondue avec l'image que nous croyons donner aux autres de nous-même, alors que pour les physiologistes, exclusivement préoccupés de la nature physique de l'organisme, la perception de notre image corporelle reposerait plutôt sur notre façon de ressentir notre position et nos mouvements. La physiologie est sans doute à même de nous expliquer comment tel ou tel sens — celui de la localisation topologique ou du mouvement relatif, par exemple — peut fournir au cerveau des informations sur le positionnement du corps dans l'espace et sur sa dynamique. Mais ce que la physiologie est bien incapable de nous apprendre, c'est *ce qui nous fait ressentir l'ensemble de notre corps comme un tout harmonieux.* Personne n'a encore tenté de définir comment nous intégrons les sensations émanant simultanément de plusieurs sens, ni comment nous prenons ainsi conscience de la nature physique de notre être, par un processus fort différent de celui qui consiste à intégrer une sensation unique en provenance de tel ou tel système sensoriel, le tactile ou le thermique, par exemple.

Si l'individu possède le sens de ses propres frontières physiques, les sensations humaines incluent en outre le sens du fonctionnement global de l'être. Il se pourrait bien qu'en fait deux sens évolués coexistent, l'un nous donnant la *perception* du principe vital, l'autre la *connaissance* de l'unité ontologique. Le "Je pense, donc je suis" de Descartes pourrait alors devenir: "Je suis conscient de la vie qui anime mon être total, donc je suis." Le sens de l'identité n'est pas de ceux que la science explique, sinon pour en déduire que ce sens s'acquiert par expérience et imprégnation culturelle. L'interprétation que j'en donne est quelque peu différente.

J'avancerai pour argument que, si nous suivons le développement de la vie animale, nous assistons à l'évolution et à l'apparition de systèmes sensoriels nouveaux et spécialisés dans différentes espèces. Je mentionnerai pour exemples le système de perception radar chez la chauve-souris et celui de détection thermique chez le reptile. Si la survie d'une espèce dépend de l'évolution d'un système sensoriel spécialisé, alors il est clair que l'espèce humaine, chaque fois qu'elle devra s'adapter à un nouvel environnement, développera et modifiera nécessairement les sens qu'elle tient de son héritage animal. La survie de l'homme dépend peut-être en partie de l'expansion continue de ses aptitudes sensorielles et de l'élaboration de sens nouveaux.

Il se peut fort bien que le sens de la représentation physique du corps ou celui de la perception ontologique globale aient été perfectionnés, ou même créés, par l'environnement social complexe dont l'homme s'est doté. Car cet environnement est totalement différent de celui dans lequel vivent les espèces animales voisines, et totalement différent aussi de celui dans lequel vivait l'homme primitif. De nos jours, la survie de l'espèce humaine en tant que telle ou la survie de communautés humaines plus réduites ont cessé de représenter une préoccupation exigeante et essentielle. Survivre est devenu beaucoup plus une affaire individuelle qu'une affaire de groupe ou d'espèce. En étudiant l'évolution de l'homme, nous pouvons observer l'importance croissante prise par l'individu au cours de l'histoire et observer parallèlement d'importantes et parfois de subtiles différences dans le comportement des êtres humains. Le sens de l'image du corps, par exemple, ce sens très aigu de l'identité personnelle, ne s'est peut-être développé que pour aider les hommes à affirmer leur individualité dans un monde où, pour survivre socialement, il est devenu indispensable de se différencier des autres.

Dans ce domaine de la représentation corporelle et du sens de l'identité personnelle, on a fait récemment des découvertes étonnantes à propos de la prédominance caractéristique d'un côté du corps sur l'autre dans la gestuelle ou dans la dynamique. La propension apparemment innée à se servir d'un oeil ou d'une main de préférence à l'autre, ou encore à développer leurs fonctions de préférence à celles de l'autre, intéresserait en réalité une gamme d'activités beaucoup plus étendue que celle que nous connaissons. Des expériences récentes ont en effet montré qu'on apprend bien plus aisément à modifier la température de la main dominante que celle de la main non dominante. Tout laisse à penser que, plus une partie du corps est perfectionnée, spécialisée, et plus notre sens de son identification est abstrait, plus notre système nerveux central et notre cerveau lui accordent d'importance. Des deux yeux, c'est celui qui a notre "préférence" qu'il nous est le plus facile de cligner. Mais à partir du moment où nous voulons cligner l'autre oeil — c'est-à-dire mobiliser les parties les moins "entraînées" de notre corps —, cela n'aboutit, je le suppose, du fait même que notre mémoire des coordinations ophtalmocérébrales est faible ou inexistante pour l'oeil en question, qu'à exciter de façon anarchique nos organes sensoriels, à saturer nos trajets nerveux ordinaires d'impulsions perturbatrices et à contrarier l'apprentissage et l'accomplissement harmonieux du mouvement. Quelle que soit la raison pour laquelle un côté de notre corps prend l'avantage sur l'autre, cet état de fait nous donne conscience de la dominance de ce même côté. Cela sous-entend aussi que nous pourrions acquérir une autre forme de conscience biologique, susceptible de nous aider à maintenir notre corps en état de bien-être.

Un autre argument plaide en faveur d'une évolution sensorielle chez l'homme. Il est basé sur notre capacité cérébrale d'association, d'intégration et d'utilisation d'informations en provenance de *tous* les sens, cela de façon de plus en plus complexe et spécifique. Quand nous assimilons un nouveau principe mathématique, par exemple, nous pouvons ensuite l'appliquer à tous les problèmes relevant de ce même principe. C'est ce qu'on appelle la généralisation conceptuelle. Mais ce qui est surprenant, c'est que la formation d'un concept de ce genre, concept nécessairement très complexe, peut s'opérer dans l'inconscient profond, sans participation de la conscience lucide. Un exemple de sens relativement neuf nous est fourni par celui de l'esthétique, dans lequel l'amour et l'appréciation de la nature, ou encore de créations dues à l'animal ou à l'homme, prennent valeur d'abstraction et sont très spécifiques de l'être humain, primitif ou civilisé. Le sens esthétique a encore pour caractéristique de ne pouvoir s'exprimer que dans la création d'objets ou dans un sentiment très particulier de satisfaction. Élaborer, à partir de nos vieux sens encore primitifs, de nouveaux systèmes capables de nous faire percevoir les complexités qui surgissent dans notre monde, n'a rien de bien surprenant. C'est d'ailleurs ce que nous révèle la théorie cybernétique, qui nous explique encore pourquoi les caractéristiques des systèmes évolutifs varient notablement d'une phase à l'autre de l'évolution.

Certains sens pourtant indispensables au fonctionnement harmonieux des êtres vivants n'apparaissent jamais à la conscience claire. Mais il n'empêche que l'inconscient les détecte, les identifie, et qu'ensuite ils sont associés à "l'évolution" de sens plus complexes, comme celui de l'image de soi. Une perception aussi peu familière que celle de la force gravitationnelle nous en fournit un bon exemple. Et c'est probablement à une *prise de conscience* de cette perception que je dois d'avoir vécu une de mes expériences sensorielles les plus intenses. En effet, il m'est arrivé un jour de percevoir la rotation de la terre. C'était au crépuscule; je m'étais allongée sur le sol pour observer le ciel entre deux toits. L'espace compris entre ces toits n'était pas très important (à peu près un demi-mètre, si j'ai bonne mémoire), de sorte que je ne voyais qu'une bien modeste partie de la voûte céleste. Quand la lune apparut au bord du toit le moins élevé des deux, je me demandai combien elle allait mettre de temps pour traverser de part en part cette petite étendue de ciel. Je ne cessai donc pas de l'observer pendant les quelques minutes qu'il lui fallut pour parcourir cet espace et atteindre la limite matérialisée par le bord du toit le plus élevé. Puis je me remis debout et c'est alors, quand j'eus posé les pieds bien à plat sur le sol, que je perçus un mouvement inverse, une rotation rétrograde par rapport au "passage" de la lune. Seigneur! me dis-je, mais c'est la rotation de la terre que je perçois! Mon intellect se refusant à y croire, je me précipitai sur un téléphone pour appeler au Texas un de mes amis, théoricien de la physique et astronome amateur. Il ne fut pas autrement surpris de mes déclarations et m'affirma que d'autres avaient éprouvé avant moi cette sensation relativement exceptionnelle.

Je continue toujours à me demander comment il est possible que notre corps, en état d'immobilité totale, notre corps dont toute l'expérience vécue est liée à une planète terre "qui ne bouge pas", puisse assimiler la sensation, la perception d'une rotation terrestre autour d'un axe. Ce qui m'étonne le plus dans cette affaire, c'est que la sensation de gravitation soit survenue *après* que mon attention eut cessé de se fixer sur la lune. Jusqu'à cet instant, je n'avais pas éprouvé dans mon corps cette sensation de mouvement — dans le sens opposé à celui du passage de la lune entre les deux toits. Ce qui est encore plus surprenant, c'est que sur l'instant je n'eus aucun doute quant à la nature de cette sensation. Si c'est mon inconscient qui établissait un rapport entre ce que je ressentais et la rotation de la terre, alors cette opération mentale s'effectua en moi avec une rapidité et une précision stupéfiantes, cela en dépit du fait que la sensation perçue était celle d'un mouvement inverse de celui que je venais d'observer visuellement. Si, ce jour-là, j'appelai un ami au Texas pour qu'il me confirme la cause de la sensation que je venais d'éprouver, il ne fait aucun doute que c'était mon conditionnement scientifique qui me poussait à le faire.

Si j'évoque ici cette expérience, c'est simplement pour rappeler que nous disposons de nombreux sens, dont nous pouvons fort bien ne jamais soupçonner l'existence. Pourtant, ces sens remplissent d'importantes fonctions dans notre vie quotidienne. Tout laisse à penser en effet que le mode selon lequel nous nous percevons et selon lequel nous percevons nos fonctions internes repose sur l'intégration d'une information sensorielle détectée non seulement par nos récepteurs habituels, mais aussi par des récepteurs beaucoup plus perfectionnés, beaucoup mieux adaptés à nos habitudes socio-culturelles, dont nous prenons à peine conscience.

Le corps, reflet de l'esprit

Les informations provenant de la plus grande partie de nos activités internes accèdent rarement à la conscience lucide. Encore que, comme je l'ai fait remarquer précédemment, la perception inconsciente de nos états internes peut, dans certaines circonstances particulières, susciter de notre part des comportements intentionnels, mais dont l'appréciation relève de notre inconscient — le "besoin" biologique de reprendre une tasse de café, par exemple —, alors que dans d'autres circonstances les êtres humains normaux sont capables d'identifier un changement interne hautement différencié, jamais ressenti auparavant, comme cela se produit au cours des séances d'apprentissage du biofeedback.

Dans les deux exemples de conscientisation biologique rapportés ci-dessus (à propos de l'activité électrique de l'encéphale), c'était bien entendu la technologie moderne qui rendait possible la perception d'états internes. Mais il est curieux de constater, alors que depuis plusieurs décennies nous disposons d'une technologie permettant de détecter à l'intérieur de notre corps la plus discrète et la plus obscure des activités organiques, qu'il nous aura fallu attendre l'avènement accidentel du biofeedback pour que nous utilisions autrement cette technologie en la mettant directement au service de l'individu, qui peut ainsi enregistrer ses propres activités fonctionnelles et découvrir qu'il détient le pouvoir de les modifier volontairement. La psychophysiologie sait depuis longtemps que, si l'on utilise des instruments sensibles pour détecter les activités internes, les changements physiques qui se produisent dans l'organisme sous l'effet des émotions, des croyances, des pensées et des attitudes d'esprit, peuvent aisément être enregistrés. Malheureusement, ces techniques ont rarement été appliquées à l'étude des opérations de l'esprit.

Les psychophysiologistes se sont livrés à des centaines, sinon à des milliers d'expérimentations pour enregistrer l'activité physiologique de sujets dont on malmenait à dessein les convictions et les pensées. Mais ce qui, dans ces expérimentations, stimulait l'intérêt scientifique, c'était presque exclusivement de pouvoir mesurer le "degré" des modifications fonctionnelles ainsi provoquées ou encore la "direction" qu'elles prenaient, l'idée de base de ces recherches étant que tout changement physiologique est causé par des émotions et que les émotions, après tout, ne sont rien de plus qu'un "éveil" du corps. De sorte que les milliers de comptes rendus résultant de ces expérimentations ne font pas la moindre mention au rôle joué par l'esprit. Il y a là une omission si énorme, si persistante, qu'elle défie toute interprétation rationnelle.

L'usage du détecteur de mensonge nous apprend, par exemple, que l'activité électrique tégumentaire ne révèle pas seulement l'émotion intense, mais aussi les pensées qui accompagnent cette émotion. Vous souvenez-vous encore de ce jeu auquel vous avez certainement joué dans votre enfance et qui consistait à deviner quelle carte avait été retirée du paquet par l'un des joueurs? Celui-ci devait s'efforcer, quand on le questionnait, de ne pas gigoter ou se tortiller sur sa chaise quand les autres "approchaient" de la bonne carte. Mais, bien entendu, plus ceux qui essayaient de deviner "brûlaient", plus le questionné avait tendance à se déhancher et à éclater de rire.

Le détecteur de mensonge permet de jouer au même jeu avec les adultes qui tentent de cacher leurs pensées et leurs sentiments. La personne mise sur la sellette choisit elle aussi une carte, et on lui pose des questions pour essayer de déceler la nature de cette carte. Plus le questionneur se rapproche de la vérité, plus le sujet de l'expérience aura tendance à manifester des réactions physiques. S'il a tiré la dame de coeur, par exemple, et à supposer qu'on lui demande s'il s'agit du valet de la même série, le détecteur de mensonge indiquera un changement organique qu'on pourra interpréter comme un "début d'aveu", signe qu'on peut pousser plus loin l'interrogatoire. À l'instant même où la bonne carte est nommée, le tracé de l'activité électrique tégumentaire marque un sursaut vigoureux, ce qui permet de savoir qu'on a touché juste, même si l'attitude extérieure du sujet est celle de l'impassibilité.

Rien ne traduit mieux à mon sens le désintérêt affiché par la science de toute tentative d'approche créative de la nature humaine que l'aveuglement de la psychophysiologie pour l'observation originale de Carl Jung sur l'aptitude du corps à révéler l'inconscient. Dès 1904, Jung rendit compte de ses expériences sur l'activité électrique, enregistrée au niveau de la peau de ses sujets durant un entretien psychologique. À l'aide d'un galvanomètre primitif, il avait découvert que, si l'on pose aux patients des questions touchant à leurs émotions secrètes, on provoque des changements spécifiques et accusés dans leur champ électrique cutané. "Tiens donc, un miroir de l'inconscient!" se serait alors exclamé Jung.

Depuis cette époque, l'expérimentation a démontré que toutes les fonctions organiques réagissent aux émotions et aux activités de l'esprit. Le rythme cardiaque, la pression sanguine, le débit sanguin, la respiration, la tension musculaire, l'émission d'ondes électriques par le cerveau, sont autant d'indicateurs sensibles de l'activité émotionnelle et mentale, qui pour la plupart sont utilisés par le détecteur de mensonge. Ce qui est incroyable, c'est qu'un instrument d'exploration de l'insconscient aussi magnifique n'aura servi, pendant trois quarts de siècle, qu'à la police et à la direction du personnel des grandes entreprises. Et que, pendant ce temps, les sciences de l'esprit auront multiplié leurs efforts pour démontrer, à partir de l'activité électrique tégumentaire, que le cerveau humain est en tout point comparable à une machine.

Les expérimentations que nous allons décrire sont à cet égard très significatives. Et fantastiques aussi, en un certain sens, puisqu'elles illustrent une sorte de schizophrénie intellectuelle continue, caractérisée par l'intérêt remarquable que porte la science aux structures physiques du corps et du cerveau, et par la réticence, également remarquable, qu'elle manifeste à l'égard de tout ce qui, dans l'activité inconsciente, contribue aux réactions et aux fonctions physiques.

L'inconscient capable de jugement?

Quelle interprétation donnez-vous des deux expériences suivantes, réalisées avec la participation de deux groupes de volontaires soumis à des tests identiques? Le premier test consistait à demander aux sujets d'évaluer verbalement l'intensité d'une décharge électrique qui leur était appliquée sur la peau du bras. Dans le même temps, on enregistrait leur activité électrique tégumentaire. On avait prévenu les sujets que l'intensité des décharges successives qu'ils allaient recevoir changerait constamment. En fait, cette intensité était toujours la même. Pourtant, les sujets déclarèrent qu'elle décroissait graduellement, tandis que les réponses électriques de leur épiderme, elles, restaient constantes. L'interprétation qu'on donne habituellement de ce phénomène est la suivante: étant donné que les chocs électriques ont une intensité invariable, il est normal que les processus physiologiques qu'ils déclenchent provoquent à leur tour des réponses cutanées invariables elles aussi. Par contre, ce qui expliquerait la sensation subjective d'une diminution d'intensité des chocs électriques, c'est que d'une fois à l'autre le sujet s'attend à recevoir un choc plus sévère que le précédent et que, cette prévision ne se matérialisant pas, l'appréciation subjective interprète l'intensité de chaque nouveau choc comme inférieure à celle qui était attendue.

Voilà donc une explication qui, à première vue, semble tenir debout — encore qu'elle n'explique pas pourquoi la conscientisation de l'intensité du choc est si peu précise. Mais passons à la seconde expérimentation. Elle est identique à la première, à ceci près toutefois que ce n'étaient plus des décharges électriques qui étaient infligées aux sujets, mais des bruits répétitifs, dont on leur demandait d'évaluer l'intensité ou le volume, après les avoir prévenus ici encore que le niveau sonore changerait constamment, alors qu'en fait il conservait une valeur fixe. Au cours de cette expérimentation — et c'est en cela qu'elle diffère radicalement de la précédente —, les sujets déclarèrent que les bruits devenaient de plus en plus intenses à mesure que le temps passait, tandis que, chose curieuse, les réponses électriques enregistrées au niveau de leur peau se faisaient de plus en plus discrètes.

Force est donc d'essayer de comprendre pourquoi les sensations subjectives (perceptions) "fabriquent" des bruits plus intenses alors que leur intensité est invariable et pourquoi simultanément les réponses biologiques de la peau s'atténuent comme si le bruit devenait de plus en plus faible. Les psychologues sont portés à considérer que c'est essentiellement l'expectative qui, dans les cas semblables, fausse nos perceptions du réel. Mais cela ne répond pas à la question de savoir pourquoi on "attend" d'un bruit qu'il *augmente* et d'un choc électrique qu'il *diminue* d'intensité, après qu'on nous a dit, sans plus de précision, que l'un et l'autre vont se modifier, quand tous deux nous sont administrés avec une intensité rigoureusement égale à elle-même. On devine bien que les opérations mentales mises en jeu dans ces deux situations d'expectative sont passablement compliquées. Nous avons tous appris à craindre les chocs électriques, et il ne fait aucun doute que la peur provoque l'attente de ce qui fait peur. Dans ce cas particulier, les sujets attendaient de chaque décharge qu'elle soit plus sévère que la précédente. Mais comme tel n'était pas le cas, la sensation éprouvée était immédiatement comparée à la sensation attendue, donc jugée inférieure à elle. Ce qui démontre bien que l'information, une fois intellectualisée et traitée (par adjonction d'expectative et de jugements), supplante la sensation réelle et prend même le pas sur la perception acquise.

Les raisons pour lesquelles les réactions électriques de la peau décroissent alors que le stimulus sonore, lui, ne varie pas d'intensité sont encore plus intéressantes. Les implications de ce phénomène revêtent une importance énorme pour la compréhension de la relation qui unit l'esprit au corps. Une seule école de psychologie, celle de Magda Arnold, en propose une explication théorique qui est la suivante: les opérations mentales subconscientes (inconscientes) déterminent concrètement la signification que peut prendre un stimulus, en l'occurrence, le bruit, pour le bien-être de l'organisme et formulent en conséquence le jugement qui va modeler la réponse physiologique. Il faut donc bien admettre que l'inconscient juge que le bruit ne représente pas une menace sérieuse et que, confirmé dans son jugement par la répétition de bruits rassurants, il donne alors aux fonctions physiologiques l'ordre ne pas en tenir compte.

Cette double expérimentation a le mérite de nous révéler les choses sous un nouvel angle: non seulement l'inconscient est capable de mettre en application des mécanismes d'idéation complexes, mais sa capacité de raisonnement logique peut encore gouverner directement et complètement le comportement de l'être physique.

Reste pourtant une énigme: comment est-il possible qu'un raisonnement inconscient soit capable d'évaluer très précisément la signification d'événements survenant dans l'environnement (le bruit) et de commander à l'être physique une réaction appropriée ("rien à craindre de ce bruit; donc, pas de réponse électrique tégumentaire"), alors que les sensations subjectives qui s'infiltrent dans la conscience conduisent celle-ci à totalement se méprendre sur la réalité physique? Si, en effet, l'interprétation (consciente) est incapable de percevoir la réalité physique alors que l'inconscient, lui, l'interprète correctement, cela n'indique-t-il pas que l'activité intellectuelle de l'inconscient surpasse, dans certaines circonstances tout au moins, celle de l'esprit conscient? Ou encore que l'esprit conscient est entaché de certaines imperfections qui l'empêchent d'évaluer convenablement les informations en provenance de l'inconscient et même de l'organisme? Les deux modes d'interprétation — le conscient et l'inconscient — sont certainement conflictuels, et un tel conflit peut être lourd de conséquences pour le bien-être physique. Le problème fondamental tient à ce que nous sommes des créatures grégaires, dépendantes de la communication, et que pour donner un sens à ce qui se passe dans l'intimité de notre être, ce n'est pas à nos jugements conscients que nous faisons confiance, mais à ce que nous a enseigné le consensus social. Le principal défaut de la conscience lucide, c'est son inaptitude à conscientiser les états internes. Ce défaut, nous le devons peut-être à la conviction que l'esprit conscient représente l'outil le plus achevé dont l'homme dispose. De toute évidence, les choses sont loin d'être aussi simples.

L'obéissance du corps

Il est devenu de plus en plus commun d'apprendre à décoder l'inconscient, et les résultats d'un tel apprentissage sont généralement spectaculaires. Les sports de compétition nous en offrent un exemple démonstratif, plus spécialement encore lorsque ces sports ne se pratiquent pas en équipe, mais opposent l'un à l'autre deux adversaires. De nos jours, des mots tels que "concentration", ou même "méditation", sont couramment associés à la phase durant laquelle l'athlète se prépare à fournir son effort et à donner le meilleur de lui-même. Certains sportifs s'appliquent à se concentrer, à rétrécir le champ de leur attention et à éliminer toute cause extérieure de distraction; d'autres méditent, se donnent à eux-mêmes des encouragements; d'autres procèdent par visualisation, en fixant leur esprit sur les images triomphantes que leur suggère leur future performance; d'autres encore se concentrent sur leur état physique. Mais quelle que soit la technique employée, le résultat obtenu a pour effet manifeste de mobiliser à la fois l'énergie mentale et physique en un tout harmonieux, permettant la coordination de la volonté, du désir et du mouvement en vue d'une action totalement unifiée.

Je me souviens d'une rencontre d'athlétisme à l'université de Californie de Los Angeles. Les coureurs du 440 yards plat étaient en position de départ, groupés dans leurs blocs, attendant le coup de pistolet. À la détonation, tous se catapultèrent en avant, à l'exception d'un seul, qui se releva sans trop comprendre. Concentré sur sa forme physique, sur sa stratégie, il n'avait pas entendu le coup partir. Il était si profondément plongé en lui-même qu'il avait négligé de prendre garde au seul aspect de son activité consciente pourtant indispensable à la poursuite de ses objectifs. Il avait si complètement dominé son être physique qu'il en était devenu sourd.

Comment l'esprit peut-il exercer un contrôle si absolu sur l'organisme? Et pourquoi aurons-nous tant tardé avant d'apprendre qu'il existe dans l'esprit-cerveau des mécanismes capables de donner à l'homme un "nouveau" et merveilleux pouvoir? Si un tel pouvoir de l'esprit est bien réel, nos ancêtres le détenaient-ils? Et s'ils le détenaient, pourquoi ne l'avons-nous pas découvert plus tôt?

J'ai déjà fait remarquer que, selon moi, notre naïveté* face aux pouvoirs de l'esprit résulte à la fois de la cécité hystérique dont la communauté scientifique est affligée et des craintes, dérivées de l'ignorance, partagées par la communauté humaine qui n'a pas la chance de détenir l'autorité. Bien plus que nous ne voulons le croire, la science et la philosophie ont tellement handicapé le commun des mortels qu'il n'est même plus en état de puiser en lui la moindre énergie pour exaucer son voeu éternel de suprématie de la conscience et de l'esprit.

N'en prenons pour exemple que la compréhension élémentaire des fonctions du corps humain. La science a pour habitude d'expliciter, et jusque dans les moindres détails, la composition cellulaire, l'échange des ions entre les tissus, la dynamique du torrent sanguin ou la chimie de la digestion. Mais elle hésite (à moins qu'il s'agisse tout simplement d'incapacité?) à spéculer ou à se pencher sur le fait que notre mécanique corporelle, pourtant si élaborée, se plie invariablement aux exigences de notre activité consciente. Depuis des temps immémoriaux, les aborigènes du Kalahari se livrent à des séances tribales d'auto-hypnose collective, dans lesquelles les techniques mentales de guérison ont leur place. Or ce recours aux pouvoirs de l'esprit pour soigner le corps ne diffère en rien de la façon dont, plus près de nous et avec plus de raffinement sans doute, des hommes tels que Hans Selye et

---

* En français dans le texte. (N.d.T.)

Norman Cousins* ont su puiser dans leur détermination intellectuelle les forces capables de restaurer leur corps ravagé par la maladie.

Chapitre 5

•

L'inconscient
et le comportement

La conscientisation des états internes

On pourrait croire que la faculté inconsciente de percevoir et de comprendre la réalité extérieure représente pour
l'espèce humaine un outil de survie idéal. Néanmoins,
l'homme a développé en lui une qualité d'esprit que nous
appelons conscience lucide ou conscientisation. Il n'existe pas
de définition de la conscience qui soit vraiment claire ou significative. On considère généralement celle-ci comme un état,
dans lequel et par lequel l'individu se rend mentalement
compte des événements qui se déroulent dans le présent. J'ai
déjà fait remarquer combien les sciences du comportement
restent dans le vague à propos de tout ce qui se rapporte à la
conscience. Pour clarifier la discussion, j'ai proposé par
exemple* que nous prenions en considération au moins deux
formes de conscience lucide, la principale étant celle que je

---

* "Biological Awareness as a State of Consciousness," *Journal of Altered States
of Consciousness* 2 (1975): 1.

désigne du nom de "conscience consensuelle" ou conscience par appréciation objective. Cette forme de conscientisation résulte d'un accord passé entre un individu et un autre, ou entre un individu et l'ensemble de la société, et cet accord porte sur la signification qu'il convient de donner aux objets, aux événements et aux expériences vécues. Nous sommes convenus par exemple qu'une chaise est une chaise ou qu'un ciel bleu est un ciel bleu, indépendamment de notre façon de *ressentir* les chaises et les couleurs des ciels.

Il est beaucoup plus malaisé de décrire la conscientisation des états internes. Car, si nous désignons et décrivons la plupart de nos sensations internes grâce à un vocabulaire sur le sens duquel tout le monde s'accorde, il reste invariablement — et c'est bien là le trait le plus équivoque de ces descriptions — que ce vocabulaire procède par analogies et repose sur des termes empruntés aux objets du monde extérieur, c'est-à-dire au monde objectif. En d'autres termes, il ne décrit pas directement les caractéristiques de l'état interne duquel dérive la sensation. C'est donc à l'aide d'approximations que nous décrivons les états internes que nous ressentons, comme s'il s'agissait de sensations provoquées en nous par des événements extérieurs ou par nos réactions à ces événements extérieurs. N'affirmons-nous pas, par exemple, que "nous nous sentons en paix" (par analogie avec la sensation de paix qui fait suite à une guerre) ou encore que "notre coeur bat"? Le lexique qui nous sert à exprimer nos affaires intérieures vitales est donc bien limité; aucun langage ne nous permet encore de les décrire. (Pour désigner ces états intérieurs, le vocabulaire le plus riche reste probablement celui des drogués, lequel recourt à des formulations inédites telles que "planer", "faire un voyage", etc.)

Mais il existe encore un autre type de perception sensorielle qu'il est absolument impossible d'expliciter et que je nomme conscience par appréciation subjective, pour exprimer par là qu'il s'agit de sensations consciemment perçues, mais que nous ne sommes pas capables — ou du moins pas encore — de traduire en termes objectifs. Tout au mieux pouvons-nous essayer de transmettre aux autres ces sentiments (qui sont en fait des communications internes sur l'état présent du corps ou de l'être) en les exprimant par la conscientisation d'une conscientisation encore plus profonde, du genre "Je ne me sens pas très bien, mais je suis incapable de dire exactement ce que je ressens", ou encore "Je me sens bizarre, mais je ne sais pas pourquoi, ni de quoi il s'agit". La conscientisation biologique comme d'ailleurs celle des sens complexes que j'ai décrits au chapitre précédent sont des exemples de prises de conscience relevant exclusivement de l'appréciation subjective, privée, dont la transmission à autrui est malaisée, voire tout à fait impossible.

Mais il arrive de temps à autre que nous prenions *effectivement* conscience de l'émergence en nous de certains événements significatifs que notre conscience lucide est incapable d'appréhender et que nous attachions davantage d'importance à cette contribution que pourraient apporter au développement humain, et plus particulièrement à notre bien-être, les pouvoirs virtuels de notre intelligence interne, que nous ne faisons que pressentir.

Nous commençons tout juste à nous rendre compte des remarquables capacités enfouies dans notre inconscient, grâce auxquelles celui-ci conditionne pratiquement — et sans que la conscience lucide en soit jamais avertie — toutes les facettes du comportement humain, y compris l'ensemble des fonctions vitales de la physiologie. Une mystification désormais classique, due à quelques étudiants en psychologie qui voulaient confondre leur professeur, met fort bien en évidence cette remarquable capacité grâce à laquelle l'inconscient fournit des réponses et modèle des conduites appropriées à la réalité qu'il perçoit. Ces étudiants avaient imaginé de prêter à leur professeur une attention soutenue tant qu'il parlerait d'un emplacement bien précis de la salle de cours et de se démener sur leurs sièges, de feindre l'ennui ou l'assoupissement dès qu'il s'éloignerait de cet emplacement. Le résultat, c'est que bien avant la fin de son cours le professeur ne quittait plus d'un pouce le lieu exact où ses étudiants l'avaient coincé par le seul biais de leurs subtils changements d'attitudes.

C'est à une situation à peu près semblable qu'un chercheur fit un jour appel pour "diriger", au cours d'un test verbal, les processus inconscients de ses sujets. Il leur demanda d'énoncer à haute voix tous les noms qui leur venaient à l'esprit, et pendant aussi longtemps qu'ils le pourraient. Chaque fois qu'ils formulaient un pluriel, l'expérimentateur émettait une vague interjection appréciative du genre Hum! Hum! De sorte qu'en un rien de temps les sujets n'énonçaient plus que des noms au pluriel.

Les psychologues expliquent généralement un apprentissage de ce type par un "renforcement des contraintes sociales", facteur qui bien sûr modèle bien des conduites. Mais il serait beaucoup plus fondamental, si l'on veut interpréter correctement le comportement humain, de comprendre le mécanisme inconscient grâce auquel l'individu adapte intelligemment sa conduite aux contraintes sociales invisibles, et cela sans aucune intervention de la conscience lucide.

Car il est clair, dans les deux exemples précités, que des activités mentales inconscientes sont mises en oeuvre pour réussir toute une série de tours d'adresse, s'échelonnant de la perception des événements sociaux, puis de la compréhension de leur signification, à la prise et à l'application des décisions. Telles sont pourtant les fonctions remarquables que remplit l'esprit. Et la compréhension de ces processus nous en apprendrait bien davantage sur le pourquoi et le comment des conduites humaines que ne nous en apprennent les approximations habituellement énoncées sur la labilité comportementale et l'obéissance individuelle au "renforcement des contraintes sociales".

"Apprendre" à l'inconscient à maîtriser le corps

De temps en temps, les psychophysiologistes publient des observations qui prouvent clairement que l'inconscient peut *apprendre* à contrôler une fonction physique. Mais lesdites observations s'abstiennent invariablement de commenter, ou même de mentionner les processus mentaux mis en jeu par ces phénomènes.

Si les sciences du comportement se révèlent incapables de tirer la leçon des données qu'elles ont elles-mêmes mises en évidence, cela est dû pour une large part à ce que les spécialistes de ces disciplines ont appris sur le processus de l'apprentissage. Pendant longtemps, la majorité des chercheurs qui travaillaient sur le comportement humain a été persuadée que l'apprentissage s'opérait communément par associations d'idées liées à des phénomènes étroitement associés les uns aux autres. Ce qui est, bien entendu, tout à fait exact. Quand la plupart des animaux observent deux événements survenant simultanément, en un même lieu et dans les mêmes circonstances, ces deux événements sont alors associés l'un à l'autre, comme le sont par exemple les nuages gris à la pluie. Mais les chercheurs ont cru aussi que ce processus d'association d'*idées* échappait à toute mesure et, du fait que dans leur esprit un processus d'apprentissage ne peut être tenu pour vrai que s'il repose sur des preuves physiques vérifiables, ils ont "réduit" l'ensemble du phénomène de l'apprentissage aux seuls éléments susceptibles de se prêter à l'étude expérimentale (autrement dit, physiquement mesurables en termes de stimuli-réponses).

Ainsi a pris corps une doctrine selon laquelle l'esprit est composé d'éléments simples, capables de transmettre directement des informations (et aussi des données conceptuelles) sur les expériences sensorielles, informations qui par la suite s'associent de façon toute mécanique à un comportement approprié.

Par ses travaux expérimentaux, Pavlov a été le premier à définir l'apprentissage en termes de réponses physiques apportées à des stimuli physiques. En soumettant un chien à un stimulus non significatif (un sifflement, par exemple), en même temps qu'un autre stimulus, significatif celui-là (la vue de la nourriture), provoque chez lui une réaction biologique naturelle (la salivation), on peut démontrer qu'il se produit une association entre le stimulus non significatif et le stimulus significatif: ainsi, en l'absence de toute nourriture cette fois, un simple sifflement suffit à déclencher le réflexe salivaire du chien. Pavlov a toujours insisté (comme le font d'ailleurs les psychophysiologistes russes contemporains plus ouvertement mystiques que ne l'était Pavlov) pour affirmer que ce type d'apprentissage ne peut résulter que d'une activité cérébrale "d'un ordre supérieur" — entendons par là "l'esprit". Pourtant, voilà bientôt un demi-siècle que nos spécialistes du comportement s'empêtrent dans les aspects purement physiques de l'apprentissage, sans même daigner étudier *comment* les idées s'associent dans l'esprit-cerveau pour permettre l'apprentissage.

Mais en dépit de ce parti pris, quelques décennies de travaux sur l'apprentissage, menés par les continuateurs de Pavlov, nous ont permis de beaucoup mieux comprendre le pouvoir total exercé par l'esprit sur le corps, cela malgré les réticences de nos dogmatiques de la psychologie. Considérons par exemple l'expérimentation ci-dessous, tout à fait dans le droit fil de la pensée pavlovienne.

À des sujets dont le rythme cardiaque était simultanément enregistré, on faisait entendre le mot "bleu" couplé à un léger choc électrique sur la peau. Plus exactement, le choc leur était administré environ une seconde après qu'on leur avait fait entendre le mot "bleu". On sait qu'un choc électrique, ainsi d'ailleurs que tous les stimuli perçus comme une menace et générateurs de crainte ou de frayeur, provoque une accélération du rythme cardiaque, alors que les images mentales suggérées par cette couleur n'exercent à cet égard aucun effet ou presque. Dans l'expérience en question, les deux stimuli (le mot "bleu" et la décharge électrique) étaient répétés en association pendant un certain temps, jusqu'à ce que le rythme cardiaque commence à s'accélérer dès que le mot "bleu" était prononcé, c'est-à-dire avant même que le choc électrique soit administré. C'est dire qu'à cette étape, et dans la majorité des cas, le seul fait d'entendre le mot "bleu" suffisait à provoquer la tachycardie. Ce qui démontre que l'audition de ce mot et la perception du choc étaient devenues si étroitement associées que "bleu" signifiait littéralement pour les sujets "Attention, bientôt le choc!" et la fibre cardiaque réagissait en conséquence.

Alors que d'ordinaire la plupart des expériences sur le conditionnement pavlovien sont interrompues à ce stade, celle dont il est question ici était poussée bien davantage. En effet, sitôt que les sujets réagissaient au mot "bleu" par une accélération de leur rythme cardiaque, on associait à ce mot un éclat de lumière de la même couleur et on interrompait les chocs électriques. Puis, après un certain nombre de répétitions de cette combinaison, on cessait de prononcer le mot, pour ne laisser apparaître par intermittence que l'éclair de lumière bleue. Ici encore, exactement comme dans le couplage "bleu"-choc électrique, l'association "bleu"-lumière bleue était devenue si étroite que la suppression du premier terme provoquait un transfert sur le second, capable de provoquer la tachycardie.

Il m'a toujours étonné de constater que les psychologues interprètent les données expérimentales de ce genre comme résultant d'une simple association de deux stimuli sensoriels. Toujours étonné, dis-je, car une telle interprétation se contente de traiter le mot "bleu" ou la lumière bleue comme de banals stimuli sensoriels, au même titre d'ailleurs qu'elle traite le chaud, le froid ou la douleur, c'est-à-dire sans tenir compte d'une éventuelle contribution intelligente susceptible de modifier tout le schéma de l'intégration, celui-ci fût-il relégué dans l'inconscient. Car le mot "bleu", bien sûr, ne joue pas seulement le rôle de stimulus sensoriel.

En effet, cette expérience fait bien plus que présenter les critères scientifiques ordinaires propres à satisfaire le psychologue moyen. Il est certain que n'importe quel sujet sensible va réagir en tirant avantage de chaque indice — en l'occurrence, l'audition du mot "bleu" — lui permettant de supputer qu'un choc va inexorablement suivre. Il est certain aussi que l'appréhension provoquée par l'attente de l'offensive désagréable pour l'organisme incite le corps à s'y préparer. Mais d'autre part, et contrairement à l'opinion des psychologues, pour qui le mot "bleu" n'est rien qu'un stimulus mental dépovu de résonance émotionnelle, il s'agit là d'un mot symbolisant une couleur, couleur à laquelle on associe presque toujours des sensations agréables. Donc, au cours de cette expérience qui permet au sujet d'"apprendre" qu'un choc électrique va se produire après l'audition de ce mot, il est vraisemblable qu'un processus mental va également intervenir, au terme duquel "bleu" aura pris une *nouvelle* coloration: il sera devenu signe avant-coureur du choc électrique. Autrement dit, toutes les associations préexistantes entre la couleur bleue et les sensations agréables devront être remplacées. Bien que cette substitution d'associations nouvelles à des associations traditionnelles n'ait en quelque sorte jamais été prise en considération par les théoriciens de la psychologie, il n'en reste pas moins qu'elle représente une opération de l'esprit-cerveau dont l'importance est considérable.

Un processus beaucoup plus compliqué intervient en cours d'expérimentation quand la réponse physiologique — l'accélération du rythme cardiaque —, qui dans un premier temps était associée au choc consécutif à l'audition du mot "bleu", est ensuite associée à la vision du signal lumineux de couleur bleue. Sans vouloir pousser ici l'analyse trop loin*, disons simplement que les résultats expérimentaux nous fournissent de bonnes raisons de penser que, chez les sujets — qui à aucun moment ne prenaient clairement conscience de leur tachycardie (encore qu'on puisse parier presque à coup sûr qu'une appréciation marginale consciente devait intervenir aussi chez eux) —, seule une activité mentale inconsciente était capable à la fois d'interpréter la signification nouvelle prise par le mot "bleu" dans les conditions très spéciales de cette expérimentation et d'attribuer aussi une autre signification à la couleur bleue du signal lumineux, tout en associant cette signification nouvelle (et temporaire) aux sensations inconscientes suggérées par le mot "bleu". Le résultat de cette activité mentale inconsciente était donc de promouvoir de façon très spécifique le changement qui s'imposait à la physiologie: la modification du rythme cardiaque. En outre, on peut

---

* Ce que j'ai fait à propos d'expérimentations semblables dans un article précédemment cité ("Biological Awareness as a State of Consciousness," *Journal of Altered States of Consciousness 2* (1975): 1) ainsi que dans un ouvrage intitulé *New Mind, New Body*, Harper & Row, New York, 1974.

avancer à coup sûr qu'une fois révolues les conditions très particulières entourant cette expérimentation, l'esprit aura vite fait de renier la signification occasionnelle et contingente prise par le mot "bleu", pour en revenir aux associations habituelles de cette couleur avec des pensées agréables.

Quelques considérations sur la perception infraliminaire ne nous seront pas inutiles pour mieux comprendre ce processus compliqué par lequel l'inconscient peut attribuer si promptement des significations nouvelles à des objets familiers — le mot "bleu" et la lumière de cette même couleur, par exemple.

Contrôle inconscient et comportement intelligent

Ce qui touche à la perception infraliminaire représente probablement le secret le mieux gardé de toute la connaissance psychologique. Il y a quelques années, après qu'on eut craint de voir le cinéma et la publicité télévisée recourir à l'image infraliminaire, l'idée que les êtres humains pouvaient être manipulés à l'aide de messages exclusivement perceptibles par l'inconscient fut entourée d'une telle discrétion par nos psychologues expérimentaux que de nos jours on n'en entend quasiment plus parler. Au point même qu'invariablement c'est le gouvernement qu'on soupçonne d'intervenir dans cette affaire, comme il arrive chaque fois que des techniques propres à subjuguer l'homme sont soudain bannies de toute discussion publique. Quoi qu'il en soit, voilà maintenant une bonne vingtaine d'années que nos experts nient catégoriquement cet extraordinaire phénomène.

Un phénomène est pourtant bien réel. Indépendamment de ce qu'il comporte de désastreux, il recèle aussi une mine d'informations utiles sur les opérations de l'inconscient et sur sa remarquable aptitude à concevoir des activités intelligentes. En fait, de multiples travaux viennent confirmer que les êtres humains perçoivent des informations complètes, voire symboliques, en l'absence de toute participation consciente, et répondent communément à ces informations par des attitudes sensibles et hautement adaptatives.

La preuve d'une perception infraliminaire de l'information nous est apportée par une profusion d'études, qui toutes consistent à présenter aux sujets des éléments d'information complexes, sous forme visuelle ou auditive, mais en dosant de telle sorte la lumière ou le son qu'il leur est impossible de voir ou d'entendre les messages. Plusieurs expérimentateurs ont ainsi enregistré les ondes cérébrales, ou le rythme cardiaque, ou l'activité électrique tégumentaire de sujets à qui on présentait des mots chargés de signification affective (sexe, cancer, maman, serpent, etc.), mélangés à des mots qui bien rarement suscitent l'émotion (édifice, tapis, cravate, etc.). Quand les mots générateurs d'émotions sont présentés en mode infraliminaire, on observe des changements très nets dans les réactions physiologiques manifestées par les sujets, alors que rien de semblable ne se produit quand on opère de la même façon avec les mots neutres du second groupe.

La faculté inconsciente d'interpréter la signification de situations perçues de façon infraliminaire, et de réagir avec pertinence, est mise en évidence par de nombreux travaux expérimentaux. J'en citerai ici un exemple, que nous devons à un collectif de chercheurs.

Un groupe de sujets avait été entraîné, "conditionné", à fournir une réponse électrique tégumentaire quand on faisait apparaître sur un écran certaines combinaisons syllabiques absurdes, en association avec un choc électrique. D'autres combinaisons syllabiques leur étaient présentées sans accompagnement de choc électrique. Dès que les sujets avaient "appris" à manifester une réaction électrique tégumentaire à certaines syllabes bien précises et pas à d'autres, on les soumettait alors à un test tachistoscopique, durant lequel toutes les syllabes étaient projetées pêle-mêle sur l'écran, mais selon une durée d'apparition trop brève pour que l'esprit conscient puisse les identifier. Les résultats démontrèrent que la plupart des sujets ne manifestaient de réponse électrique tégumentaire que si, au préalable, les combinaisons syllabiques absurdes avaient été associées au choc électrique. La seule conclusion possible est donc que, en l'absence d'une récognition consciente de ces syllabes, il existe un processus (et une mémoire) permettant à l'inconscient d'associer certaines syllabes à un choc électrique.

Interprétant cette expérience, un de ses auteurs écrit que, du fait de l'association (consciente) choc électrique-douleur, l'anticipation (inconsciente) de cette douleur "permettrait à l'individu d'éviter la situation douloureuse, et donc rendrait ce type de réponse valable".

Une interprétation aussi limitée de la recherche sur la perception infraliminaire illustre à quel point nombre de chercheurs sont incapables de comprendre les phénomènes qu'ils étudient. Un peu d'imagination est en effet nécessaire pour dégager les éléments critiques mis en jeu dans l'élaboration d'une réponse appropriée à un signal que la conscience lucide ne peut percevoir. De ces études, on est pourtant en droit de déduire que le dispositif perceptuel inconscient de l'homme n'est pas seulement capable de comprendre très précisément la signification de l'information qui lui est fournie, mais aussi qu'une certaine forme d'intelligence inconsciente peut concevoir des associations logiques et significatives avec des souvenirs parfaitement répertoriés, et ensuite activer les réseaux cérébraux ou les opérations mentales susceptibles de fournir une réponse appropriée à ce qui est perçu en dehors de toute conscientisation lucide.

Il est clair que la plupart des facultés critiques de l'esprit — y compris cette fonction de toute première importance qu'est le jugement — sont capables d'opérer — et opèrent — inconsciemment avec une efficacité considérable. La menace que représente la recherche sur la perception infraliminaire explique sans aucun doute pourquoi, par tacite agrément, on ne fait guère de tapage autour des travaux de ce genre.

Chose curieuse, le plus clair de cette recherche s'applique à démontrer qu'*il existe* une appréciation — ou, si l'on veut, une compréhension — des objets de l'environnement (les stimuli infraliminaires) et que cette appréciation est rendue possible par mémorisation des réponses organiques aux significations des stimuli assimilées *par apprentissage*. Cette approche expérimentale très limitée élude la question que posent les messages publicitaires infraliminaires: les perceptions de "nouveaux" stimuli porteurs de signification peuvent-elles effectivement *influencer le comportement intelligent*?

Chose plus curieuse encore, depuis quelque temps les revues scientifiques admettent que, de toute évidence, la perception infraliminaire influence à la fois le comportement de l'homme et ses fonctions physiologiques, mais sans jamais mentionner le phénomène infraliminaire en tant que tel. Pareille omission est sans doute partiellement justifiable, étant donné que les expériences nouvelles menées dans ce domaine sont désormais baptisées "recherches sur l'apprentissage". Ce qui suit va nous révéler au contraire que les travaux en cours s'attachent à un aspect encore plus complexe de la perception infraliminaire, aspect qui met en jeu la faculté inconsciente de détecter le réel sans intervention de la conscience lucide, voire en s'opposant à elle, dans le but d'élaborer un comportement approprié. Voyons les choses d'un peu plus près.

Le corps peut être intelligemment dirigé par l'inconscient

Un des exemples les plus étranges d'apprentissage inconscient aboutissant à contrôler les fonctions de l'organisme nous est fourni par une expérimentation dans laquelle les sujets, qui s'attendaient à ce qu'on enregistre leur rythme cardiaque, furent avertis qu'on avait disposé dans la salle un haut-parleur capable d'émettre des aiguës et des basses résultant de l'amplification de leurs propres activités mentales. Quand un signal rouge s'allumerait, leur expliqua-t-on, ils devraient faire en sorte que le haut-parleur produise des aiguës, et faire en sorte qu'il produise des graves quand s'allumerait un signal vert. Ce que les sujets ignoraient, c'est que l'enregistrement de leur rythme cardiaque était converti en fréquences sonores par un générateur, de sorte que toute accélération produisait des aiguës, et tout ralentissement des graves. En un temps relativement court, les sujets apprirent ainsi à générer des fréquences hautes et basses par ce qu'ils croyaient être "des moyens mentaux", puisqu'il leur était impossible de soupçonner que les sons étaient produits par les modifications de leur rythme cardiaque.

Voilà donc qui illustre magnifiquement la façon dont les êtres humains (et aussi les animaux qui, eux, ne reçoivent aucune instruction précise, comme on va le voir bientôt) utilisent leur inconscient avec une spécificité fort subtile... et à la demande, pour diriger les fluctuations de leurs activités organiques.

Pourtant, les expérimentations de ce genre sont en un certain sens aussi dérangeantes qu'elles sont révélatrices des opérations de l'inconscient, puisqu'elles impliquent que l'esprit conscient est dans l'impossibilité d'interpréter la faculté inconsciente d'appréhender les circonstances factuelles et de leur fournir une *réponse appropriée.* Dans l'expérimentation que je viens de décrire, non seulement des processus inconscients permettaient de percevoir la relation précise qui unit les aiguës et les graves à la conscientisation d'un changement biologique très spécifique — celui du rythme cardiaque — mais encore le changement physiologique très précis, que l'inconscient jugeait approprié à la situation, se manifestait avec pertinence, et à volonté, en réponse aux différents signaux.

En dépit de ces qualités d'adaptation au réel que présente l'inconscient, bien des thérapeutes ont tendance à rendre ce dernier responsable d'une bonne partie de nos difficultés psychologiques et de nos déséquilibres liés au stress. Cette attitude négative s'explique à mon avis par une interprétation trop littérale des données fournies par la recherche et aussi par une absence de réflexion théorique sur la nature de l'inconscient. Je mentionnerai encore un autre écueil: le défaut de compréhension des relations très complexes qui unissent la conscientisation lucide du moi à la conscientisation inconsciente.

Les discussions qui vont suivre illustrent ces difficultés et plus spécialement celles qui surgissent quand il arrive que certaines fonctions de l'inconscient sont faussées par une partie même de l'inconscient, préalablement modelée par l'expérience et la conscience consensuelle. Il semble en effet évident que, à partir du moment où la conscience consensuelle prend en compte l'information qui lui est fournie sur l'être physique et mental, elle peut modifier les opérations naturelles de l'inconscient,... que l'information interceptée soit valide ou non.

En fait, on découvre que les interactions esprit-corps se ramènent à une opération triple se décomposant en: (1) une intelligence inconsciente innée, capable d'assimiler l'information en provenance de l'environnement, de recruter les aptitudes à la fois physiques et mentales et d'agir sur l'information, aussi complexe soit-elle, de façon parfaitement appropriée (voir le schéma de la p. 65); (2) une conscientisation capable d'interpréter en toute lucidité, et en certaines occasions, des événements relevant de l'inconscient, mais sans pour autant contrarier les décisions et les interventions de l'inconscient (c'est le cas par exemple de certains actes réussis à la perfection ou accomplis de façon intuitive); et (3) une conscientisation qui s'appuie sur le consensus social pour décider de l'attitude à adopter aussi bien par l'esprit que par le corps.

Étant donné que la conscience lucide sait rarement *comment* une sensation, une pensée ou une décision est conscientisée, il est bien rare aussi qu'elle établisse une distinction entre une information d'origine interne (sensations organiques, intuitions) et une information sur ses propres sensations et ses propres conduites qui lui est fournie par le consensus. Cette dernière forme de conscience — la conscience lucide — est l'outil qui nous permet de survivre en tant qu'individus. Or, si nous adhérons au principe de survie qui veut que l'évolution impose une adaptabilité accrue et une multiplication des choix possibles, alors il semblera compréhensible que la conscience lucide puisse décider de régir certaines décisions inconscientes, tout comme elle peut contrôler le comportement physique.

Une interférence salutaire

Jusqu'à quel point la conscience individuelle, considérée comme le reflet de la conscience consensuelle, peut-elle entrer en interférence avec les opérations de l'inconscient pour promouvoir harmonieusement les activités physiques, voilà qui peut être illustré par des expériences bien simples.

Comme chacun sait, à partir du moment où nous appréhendons quelque chose et en éprouvons de l'angoisse, nos fonctions organiques sont soumises à des transformations qui, le plus souvent, passent inaperçues. Une des plus promptes à se manifester est l'accélération du rythme cardiaque. Ce schéma fonctionnel est d'ailleurs si constant que, pour la science du comportement, l'appréhension et l'anxiété aiguës sont invariablement accompagnées de tachycardie. Il est généralement admis qu'une peur génératrice d'anxiété, même bénigne, stimule les mécanismes de la survie physique, autrement dit provoque une réponse qui prépare l'organisme à l'action (c'est la réaction désormais classique du branle-bas de combat/sauve-qui-peut, c'est-à-dire de lutte ou de fuite). Voyons comment se passent les choses.

Qu'arrive-t-il si l'on soumet un groupe de volontaires — il s'agit d'une expérimentation réelle — à des procédures qui les plongent dans un état d'anxiété intense? Il arrive que le rythme cardiaque des sujets, comme prévu, s'accélère en cours d'expérimentation (tachycardie d'anxiété). D'autre part — cela faisait partie de la procédure que je cite — les pulsations cardiaques des sujets étaient enregistrées et converties en sons que ces derniers pouvaient entendre grâce à un stéthoscope. Mais, à leur insu, ce dispositif avait été remplacé par un mécanisme conçu de telle sorte que seuls des battements lents, préalablement enregistrés, leur étaient audibles. Or, dès que les sujets pouvaient entendre ces pulsations lentes, leur anxiété diminuait et, simultanément, leur propre rythme cardiaque ralentissait.

Pourquoi le fait d'*entendre* des battements cardiaques lents amène-t-il les gens à se détendre et à se départir de leurs appréhensions ou de leurs angoisses? La réponse est loin d'être simple. Selon moi pourtant, cette réponse nous ramène à l'intelligence de l'inconscient. Dans la première partie de l'expérimentation, les perceptions conscientes identifiaient correctement une situation de menace et transmettaient l'information à ces mécanismes mentaux ignorés de nous et capables de stimuler le corps pour qu'il fournisse une réponse appropriée, autrement dit pour qu'il soit prêt à se défendre contre la menace identifiée. Mais à partir du moment où le corps réagissait, alors les organes mobilisés par la réaction informaient en retour le système nerveux central des changements qui s'opéraient en eux, ce qui est normal, de sorte que la sensation de perturbation de l'état organique intensifiait encore le sentiment d'anxiété.

Mais dans la seconde partie de l'expérience, l'information auditive interceptée par le système nerveux central était une information rassurante, puisqu'elle exprimait que l'organisme n'était pas en état d'alerte. Du fait que la plupart d'entre nous témoignons d'une grande naïveté quand il s'agit d'interpréter les signaux en provenance de notre corps, du fait que nous n'avons pas appris à discriminer leurs messages, nous acceptions comme valides, consciemment et inconsciemment, les informations *sur* ce que nous croyons être nos états internes, même si ces informations ne nous proviennent pas des organes mis en cause, et par conséquent sont fausses. Quand ce sont nos yeux et nos oreilles qui interceptent des informations de ce genre, celles-ci doivent alors être "traitées", c'est-à-dire acheminées vers les aires cérébrales qui vont à leur tour les comparer à des expériences passées pour leur donner une signification accessible à la perception. Puisque l'esprit conscient n'a pas appris par expérience à identifier ses propres états organiques internes, ce qui explique pourquoi il se laisse si aisément duper, il déclenche donc les réactions corporelles qui lui semblent les plus appropriées à l'information reçue, celle-ci fût-elle totalement fausse. Ces réactions corporelles n'affectent pas seulement l'organisme mais aussi l'esprit et, dans l'expérience dont il est question ici, l'esprit, acceptant telle quelle l'information qui lui était fournie sur le corps — à savoir que ce dernier avait cessé d'être perturbé — réduisait la sensation d'anxiété, ce qui avait alors pour effet d'interrompre les messages envoyés par l'esprit au corps pour lui enjoindre de se mettre en état d'alerte, si bien qu'en fin de compte le rythme cardiaque s'apaisait et revenait à la normale.

Dès que les sujets de l'expérimentation, plongés dans l'anxiété, entendaient ce qu'ils croyaient être les battements de leur coeur, l'information transmise par leur esprit aux mécanismes de contrôle physiologique était une information rassurante — "rythme cardiaque lent". Or, quand le rythme cardiaque est lent, l'information renvoyée aux fonctions interprétatives de l'esprit est elle aussi apaisante — "pas d'éréthisme physiologique" — et simultanément l'émotion retombe. Le résultat: plus d'anxiété. Ce qui tend à confirmer les conclusions de Jacobson, pour qui tensions physiques et anxiété marchent main dans la main, et pour qui encore ne pas ressentir de tension physique, c'est ne pas ressentir d'anxiété. Cette expérience que nous venons d'évoquer démontre de façon très subtile la puissance de domination exercée sur le corps par les mécanismes intellectuels. Du point de vue de la physiologie et de la psychopathie, le facteur significatif, c'est que l'information auditive perçue a totalement annihilé les messages viscéraux informant le cerveau de l'existence d'une tension interne.

Il est remarquable que les "sensations" qui renseignent l'esprit conscient sur l'état organique — bruit d'un coeur lentement rythmé — puissent prendre le pas sur les sensations authentiques provenant de l'activité organique réelle, et que tout se passe *comme s*'il était question des sensations causées par des communications directes s'effectuant des récepteurs internes vers le cerveau par le biais d'impulsions proprioceptives.

Ma remarque de la p. 76 — à propos des sujets qui, ayant appris à contrôler leurs ondes cérébrales alpha, ne peuvent plus être abusés par une autre onde de même caractéristique qu'ils pourraient confondre avec une onde alpha — rend plus intelligible la raison pour laquelle une fausse information sur des états internes risque d'avoir des effets aussi dramatiques. À partir du moment où un individu est en mesure d'identifier et de conscientiser — inconsciemment — certaines fonctions internes, il devient impossible de le duper par une fausse information consciemment interceptée. Mais en revanche, il peut aisément se méprendre sur ses états internes s'il n'a jamais appris à identifier consciemment les sensations internes en provenance de ses fonctions organiques.

S'il nous est encore impossible d'expliquer pourquoi une fausse information somatique peut effectivement modifier à la demande les fonctions organiques, il existe pourtant un moyen d'expliquer ce phénomène. Il suffit pour cela de penser l'expérience qui précède en termes d'images mentales. C'est par expérience que nous avons appris à ressentir de l'anxiété quand nous entendons un coeur battre rapidement et à éprouver une sensation de détente ou de soulagement quand nous entendons un coeur battre lentement. Les situations qui nous amènent à évoquer des souvenirs de ce genre nous font également évoquer les images mentales d'appréhension ou de détente associées à ces souvenirs; or quand nous actualisons ces images mentales d'une activité physique, c'est l'activité mentalement associée à ces images qui provoque une réponse de la part de nos mécanismes physiologiques.

La conscientisation de l'état précis dans lequel se trouve une fonction interne (même s'il ne s'agit que d'une onde alpha, que le système sensoriel interne est incapable de percevoir) est une faculté particulière de l'esprit qui peut s'acquérir et se perfectionner, exactement comme s'acquièrent et se perfectionnent les capacités mentales au fur et à mesure que l'esprit comprend mieux la signification des sensations musculaires quand les muscles sont entraînés en vue d'activités spéciales, comme par exemple le violon, la peinture, le football ou l'acrobatie.

Cette faculté de conscientisation interne se manifeste à l'état naissant dès la venue au monde, aussi bien chez les chiots et les chatons que chez le petit de l'homme. Chacun sait que le tic-tac d'un réveil placé dans un panier ou dans un berceau exerce un effet calmant sur un chien ou un enfant nouveau-né. Ce sédatif maison est d'ailleurs basé sur une conscientisation acquise par apprentissage de la relation qui unit le sentiment de sécurité à la physiologie corporelle. Dans le sein maternel, le foetus perçoit beaucoup plus intensément les battements lents et réguliers du coeur maternel qu'il ne perçoit les siens, encore bien faibles. Mais après la naissance, et plus spécialement quand il se retrouve dans un environnement inconnu de lui, l'enfant peut éprouver la sensation d'une perte de sécurité. La rapidité de son propre rythme cardiaque n'a plus rien de commun avec le battement rassurant auquel jusque-là il était habitué. Le tic-tac du réveil, consciemment perçu, joue donc ici le rôle d'un bienfaisant substitut de l'inconscient.

L'intelligence de la réaction aux placebos

Le placebo nous fournit un élégant exemple de duperie de l'inconscient par la conscience, au profit de l'activité physique. Bien entendu, un placebo n'est en soi qu'une substance totalement inerte. Pourtant, on affirme au patient à qui l'on en administre qu'il s'agit d'une médication active. C'est donc un médicament qu'il croit capable de le guérir qu'absorbe le malade affligé de troubles fonctionnels ou affectifs qui, eux, sont bien réels. Mais il fait confiance au corps et au savoir médical. Il ne lui viendrait pas à l'esprit que la médecine pût sciemment l'abuser. L'information "fournie" aux processus à la fois conscients et inconscients consiste en un mélange complexe de données, qui toutes indiquent que le malade est absolument persuadé que les spécialistes qui le traitent sont seuls qualifiés pour le faire, que lui-même est donc en droit de s'attendre à un soulagement. Tous les indices étant positifs, l'inconscient, n'ayant aucune raison de douter de l'information reçue, accepte les données que lui-même — par perception infraliminaire — et les sens conscients interprètent comme une juste appréciation de la relation unissant un état de non-bien-être aux promesses rassurantes de l'environnement thérapeutique.

Fort de la conviction que la médecine va lui procurer du mieux, l'inconscient se préoccupe alors de digérer l'information implicitement contenue dans la situation thérapeutique. Étant donné aussi qu'il s'attend à des résultats concrets, il ne fait aucun doute qu'il devient plus attentif aux signaux internes de l'organisme. Aussi commence-t-il à déceler que les tensions accompagnant la maladie ne sont plus aussi vives que par le passé. Avant le traitement (par le placebo), ce qui dominait la situation était l'incertitude de la guérison. Une fois administré le traitement (toujours le placebo) que l'esprit croit bel et bien efficace, la situation cesse d'exiger la même tension physique que celle qui était requise du temps où il convenait de se préparer au pire. Car, même si le stress est toujours présent (le malade n'est pas encore guéri), son angoisse est désormais moins pesante, puisque l'inconscient chuchote implicitement que la rémission n'est pas loin. Grâce à ce soulagement à la fois subjectif et physiologique, le malade éprouve la sensation d'un mieux-être.

Stimulé par une appréciation consciente de la situation, l'inconscient utilise donc de façon tout à fait logique l'information qu'il reçoit. Plus exactement, il tire la conclusion que la guérison est proche et qu'il n'y a plus de raison de maintenir le corps en état d'alerte et d'attente du pire. Ce qui réduit les tensions. Cette réduction s'opérant, les fonctions physiques du corps, libérées d'un tel handicap, peuvent alors s'accomplir plus efficacement, plus effectivement, tout en assistant ou même en déclenchant les mécanismes habituels intervenant dans la guérison.

L'interéchange inconscient-conscience lucide — cet énigmatique labyrinthe qui complique toute notre vie en société — représente en fait l'infrastructure décisive de tout contrôle exercé sur le corps et sur l'esprit. Il s'agit là d'un mécanisme si délicat, si attentif, si sensible, que cette organisation mentale multiramifiée et insaisissable est de toute évidence capable de réagir subconsciemment, *même aux erreurs commises par la science.* Après tout, c'est à l'information que se fie l'esprit pour tirer ses conclusions et diriger ses activités. Or quand l'information est cautionnée par une autorité quelconque, l'esprit l'utilise. Ceci explique pourquoi tant de gens qui se prêtent volontairement à des expérimentations psychophysiologiques fournissent des résultats conformes à ceux que les chercheurs attendent, pourquoi les sujets "soumis" de Milgrim pouvaient sur commande infliger aux autres, et sans sourciller, certaines douleurs physiques, enfin pourquoi les placebos peuvent apporter une rémission à de réels dérèglements organiques.

En somme, berner les processus intellectuels de l'esprit semble donc avoir du bon, dans certaines limites tout au moins. Encore qu'une telle duperie comporte toujours un certain danger latent, puisque l'esprit risque aussi d'interpréter une fausse information susceptible de lui nuire, à lui comme à l'organisme. C'est ce qui se produit fréquemment dans certaines pathologies affectives et fonctionnelles dues au stress, comme nous le verrons au chapitre suivant.

À présent que nous apparaît plus clairement la contribution essentielle apportée par l'esprit au bien-être et à la survie de l'individu, nous devons nous demander pourquoi cette capacité mentale innée demeure aussi peu efficace et aussi peu sollicitée. Car si nous possédons réellement pareilles aptitudes, essayer de comprendre pourquoi nous ne les avons pas exercées constitue une bonne introduction logique, grâce à laquelle nous pouvons découvrir du même coup comment réactiver, revitaliser ou développer ces aptitudes en vue de perfectionner les fonctions de notre esprit comme de notre corps.

En réalité, l'inconscient renonce bien souvent à exercer ses aptitudes à préserver le bien-être physique. Il y renonce chaque fois qu'il est mal informé ou bien qu'on le prive de l'information qui lui serait nécessaire à l'exercice adéquat de ses pouvoirs. Il y renonce aussi chaque fois que les convictions contraires de l'esprit conscient sont assez affirmées pour annihiler les délicates opérations de l'esprit naturel.

L'inconscient victime de l'activité consciente

Que l'inconscient se laisse abuser par les appréciations de la conscience claire, voilà qui résulte d'un mécanisme très subtil, mais nullement exempt d'effets dévastateurs sur les fonctions organiques. J'en veux pour exemple une expérimentation au cours de laquelle, pour duper les sujets sur leur état physiologique interne, on usait d'images projetées sur un écran. Il est bien connu que les images, surtout si elles présentent pour nous un grand intérêt, provoquent une accélération de notre rythme cardiaque. Dans cette expérimentation les sujets croyaient entendre les battements de leur propre coeur en même temps qu'on leur projetait les images. C'était en fait une fausse information sonore qui leur était fournie, de telle sorte que certaines images étaient accompagnées d'un bruit de battements cardiaques rapides. On demandait alors aux sujets de classer les images par ordre d'intérêt personnel.

Les résultats ainsi obtenus ne laissent pas de surprendre. Car indépendamment de l'image projetée sur l'écran, si l'accompagnement sonore était celui de (faux) battements de coeur *rapides*, cette image était considérée comme plus intéressante que les images accompagnées d'un bruit de battements lents, cela, quel que soit le rythme cardiaque réel du sujet. En outre, cette contradiction purement subjective persistait pendant un certain temps après l'expérimentation. En effet, passé quelques semaines, et dans presque tous les cas, les sujets confirmaient les choix qu'ils avaient faits sur le moment et accordaient toujours leur préférence aux images visionnées en écoutant simultanément un bruit de (fausse) tachycardie.

Voilà qui est lourd de conséquences passablement effrayantes, si l'on songe qu'il n'est pas du tout impossible que certaines méthodes de propagande, ou certaines techniques de persuasion, tirent profit de cette vulnérabilité de la conscientisation interne. Car deux phénomènes de première importance sont ici mis en jeu: d'une part la conscientisation inconsciente identifie un signal organique (la tachycardie) comme étant normalement associé à un événement spécial de l'environnement; et d'autre part ce même signal organique commande l'attention et la vigilance visuelle. Étant donné que dans cette expérimentation l'environnement se bornait au visionnement de certaines images, il est donc fortement probable que les images accompagnées de (faux) battements de coeur accélérés faisaient l'objet d'une attention accrue et s'attiraient tout naturellement un jugement "plus favorable".

Dans le même temps cependant, *la conscientisation de l'environnement (par la conscience lucide) prenait le pas sur toute forme de conscientisation (par l'inconscient) du véritable état rythmique du coeur.* Il n'est pas difficile de comprendre à quel point la sensation d'un accroissement d'attention (provoqué par l'interception auditive d'une fausse information cardiaque jugée valide) pouvait affecter les réactions et les impressions subjectives et annihiler totalement les sensations, intérieurement perçues, de non-modification du rythme cardiaque. Mais en revanche, il est beaucoup plus difficile de comprendre pourquoi les sujets *s'abstenaient* de juger intéressantes des images qui *réellement* les intéressaient, ce que confirmait pleinement l'accélération de leur propre rythme cardiaque.

Pourtant, dans cette expérimentation, tout laisse à penser que les sujets attachaient beaucoup d'intérêt à certaines images *non accompagnées* d'un bruitage de tachycardie. Ce qui nous amène à poser cette question: puisque la vision de ces images accélérait leur rythme cardiaque, comment se fait-il que, dans leur échelle d'appréciation, les sujets n'aient pas attribué la même cote d'intérêt à *ces images bien particulières* qu'à certaines autres qui, elles, étaient accompagnées d'un faux bruitage de tachycardie? Le fait qu'ils ignoraient que leur propre rythme cardiaque s'accélérait, mais réagissaient à une tachycardie simulée, prouve clairement que dans certaines circonstances la récognition et la conscientisation inconscientes peuvent être prévenues, ou submergées, par des appréciations conscientes. C'est que la conscientisation lucide est fortement influencée par l'autorité et qu'elle traduit ce que la conscience individuelle a emprunté à la conscience consensuelle. Il est néanmoins surprenant, et cette surprise est fâcheuse, de constater que les erreurs et les mythes de la conscience consensuelle ont le pouvoir de fausser les modes naturels d'évaluation propres à l'inconscient.

La stimulation due à l'événement présent et aux images que celui-ci crée peut donc accaparer si intensément la conscience lucide qu'elle en arrive à tenir pour nuls et non avenus les messages provenant de l'évaluation inconsciente. Quand un étudiant, par exemple, manifeste une névrose d'angoisse à la perspective d'un examen, les associations et interprétations inconscientes que son esprit élabore à propos de tel ou tel comportement de son professeur, à l'approche de l'examen en question, peuvent aisément être considérées comme le signe avant-coureur d'une épreuve difficile, signe par lequel l'inconscient annonce au corps qu'il doit se préparer, en augmentant sa tension interne, à livrer une nouvelle bataille pour la survie. Dans ce cas pourtant, l'esprit conscient reste à l'écoute d'autres signaux — "ce n'est pas une épreuve difficile", "cet examen n'a en soi aucune importance" — et s'illusionne au point d'ignorer les signaux d'angoisse émis par le "réalisme" de l'inconscient.

Cette inaptitude de la conscience à appréhender ce que l'inconscient perçoit peut fort bien être à la base de nombreux conflits entre activités conscientes et inconscientes. Freud a dit un jour que toutes les difficultés seraient aplanies si la conscience claire n'existait pas. Mais il se trouve qu'elle existe; et il se pourrait bien que la solution de nos conflits conscient/inconscient consiste à nous révéler à nous-mêmes la profondeur et l'étendue de nos évaluations et de nos interprétations inconscientes. C'est d'ailleurs très exactement ce qui est en train de se produire aujourd'hui dans notre société, désormais préoccupée d'éveil corporel et de psychologie des profondeurs.

Prendre conscience des états organiques internes

Un spectaculaire exemple de duperie mentale nous est donné par une série d'expérimentations au cours desquelles on demandait aux gens de décrire l'activité de certains de leurs organes viscéraux dans différents états émotionnels. Entre autres procédés, on faisait en sorte de provoquer chez eux de l'anxiété, ce qui accélérait le rythme cardiaque, alors que pourtant la plupart des sujets affirmaient qu'ils sentaient leurs pulsations ralentir. À la surprise des expérimentateurs, les participants, dans une large majorité, se trompaient du tout au tout en essayant de "deviner" ce qui se passait dans la presque totalité de leurs systèmes organiques et ne témoignaient d'aucune conscience claire de leurs états internes. Il est vrai qu'une expérimentation ultérieure vint révéler que certaines inexactitudes dans les appréciations étaient dues à l'imprécision de la terminologie utilisée par les expérimentateurs; mais elle vint confirmer aussi qu'en règle générale les sujets étaient tout simplement incapables d'identifier les signes distinctifs de leurs fonctions organiques internes (et vitales).

Comment expliquer cette incapacité? Poser le problème de l'ignorance dans laquelle nous sommes de nos états internes revient peut-être à se demander si la poule a précédé l'oeuf ou vice versa. On sait que la pratique du biofeedback peut procurer aux gens un sens très poussé du fonctionnement interne de leur organisme et leur apprendre à décrire avec une plus grande précision leurs différents niveaux d'activités physiologiques. En outre, grâce à l'information qui leur est fournie par les techniques du biofeedback et grâce à la conscience ainsi accrue de leurs états internes, ils peuvent assez aisément apprendre à contrôler ces activités et ces fonctions internes. Alors, pourquoi ne peuvent-ils obtenir des résultats semblables avant de pratiquer le biofeedback? L'expérience acquise au laboratoire indique de toute évidence que cette non-conscience est d'origine culturelle et environnementale. Autrement dit, si nous sommes incapables de nous rendre compte, consciemment *et* inconsciemment, de ce qui se produit dans l'intimité de notre corps physique, nous le devons aux convictions de nos habitudes socioculturelles, elles-mêmes héritées de l'autorité scientifique.

Il en va tout autrement en Inde. En observant la vie sociale de ce pays, j'ai été très frappée de constater qu'on y discute, avec un absolu naturel, du corps humain. Je n'y ai relevé aucune restriction quand une conversation porte sur les parties ou les fonctions de l'organisme; j'ai noté que non seulement les Indiens prêtent attention à leurs activités organiques internes, mais encore qu'ils parlent librement de ce que les Occidentaux considèrent comme relevant de la vie intime; en outre, ils ont appris d'eux-mêmes la signification que peuvent prendre différentes sensations et perceptions intérieures. J'ai de bonnes raisons de penser que cet apprentissage de la conscientisation contribue grandement au traitement de bien des détresses physiques et psychologiques. Comme nous l'a appris le yoga, une bonne part de la thérapeutique indienne recourt à des techniques qui surdimensionnent la conscientisation et l'énergie mentale.

Les attitudes observées par les Indiens à l'égard du corps et de l'esprit contrastent singulièrement avec les nôtres. La plupart d'entre nous avons longtemps considéré comme tabou toute allusion à nos états internes, sauf dans les cas bien particuliers — interventions sur la colonne dorsale, ulcères, algies des sinus — où la société nous donnait liberté d'en parler. Mais dès qu'il s'agit d'activités physiques internes, notre attitude change: c'est généralement d'un certain mépris qu'on entoure les nez qui coulent, les émissions gazeuses et les fantasmes sexuels. Sans parler du froid dans le dos que nous éprouvons à l'idée d'évoquer une attaque cardiaque, un cancer ou une crise épileptique, tant on nous a appris à expurger nos activités conscientes de toute conscientisation de nos états internes.

Absorbées par l'éradication des maladies graves qui affligent l'homme, la médecine et la psychologie ont considéré que les activités mentales étaient sans grande utilité thérapeutique et en fait pouvaient même représenter des obstacles à la bonne marche du traitement. Ce dogme n'a fait que renforcer la répugnance générale à identifier et à accepter la validité de toute perception des états internes.

De ces attitudes culturelles et scientifiques, il a résulté que la plupart des Occidentaux ne tentent jamais de mettre à contribution leur esprit pour influencer leur organisme; il nous aura fallu attendre le développement des thérapies par le yoga et le biofeedback pour que s'accrédite l'idée selon laquelle l'information mentale pourrait éventuellement être bénéfique à notre corps et mériter une étude systématique.

Une des questions les plus décisives qui se posent à nous quand nous essayons de comprendre comment l'esprit affecte le corps — et, plus spécialement encore, comment les changements organiques qu'il provoque peuvent perturber nos fonctions normales et être causes de détresses — consiste à savoir pourquoi nous ne prenons pas conscience du dérèglement de nos fonctions internes avant de ressentir une douleur bien réelle, ou un malaise, avant que le médecin ne diagnostique la maladie qui nous affecte. Il tombe sous le sens qu'en l'absence de toute recherche pertinente sur la qualité et l'étendue des appréciations relatives à nos activités internes, la science n'est guère en mesure de nous apprendre quoi que ce soit de valide sur la conscientisation de nos états organiques. L'impression générale qui se dégage des mesures objectives faites au laboratoire — en demandant par exemple aux sujets de répondre à des batteries de questions ou en essayant d'établir des corrélations entre déclarations subjectives et différents niveaux d'activités internes — est que nos perceptions des dites activités sont bien faibles. Notre absence de conscientisation se révèle de façon évidente dans chacune des variations que nous manifestons quand nous réagissons au stress. La migraine vespérale, par exemple, ne signe jamais que l'affleurement à l'attention consciente des tensions musculaires accumulées tout au long de la journée, tensions qui n'accèdent à la conscientisation qu'à partir du moment où elles provoquent une céphalée.

Le simple fait que cette faible perception de nos états internes puisse être génératrice de douleurs et de misères physiques devrait pourtant suffire à nous convaincre d'examiner plus attentivement cette déficience. Si, par hypothèse, nous pouvions découvrir quelques-unes des raisons pour lesquelles la perception que nous avons de nos activités physiologiques internes est aussi pauvre, nous aurions déjà fait un grand pas en avant dans la prévention de nos fâcheuses réactions au stress. De par l'éducation qu'il a reçue, l'individu moyen est aussi démuni, quand il s'agit de faire le point sur l'intimité de son corps, que le serait un navigateur dépourvu de sextant.

Il arrive pourtant que cette ignorance dans laquelle nous tenons nos états internes, ainsi que la perception que nous avons d'eux, entraîne des conséquences positives, comme de recourir à une dragée sucrée pour vaincre l'insomnie. Mais supposons au contraire qu'une douleur abdominale soit perçue comme un signe de constipation et que le laxatif absorbé ne fasse qu'exacerber une inflammation de l'appendice, comme cela se passait fréquemment autrefois. Il me semble bien que la meilleure des préventions sanitaires est de donner à l'esprit les moyens d'exercer ses facultés innées de régulation organique, cela en le libérant des inhibitions traditionnelles qui lui interdisent la compréhension de l'être physique interne.

Du fait même que la philosophie du yoga impose la nécessité d'une discipline mentale, les yogis accèdent bien entendu à cette compréhension. La meilleure façon d'amener le corps à exécuter les ordres de l'esprit consiste pour eux à développer une conscientisation intime des différentes parties constitutives du corps. Nous autres Occidentaux vivons soumis à des impératifs philosophiques passablement différents. Dans une société bardée de spécialistes en tous genres, notre organisme — je l'ai maintes fois fait remarquer — relève de la compétence du Corps médical, notre esprit de celle de la Psychologie et notre âme de celle de l'Église, de sorte qu'il ne nous reste pratiquement rien en propre, rien que nous puissions appréhender et comprendre par nous-mêmes. À l'exemple des yogis, nous n'avons pas même *essayé* de nous servir de notre esprit pour prendre conscience de notre être physique interne ou pour modifier nos fonctions organiques.

L'ignorance dans laquelle nous tenons les tâches internes accomplies par notre corps et notre aptitude à les évaluer, à percevoir leurs besoins et leurs changements entraînent, ainsi que je l'ai découvert, une conséquence dramatique. Notre handicap tient sans doute en partie à la fausse information sur nous-mêmes dont nous nous contentons, du fait que nous prêtons une plus grande attention aux opinions de la conscience consensuelle qu'à nos propres réalités intérieures. Nos fonctions sexuelles, par exemple, sont entourées de mythes; or, bien des troubles du comportement sexuel résultent d'une fausse information en provenance du consensus, information modelée par les préjugés ou des règles morales qui n'ont pas lieu d'être, mais qui pourtant nous dictent ce que nous devons ressentir au lieu de nous laisser découvrir ce que nous pourrions ressentir par nous-mêmes.

Une des raisons qui, selon moi, font que nous nous méprenons sur l'état de nos fonctions internes — quand nous croyons par exemple que notre coeur bat lentement alors que son rythme s'accélère — vient de ce que notre culture prise hautement la performance réussie. Nous finissons ainsi par nous convaincre nous-mêmes de notre réussite organique. À propos du rythme cardiaque (dans les expériences que j'ai citées, les interprétations erronées des sujets penchaient toujours du côté de l'option: performance réussie), nous avons tous appris qu'un coeur battant lentement est synonyme de longue vie ou de qualités athlétiques. Ainsi sommes-nous persuadés — ou tout du moins souhaitons-nous — que notre propre coeur se conforme à cette règle garantissant le bien-être.

Conscience corporelle et bien-être physique

Le temps n'est plus où, selon moi, on pouvait justifier par l'absence de données fiables l'impossibilité de formuler un concept expliquant comment l'activité de l'esprit retentit sur celle du corps. Sans doute suis-je davantage déterminée que la

plupart de mes confrères scientifiques à ne plus me satisfaire des explications classiques, mais il se trouve aussi que
mon respect de la probité intellectuelle est trop grand pour
que l'interprétation de données nouvelles par d'anciennes formules explicatives me satisfasse. Cet ensemble de raisons m'a
donc incitée à ordonner de façon cohérente le matériel scientifique très précis dont nous disposons aujourd'hui sur la
relation esprit-corps et à proposer ce que je crois être un
descriptif logique des processus par lesquels l'activité mentale
influence l'activité biologique.

Si, dans mon argumentation, je prends pour point de
départ le phénomène du biofeedback, c'est que, à la différence d'autres techniques d'éveil corporel, ses efforts
peuvent faire l'objet de mesures très précises. Pour résumer
les choses, disons que biofeedback est un mot qui désigne les
procédures par lesquelles des signaux relatifs à l'activité biologique d'un individu lui sont "fournies en retour" ("*fed
back*"). Normalement, on se sert pour cela d'un appareillage
spécial permettant de détecter des signaux organiques internes
ordinairement non perceptibles, intéressant par exemple la
tension musculaire, le rythme cardiaque, les ondes cérébrales,
la température, etc. Ces signaux organiques sont électroniquement convertis en repères lumineux, en sons ou en
déplacements d'une aiguille sur un cadran. L'appareil de biofeedback remplit deux fonctions: d'abord, il amplifie des
signaux organiques que normalement nous sommes incapables de percevoir ou que tout simplement nous ne percevons
pas; ensuite, il convertit ces signaux de telle sorte qu'il les rend
aisément *perceptibles*. Ces signaux traduisant certaines modifications physiologiques sont alors utilisés par le patient, qui
peut ainsi se familiariser avec les événements se déroulant en
lui, du fait que l'appareil est conçu pour mettre en évidence, à
tout instant, les variations qui surviennent dans la dynamique
de son activité physiologique.

Le *phénomène* du biofeedback consiste donc en ce qui se
produit quand un individu est à même d'observer pendant un
certain temps l'évolution des changements qui s'opèrent dans
l'intimité de ses états organiques internes, plus précisément

quand on lui a appris à provoquer ces changements par décision volontaire ou encore à les provoquer quand on lui demande de le faire. Grâce à cette technique, le sujet peut par exemple détecter une tension musculaire qu'il ne perçoit pas consciemment. À l'aide des signaux de l'appareil qui le renseignent sur les changements de tension qui s'accomplissent à son insu dans ses muscles, il parvient très rapidement à provoquer lui-même ces changements, cela par des moyens essentiellement mentaux comme la relaxation, l'évocation d'images apaisantes, l'autosuggestion ou l'atténuation de l'activité consciente.

Avec un peu de pratique, la plupart des gens peuvent acquérir le contrôle entièrement volontaire de certaines activités physiologiques sélectives telles que la tension musculaire, le rythme cardiaque, le dosage de l'acidité gastrique ou l'émission de certaines ondes cérébrales. Le processus grâce auquel ce contrôle peut s'effectuer est probablement comparable à celui qui permet d'acquérir la maîtrise de l'activité musculaire différenciée, comme cela se produit dans la pratique du patin à glace ou de la dactylographie. La différence, c'est que, pour apprendre à maîtriser ces états internes, il faut s'aider de dispositifs capables de détecter des activités ordinairement non perçues mais qui, une fois maîtrisées, ne nécessitent plus aucun appareillage pour être maintenues sous contrôle. Tout se passe alors comme s'il s'agissait d'un simple entraînement musculaire.

L'analyse du mode d'apprentissage du biofeedback permet de mettre en évidence un certain nombre de caractéristiques représentant autant d'innovations pour l'individu moyen, la plus originale étant sans doute la mise à disposition d'une information précise sur le déroulement de telle ou telle fonction physiologique interne qui jusque-là ne lui était pas perceptible. Pour la plupart des gens, c'est là une expérience totalement neuve, étant donné que la seule information qu'ils aient jamais obtenue sur leurs fonctions internes leur venait d'un examen médical occasionnel, sous forme d'une analyse de sang ou d'un bilan de santé annuel. Le biofeedback comporte encore d'autres traits caractéristiques: le sujet est physiquement relié à un appareillage complexe; on lui explique comment il peut, en adoptant certaines dispositions d'esprit, modifier ses fonctions organiques, tant et si bien que le voilà pleinement responsable de son corps, alors que, jusque-là, c'était aux spécialistes qu'il demandait de le prendre en charge. Ces différentes innovations doivent bien entendu lui être rendues intelligibles. C'est pourquoi on lui fournit les explications requises sur l'appareillage, la procédure, et sur ce qu'on attend d'elle. C'est seulement une fois qu'il a assimilé ces connaissances préliminaires que les séances peuvent être entreprises. À cela doivent encore venir s'ajouter des signes implicites d'encouragement: le patient est traité avec douceur et courtoisie; on lui fait tacitement comprendre que n'importe qui peut apprendre à modifier ses activités organiques et à y réussir bien avant que se soient écoulées les soixante minutes de la séance.

La nouveauté de l'expérience, l'ambiance, les signes d'encouragement prodigués, suffisent amplement à fixer l'attention du patient sur les signaux affichés par l'appareil. Fortes de la conviction nouvellement acquise qu'on peut *attendre* de l'esprit qu'il intervienne dans les fonctions organiques, les structures mentales disposent de l'outillage requis pour accomplir leur tâche.

Or cette tâche, elles la mènent à bien. De sorte que les gens apprennent ainsi à contrôler effectivement, et de façon volontaire, les fonctions de leur corps. Mais cela ne nous explique pas pour autant *comment* se réalise cet extraordinaire exploit, ni *comment* l'énergie mentale peut modifier les processus physiques de l'organisme. Aussi les sujets n'ont-ils qu'une bien piètre idée de ce qui leur permet de réaliser pareille performance, dont le secret demeure hors d'atteinte de l'activité consciente.

Mais du fait que l'opération par laquelle l'esprit influence le corps relève exclusivement de l'intéressé, tout en échappant à sa conscience lucide, nous pouvons raisonnablement en formuler quelques déductions. Car, avec le biofeedback, il nous devient impossible d'éluder la question de l'inconscient et de ses prodigieuses aptitudes à manipuler les éléments physiques de l'organisme. Force nous est donc, pour expliquer le phénomène, d'inférer que l'inconscient perçoit l'état des activités internes ou, pour mieux dire, est capable de le conscientiser. Dans le même temps l'esprit conscient, accaparé par les signaux affichés par l'appareil de biofeedback, enregistre l'information qui lui est ainsi fournie sur telle ou telle activité physique interne au fur et à mesure que celle-ci se modifie avec le temps.

Puisque l'objet de la procédure se limite d'une part à explorer le pouvoir de l'esprit en vue d'un retentissement sur l'organisme et d'autre part à intercepter les signaux transmis par l'appareil, vient le moment où ces deux tâches mentales coïncident, ce qui fournit au pouvoir d'appréciation de l'inconscient une information supplémentaire sur ces deux tâches. Autrement dit, cette procédure génère une conscientisation de la relation qui existe entre les deux modes opératoires, à savoir celui qui attache une signification à l'information perceptuelle (les signaux interceptés) et celui par lequel l'esprit tente de modifier l'activité qui est cause de ces signaux. L'information fournie par ce dernier mode opératoire pourrait être qualifiée d'information expérimentale, puisque c'est l'expérience seule qui décide si oui ou non l'esprit provoque un effet organique. La pratique aidant, la relation qui unit les expériences internes (la façon de sentir l'effet organique) à l'information perceptuelle fournie par les signaux de l'appareil tend à se stabiliser, ce qui consolide fermement l'association entre les deux processus (la façon de ressentir l'état organique et les signaux perçus).

Une fois établie cette relation entre sensations subjectives et signaux de l'appareil, une pratique suivie du biofeedback fortifie encore l'association. La discrimination sélective du lien unissant perceptions et sensations, amplifiée par une mise en situation que nous pourrions décrire comme étant celle d'un système clos (l'observation attentive des signaux du biofeedback entraînant la tentative de compréhension des informations organiques que ces signaux transmettent), aide la sujet à dissocier telle ou telle sensation particulière de l'ensemble des autres sensations qui, elles, n'ont aucune relation avec le signal dérivant de l'activité physiologique sur laquelle se fixe l'attention. Tout se passe donc comme si cette séquence d'appréciations mentales avait pour fonction de définir et d'identifier très précisément l'état interne tel qu'il est ressenti et, en un second temps, de permettre à cet état interne de se reproduire à volonté.

La procédure du biofeedback représente pour tout individu une expérience vécue totalement neuve. Pour la première fois en effet, il trouve là l'occasion d'obtenir sur la dynamique de ses fonctions internes une information fiable et précise, laquelle lui est fournie sous une forme extrêmement facile à percevoir. À partir du moment où, en observant les variations des signaux entre certaines limites bien définies, le sujet a la possibilité de percevoir par réflexion les activités organiques se déroulant dans l'intimité de son corps, il acquiert l'habitude d'intervenir sur ses états internes. Le fait, indéniable, que n'importe qui peut apprendre à exercer un contrôle volontaire sur des fonctions internes que normalement il ne perçoit pas, alors que jusque-là il ne lui était jamais venu à l'esprit que cela fût possible, indique fortement que seule l'intelligence de l'inconscient est capable d'accomplir un tel exploit.

•

Chapitre 6

Le stress,
ou l'esprit mal informé

La maladie du stress

La plus fâcheuse séquelle des sombres décennies qui viennent de s'écouler, au cours desquelles la recherche scientifique s'est totalement désintéressée des pouvoirs de l'esprit, restera sans nul doute, pour les spécialistes des questions de santé, cette incapacité dans laquelle ils se trouvent de comprendre causes et traitements des détresses de l'homme moderne. Il est très largement admis que la plupart des problèmes affectifs et physiques d'aujourd'hui ont pour origine le stress du quotidien. Pourtant, nulle part ailleurs dans l'univers médical et psychologique ne s'observent une confusion dans l'interprétation, un défaut d'information sur l'étiologie, un manque de cohérence dans les principes explicatifs, qui soient comparables à ce qu'on observe dans le traitement des maladies du stress.

Or, ces affections représentent vraisemblablement à l'heure actuelle 75 pour 100 de l'ensemble des phénomènes pathologiques.* Un pourcentage aussi considérable s'explique en grande partie, nous le savons aujourd'hui, par le fait que ce que nous appelons communément le "stress" est à l'origine d'un beaucoup plus grand nombre de problèmes psychologiques et cliniques que nous ne l'avions jamais imaginé.

Reportons-nous au tableau 1 (p. 128). Autant que je sache, il résume la première tentative de regroupement et de classification des maladies et des détresses affectives causées par le stress, ou associées au stress. J'ai récemment soutenu** que tout dérèglement lié au stress a pour origine l'inquiétude banale, non exceptionnelle; je suis même allée jusqu'à considérer le souci ordinaire comme relevant de l'intellect, voulant dire par là qu'il ne peut naître et se perpétuer sans qu'intervienne un processus mental d'ordre intellectuel. Car l'inquiétude n'est en fait qu'une activité alourdie par l'incertitude.

Il existe une différence fort intéressante entre la définition que donnent les psychologues du mot inquiétude et celle que vous en proposent la plupart des dictionnaires. Les premiers nous la décrivent comme "une attitude émotionnelle caractérisée par de l'anxiété face à la tournure que peuvent prendre les événements du futur". Encore que je sois d'accord pour admettre qu'elle puisse bien évidemment conduire à des états d'émotion et des sentiments d'anxiété, je ferai observer que l'inquiétude, telle que nous la concevons communément, est plus conforme à la définition que nous en donnent les dictionnaires, pour qui elle consiste en "un état d'esprit par lequel l'individu ressent de la détresse, de l'angoisse, du désarroi ou du malaise". L'inquiétude en effet,

---

* Selon certaines estimations, ce pourcentage atteindrait même 90 pour 100. Contrairement à une opinion très répandue, ce ne sont donc pas les autres types de maladies, mentales ou physiques, qui prédominent. Par autres types de maladies, il faut entendre les phénomènes pathologiques causés par une infection, une blessure, une activité tissulaire anormale, une tare congénitale ou un défaut de naissance. Pris dans leur ensemble, ces facteurs pathogènes ne contribuent que dans une proportion très réduite à la pathologie contemporaine.

** Barbara B. Brown, "Perspectives on Social Stress", in *Guide to Stress*, Ed. Hans Selye, Van Nostrand Reinhold, New York, 1980.

comme je vais bientôt le démontrer, consiste d'abord et
surtout en un processus de l'intellection. Ce n'est qu'à partir
du moment où toute tentative de régler le problème échoue,
ou bien s'accompagne de frustration, que l'inquiétude
provoque ouvertement des troubles de l'émotivité, ainsi que de
l'anxiété et des signes du stress.

TABLEAU 1

Principaux dérèglements psychologiques ou physiologiques communément attribués ou liés au stress psychologique, ou aggravés par lui

Dérèglements émotionnels: anxiété, insomnie, tension, maux de tête, vieillissement prématuré, impuissance sexuelle, névrose, phobies, alcoolisme, abus de médicaments, troubles de l'apprentissage, malaise généralisé

Dérèglements psychosomatiques: hypertension essentielle, arythmies auriculaires, ulcères, colites, asthme, douleurs chroniques, acné, troubles vasculaires périphériques

Dérèglements organiques ayant pour point de départ le stress: épilepsie, migraine, herpès, angine, thrombose coronaire, arthrite rhumatoïde

Troubles psychologiques de l'adaptation: anxiété provoquée par l'apprentissage scolaire (exploitation partielle et insuffisante des capacités réelles)

Problèmes d'insertion sociale: instabilité professionnelle chronique, délinquance (rejet de l'individu par la société, clochardisation, impossibilité d'une fixation durable)

Détresse aggravée ou prolongée par une affection pathologique, quelle que soit son origine

Toute réaction pathologique de stress a pour origine
l'exercice intellectuel nécessité par la résolution du problème
qui est cause d'inquiétude. Pour bon nombre de théoriciens
académiques, une telle affirmation peut apparaître comme un
rejet quelque peu cavalier des conceptions classiques
entourant l'origine des maladies. Et cela principalement, selon
moi, parce qu'un énoncé de ce genre bouscule la vieille tradition qui veut que les causes des phénomènes pathologiques

soient formulées à l'aide de mots imprononçables et incompréhensibles.

Un simple coup d'oeil au tableau 1 nous révèle deux aspects du stress qui, pour inaperçus qu'ils passent, n'en sont pas moins caractéristiques. Le premier, c'est que ce qu'on désigne du nom de stress peut causer ou provoquer un nombre impressionnant de dérèglements de l'esprit et du corps. Le second aspect, plus spectaculaire encore, tient au fait que le stress est à l'origine d'une surprenante variété de *désordres totalement dissemblables*.

Comment s'y prennent donc hygiénistes et cliniciens pour rendre compte de tant de désordres différents, qui tous procèdent d'une cause unique, le stress? À vrai dire, aucune tentative d'explication n'est faite en ce sens; c'est pourquoi, chose surprenante, il n'existe aucune démarche thérapeutique unifiée face à ces multiples dérèglements dus au stress, bien que *tous procèdent de la même cause*.

Le problème, c'est que les spécialistes de la santé ne prennent jamais la peine de définir ce dont ils parlent quand ils emploient le mot "stress". Pour eux, "stress" est généralement synonyme de tension; "stress du quotidien"* désigne aussi bien les soucis professionnels que la compétition pour faire carrière, les problèmes familiaux, moraux, sentimentaux, ou encore les préoccupations liées à l'ambition d'''arriver dans la vie". Ils n'en finissent plus d'énumérer des exemples de ce qui cause le stress, mais se montrent incapables de définir ce qui est "stressant". En d'autres termes, ils n'ont pas encore bien cerné les traits qualitatifs ou les propriétés qui font qu'un objet ou un événement stressent l'individu. Pis encore, quand ils font des recherches dans ce domaine, ils travaillent souvent sur un type de stress qui n'a rien de commun avec ce qu'il faut entendre par ce mot employé *stricto sensu*. Dans un récent article de *Science News* par exemple, des chercheurs rapportent qu'ils ont "stressé" un de leurs sujets en lui plongeant les pieds dans de l'eau glacée! Que

---

* Adaptation française du titre de l'ouvrage de Hans Selye, *The Stress of Life*, McGraw-Hill, New York, 1976.

cela soit stressant, je l'admets sans peine, mais nous sommes tout de même là à cent lieues de ce qu'on entend communément par "stress".

Habituellement, quand on tente de donner une explication du stress et de ce qui est stressant, on se contente de déclarer que telle personne ou telle situation nous rendent nerveux ou tendu. Mais cela ne décrit guère que notre *façon de réagir* à quelque chose qui provoque en nous du stress; il nous faudrait composer un véritable récit littéraire si nous voulions transmettre aux autres ce qu'est réellement la situation ou la personne qui sont pour nous causes de stress. En effet, on ne définit pas le stress comme on définirait l'électricité, ou les légumes, ou quelque autre élément appartenant à l'univers physique. Car, dans ce dernier cas, il suffit de décrire les propriétés, les traits ou les qualités spécifiques d'une catégorie entière d'objets ou d'événements pour pouvoir identifier tout objet ou tout événement appartenant à la même catégorie. Tenter de définir le stress revient en quelque sorte à vouloir décrire ce qui nous séduit dans certaines oeuvres artistiques ou littéraires. Or parler de ce genre de création due à l'homme équivaut presque toujours à expliquer comment *nous réagissons* en présence d'une oeuvre d'art ou d'une composition littéraire. Pour approximative qu'elle soit, cette comparaison devrait nous aider à concevoir la véritable nature du stress.

Comment le stress est communément interprété

Pour la psychologie comme pour la médecine, le stress est facteur de désordres, émotionnels ou psychosomatiques. L'une et l'autre s'appuient amplement sur les données de la psychophysiologie pour rendre compte des changements physiques dus au stress; l'une et l'autre tiennent pour acquis que les réactions émotionnelles ainsi mises en jeu procèdent principalement de conflits inconscients, de dispositifs d'adaptation inadéquats et aussi de moyens de protection psychiques élaborés par l'inconscient de façon inappropriée. La psychologie et la médecine — classique ou psychosomatique — considèrent par ailleurs les émotions comme des réponses directes, contingentes ou concomitantes, apportées à "l'éréthisme" physiologique causé par le "stress".

Cette théorie remonte pour une bonne part au vieux concept du branle-bas de combat/sauve-qui-peut, lequel dérive de l'observation des réactions animales et humaines face à une provocation suffisamment affirmée pour être interprétée comme une menace dirigée contre la survie physique. On sait que dans des conditions semblables l'agressé réagit, selon les circonstances et selon son appartenance à telle ou telle espèce, soit par la lutte (agression ou branle-bas de combat), soit par la fuite (sauve-qui-peut), soit par la soumission. Dans un cas comme dans l'autre, le corps doit donc se préparer à adopter la conduite appropriée.

Cette préparation physique à l'action se manifeste d'abord par de la tension musculaire, de façon tout à fait comparable à ce qui se produit au départ d'une course, quand celui qui donne le signal du départ fait précéder le "Partez!" de la formule "À vos marques. Prêts?" Au même instant, le corps mobilise l'ensemble de ses activités vitales pour soutenir par anticipation l'effort qu'il devra fournir. Le système cardio-vasculaire réagit alors en augmentant le débit sanguin, afin d'accroître l'oxygénation des muscles sollicités. Le rythme cardiaque s'accélère, la pression sanguine s'élève et, d'autre part, l'activité gastro-intestinale ralentit jusqu'à cesser tout à fait, comme le font pour la plupart les fonctions sécrétoires. Toutes les ressources de l'organisme sont donc mobilisées en vue d'assurer la survie.

Les humains manifestent des réactions identiques quand ils éprouvent une frayeur intense; il n'est donc pas surprenant qu'une peur moins paroxystique, comme il s'en produit dans l'appréhension ou l'anxiété, puisse provoquer des réactions physiologiques de même nature, mais à un moindre degré. Prenons pour exemple celui d'un film d'épouvante. Si le jeu des acteurs est réussi, le spectateur s'identifie à eux, se glisse véritablement dans l'intrigue: quand celle-ci lui fait vivre un danger quelconque, son coeur bat plus vite, sa respiration devient irrégulière, sa pression sanguine monte, sa bouche s'assèche; il éprouve des gargouillis dans les intestins (par arrêt du péristaltisme), et son système musculaire se tend. Ce n'est qu'une fois le film terminé qu'il pousse un soupir de soulagement et se laisse aller dans son fauteuil pour dissiper les tensions qu'a dû soutenir son organisme.

Pour apporter la démonstration expérimentale de ces phénomènes, les psychophysiologistes se servent de stimuli assez puissants pour provoquer chez leurs sujets des réactions émotionnelles bien marquées (anxiété, peur). Ainsi s'est développée une théorie selon laquelle ces émotions résultent de l'éréthisme physiologique (*arousal*), considéré comme la phase préparatoire à la réaction branle-bas de combat/sauve-qui-peut. Les spécialistes du comportement croient en effet que l'organisme des individus, à partir du moment où ceux-ci sont stressés, répond en activant ses mécanismes de défense, c'est-à-dire en accroissant la tension musculaire et la pression sanguine, en accélérant le rythme cardiaque et en instituant certains autres changements fonctionnels susceptibles de consolider les défenses de l'organisme*.

Je crois pour ma part que, si la théorie de l'éréthisme physiologique permet d'identifier les modifications endocriniennes et biochimiques susceptibles de survenir lors d'une quelconque réaction au stress, elle ne rend pas compte de la façon dont le "stress" stimule le système neuro-endocrinien. Elle n'explique pas non plus pourquoi l'éréthisme physiologique se limite à tel ou tel organe spécifique, comme on peut l'observer dans l'asthme ou l'ulcère de l'estomac. Elle

---

* Ce schéma de réaction des humains au "stress" fait l'unanimité des scientifiques, dont la conviction s'appuie essentiellement sur les travaux de Hans Selye. Ces travaux démontrent que, quel que soit le type de stress physique auquel sont soumis les organismes, ces derniers manifestent invariablement un mode de réaction indifférencié venant se superposer à la réaction biologique différenciée opposée à l'agression physique spécifique. Selye a découvert que cette réaction indifférenciée mobilise le système neuro-endocrinien; il a qualifié de "phase d'alarme" la surcharge initiale de l'organisme en substances neuro-hormonales. Pour la plupart des théoriciens, c'est ce mécanisme qui expliquerait l'"éréthisme" physiologique.

n'explique pas davantage pourquoi des individus différents présentent des sensibilisations au stress si différentes, ni pourquoi un même type de stress peut affecter différemment un même individu selon les circonstances. Il semble donc que la conception habituelle que l'on se fait du stress comporte bien des lacunes.

En somme, une profusion de méprises intellectuelles nous a tous conduits — vous, moi et aussi les psychologues ou les spécialistes de la médecine psychosomatique — à qualifier de stress ce qui en réalité ne l'est pas. En effet, le stress (a) ne se ramène *pas* à un phénomène purement physique comparable à celui qu'a étudié Selye, et sur lequel il a fondé ses théories; (b) il ne se ramène *pas* non plus à une menace banale et immédiate dirigée contre le bien-être physique ou la survie. Au contraire, puisque (c) les mécanismes de défense physiques, de même que les mécanismes biochimiques et physiologiques de l'éréthisme, sont *totalement impuissants* à assurer la défense quand l'individu est aux prises avec le genre de "stress" dont nous parlons ici.

Il n'est pas venu, semble-t-il, à l'esprit de nos théoriciens du stress que quelque chose fasse défaut dans leur amalgame de concepts simplificateurs. Car comment des "objets" immatériels — le stress à l'approche d'un examen, celui qui accompagne une querelle entre amants — peuvent-ils s'infiltrer dans un crâne et retentir de façon si sélective sur la nature histologique de l'hypophyse, de l'hypothalamus, du système nerveux autonome et du système sensori-moteur, pour générer une symptomatologie physique de stress?

Un autre obstacle à la compréhension — obstacle mineur il est vrai, mais néanmoins bien embarrassant — réside dans la confusion qui règne quand il s'agit de décrire le stress en fonction de concept génétique. À l'époque où Hans Selye a découvert le phénomène et a fait le compte rendu de ses remarquables travaux, il a du même coup posé sans le vouloir un bien irritant problème de sémantique.

Selye a en effet défini le stress comme "la réponse indifférenciée apportée par l'organisme à toute sollicitation extérieure pressante". Voilà qui devait créer bien de l'ambiguïté, si l'on songe que les physiciens définissent pour leur part le stress comme "une force exerçant sur un solide une contrainte ou une déformation"*, et que la plupart d'entre nous l'interprétons comme une entité qui est *cause* de tensions, alors que pour Selye il s'agissait d'une *réaction* à une pression exercée de l'extérieur sur l'individu. Dans ces conditions, rien d'étonnant si ce mot fait l'objet d'une certaine confusion sémantique.

Un peu de bon sens

Le fait que bon nombre de spécialistes conçoivent le stress de façon confuse et illogique n'implique pas nécessairement que les données sur lesquelles reposent leurs conceptions soient erronées. Car, pour comprendre la nature du stress et savoir quelle conduite tenir face aux dérèglements qu'il provoque, il suffit bien souvent d'observer avec logique et rigueur le phénomène stressant.

Chercheurs et cliniciens sont pour la plupart persuadés que les réactions au stress, émotionnelles ou physiques, résultent de "l'éréthisation" des mécanismes physiologiques que nous venons de décrire. Pour eux, ce qu'on appelle communément stress provoque d'une façon ou d'une autre l'excitation de mécanismes instinctuels que le corps met en oeuvre pour sauvegarder son intégrité physique (la réaction branlebas de combat/sauve-qui-peut). En décrivant les changements biologiques et biochimiques très précis qui surviennent quand un organisme est physiquement soumis au stress (stimulation des neuro-endocrines, des surrénales et du système neuro-végétatif), Selye n'a fait que mettre en évidence ce qui se produit à l'intérieur du corps quand la sonnette d'alarme est tirée et décrire comment le corps réplique s'il est soumis à une agression physique ou envahi par des agents pathogènes.

Il n'en a pas fallu davantage à l'époque pour que nombre de psychologues, de psychophysiologistes et de thé-

---

* En anglais, *stress* signifie essentiellement "pression, contrainte". (N.d.T.)

rapeutes versés dans la médecine psychosomatique *croient* que ce que Selye avait découvert, c'était comment le corps réagissait à ce que vous et moi appelons communément le "stress". Mais ce qu'aujourd'hui chacun appelle stress — qu'il s'agisse de vous et moi ou bien des spécialistes de la question — n'a quasiment rien à voir avec le stress résultant d'une agression physique. Nous parlons en effet de quelque chose de bien différent quand nous disons de quelqu'un, parce qu'il est stressé, qu'il a de l'asthme, qu'il est alcoolique, qu'il fait de la dépression nerveuse ou de l'hypertension. En employant ce mot, nous faisons allusion à un phénomène résultant d'une tension sociale et non pas physique, laquelle peut être aussi bien une réaction mentale et affective qu'une des multiples situations que nous qualifions de vie en société ou de relations interpersonnelles.

La grande question qui se pose est donc la suivante: comment ce type de stress social, ce stress intangible, *immatériel*, peut-il amener les réseaux nerveux, les hormones et les endocrines à réagir de façon générale comme si l'individu faisait l'objet d'une agression physique ou d'une infection bactérienne? Si les situations sociales stressantes "activent" les mécanismes de défense physiologiques, par quelle opération y parviennent-elles? Comment se fait-il que des mots que nous ne voulons pas entendre, des mots que nous tentons de décourager par des formules du genre "ce que vous me dites me laisse indifférent", nous blessent cependant quand on nous les assène, au point que notre coeur s'affole, que nos muscles se tendent et que notre souffle s'éteint? Comment se fait-il qu'un refus d'amour manifesté par la personne aimée altère le corps au point d'entraîner une dermatose sous l'effet de l'angoisse, un ulcère sous l'effet de la jalousie ou une réaction sudorale sous l'effet de la peur? N'est-il pas extraordinaire que la médecine et la psychologie modernes se soient contentées de prendre note de ce phénomène et aient hésité à s'engager plus avant, à essayer de comprendre *comment* des effets physiques peuvent être provoqués par des événements "mentaux", ou encore *pourquoi ceci est cause de cela*, (pourquoi, par exemple, une même activité sociale — un examen, la lutte pour l'avancement professionnel — entraîne différents effets selon l'individu, du simple mal de tête ou de l'insomnie à l'hypertension ou la névrose)?

La plupart des théoriciens du stress n'établissent pas de distinction réelle entre ce qu'ils appellent le stress physiologique (c'est-à-dire causé par une agression physique, chimique ou bactérienne) et les autres formes de stress qu'ils qualifient de psychologique, de social ou d'économique. Si l'on considère en bloc ces différentes formes de stress, il devient facile d'expliquer les effets qu'elles exercent sur l'organisme par les théories de l'éréthisme-alarme.

Le plus curieux pourtant, si l'on considère cette conception largement admise qui nous explique comment se produisent les réactions au stress, c'est de toute évidence son illogisme.

Les théories de nos spécialistes doivent être considérablement perfectionnées. Considérons d'abord les différents facteurs de stress. Ils se ramènent à quatre: physiologique, psychologique, social, économique. Décelez-vous lequel jure entre les autres dans cette énumération? Le facteur physiologique, bien sûr. Car le stress *physiologique* implique un contact direct entre le corps et un quelconque agent stressant, que celui-ci soit physique, chimique ou bactérien. Alors que les agents stressants d'origine psychologique, social ou économique ne sont *jamais en contact avec le corps*.

Donc, le premier signe distinctif du "stress", c'est qu'il s'agit d'un phénomène non physique. D'un phénomène *immatériel*. Les substances chimiques traversent la peau ou franchissent d'autres barrages superficiels, les agressions physiques assaillent le corps et les agents bactériens envahissent les systèmes organiques. Mais le "stress" en tant que tel ne nous atteint jamais physiquement. Ce stress psychologique, social ou économique résulte toujours d'une interaction entre l'être humain et son environnement. À l'exception du stress physique, tous les autres stress proviennent de l'écosystème. Par "stress", il faut donc entendre *stress sociorelationnel*.

Ce que nous appelons stress psychologique, tel celui qui résulte d'une liaison malheureuse, provient alors d'une mauvaise interprétation mentale de nos relations et de nos interéchanges sociaux. Quant au stress sociorelationnel, qui résulte principalement du fait que l'individu est en conflit avec les traditions culturelles véhiculées par la famille, la religion, la morale, la relation amoureuse, il procède lui aussi de l'interprétation donnée par l'esprit au mode selon lequel s'effectuent les interéchanges entre le moi, d'une part, la tradition culturelle et l'activité sociale de l'autre. Le stress économique enfin, celui qui résulte du chômage ou de la pauvreté, est encore une réaction aux conditions *sociales* dans lesquelles l'individu est plongé. À l'exception du stress physique, il est donc invariablement question d'un phénomène immatériel d'origine sociale.

Ceci étant, nous pouvons identifier un second trait distinctif du stress, à savoir qu'il est toujours associé à des événements qui se déroulent dans l'environnement social. Autrement dit, il met invariablement en jeu le moi d'une part et, d'autre part, la façon dont le moi, avec ses convictions, ses attitudes, ses sentiments et ses perceptions, assume sa relation aux situations et aux circonstances sociales. C'est donc encore au *stress sociorelationnel* que nous nous référons ici.

Une troisième caractéristique du stress peut sembler en contradiction avec ce que nous venons de dire, puisque les objets de l'environnement social ne sont pas intrinsèquement stressants. En effet, une mère, un père, un patron, une personne aimée, des collègues de travail, ne représentent pas implicitement des causes de stress. Ce n'est qu'à partir du moment où nous attachons une signification à leur comportement qu'ils risquent d'en devenir une. Les parents par exemple, qui sont à l'origine de tant de types de stress émotionnel, ou encore les relations de travail, qui causent tant de maladies psychosomatiques, ne représentent pas en eux-mêmes le stress. Ce n'est que par une interprétation de l'esprit qu'ils deviennent objets stressants. Cette vieille chipie de tante Ursule, qui ne cesse de pousser tout le monde à bout en fourrant continuellement son nez dans les affaires de chacun, mais qu'on supporte tout de même compte tenu de la somme rondelette qu'elle va léguer le jour où elle cassera sa pipe, n'est pas en soi une cause de stress, même si son comportement est *interprété* comme stressant. La preuve, c'est qu'en dehors du cercle familial elle a des amis à qui elle apporte du réconfort, et peut-être même de l'apaisement. Ni tante Ursule ni la majorité des êtres qui peuplent notre environnement social ne détiennent donc le pouvoir inné d'exsuder du stress. Dans la majorité des cas, nos amis, nos collègues de travail et nos proches ne sont porteurs de "stress" que dans des circonstances bien particulières. Et il en va de même de certaines entités impersonnelles, telles les administrations et les bureaucraties. En somme, le stress se ramène à la *relation* qui nous unit à telle ou telle personne de notre entourage, ou encore aux inconnus symbolisant des institutions comme la grande entreprise ou le pouvoir établi.

Il est clair que l'esprit qui interprète joue donc le rôle d'intermédiaire entre l'environnement social immatériel — "les autres", au sens le plus large — et les systèmes d'alarme organiques. Dans toute forme de stress non physique, *deux* éléments doivent être mis en oeuvre: les activités sociales que chacun mène dans l'environnement qui lui est propre et l'esprit grâce auquel l'individu interprète ces activités.

La caractéristique la plus déterminante du "stress", ce qui fait de lui la source unique de certaines maladies, est qu'il constitue en soi *le seul facteur de pathologie exigeant d'être activé et énergisé par des processus mentaux.*

Ce sont ces processus mentaux qui nous permettent d'attacher des significations à nos perceptions, de les relier à des souvenirs, de les adapter à nos traditions culturelles et familiales. Ce sont ces processus, dis-je, et aussi toute une série de manipulations par lesquelles l'esprit remodèle l'expérience vécue, la réminiscence et l'imaginaire, qui décident que tel ou tel objet de notre environnement prend la qualité de stress. C'est l'esprit seul qui transforme un environnement non signifiant en événements et en occurrences, en circonstances et en relations à autrui *dotés* de signification. Si au préalable aucun élément d'information ne vous a été fourni, l'esprit est alors le "patron" qui simplement décide de la marche des affaires et formule les ordres qui vous seront transmis. Et le "patron" ne devient pour vous instance significative qu'une fois que vous aurez interprété ses intentions, ses motivations et sa volonté de fonder *votre* relation avec lui sur une compréhension claire des desseins.

La vue, l'ouïe et les autres systèmes de la perception sensorielle assimilent la nature physique de l'environnement, mais c'est à l'intellection qu'il appartient de donner un sens au monde. À la différence de ses ancêtres, l'homme moderne du 20e siècle ne vit plus dans des conditions telles que son bien-être physique soit constamment mis en péril par les épines hérissant les fruitiers, les reptiles infestant les prairies ou les épidémies ravageant la collectivité humaine. Pour la plupart d'entre nous, la vie est faite de complication, d'efforts, d'arrangements, de compétitions, de compromis; le monde se présente sous l'aspect d'un réseau labyrinthique de relations sociales qui mettent à rude épreuve notre probité intellectuelle si nous voulons garder notre place et préserver notre bien-être dans la société. Le "stress du quotidien" n'est rien d'autre que notre façon de percevoir ce monde. Seules les capacités intellectuelles de l'esprit ont le pouvoir d'interpréter la dynamique sociale qui nous entoure et de donner un sens à l'essentiel de ce qui constitue notre univers. Seules ces capacités intellectuelles peuvent intégrer en un tout cohérent l'information que nos sens détectent et lui conférer la signification qui nous permet d'en tirer parti. Seuls les processus intellectuels sont capables d'interpréter l'environnement social. Ce n'est qu'à partir de l'instant où l'intelligence perçoit un obstacle dans cet environnement social qu'il devient stressant.

Nous nous estimons en général passablement satisfaits de nos existences et nous savons contenir nos ambitions dans les limites du raisonnable et du possible. Mais, dès que la vie nous apporte une déception, alors notre esprit réagit en décidant que les activités sociales sont contraires à notre bien-être; c'est alors aussi qu'il attribue à tel ou tel aspect de l'environnement les caractéristiques de ce que nous appelons le "stress". Si l'esprit détecte une difficulté, un malaise ou une irritation, c'est parce qu'il perçoit que l'environnement social ne répond pas à ce qu'il attendait ou désirait de lui. C'est parce qu'il le perçoit défavorablement.

Le "stress", ou pour mieux dire le stress sociorelationnel, peut donc être défini comme *une perception défavorable de l'environnement social et de sa dynamique.*

Il est grand temps d'appliquer à l'homme et à ses détresses plus de clairvoyance que n'en témoignaient les théories simplistes selon lesquelles il fallait attribuer ses misères émotionnelles et physiques à son affectivité ou à ses réactions émotionnelles.

Le stress est une production de l'esprit

Nous venons de voir que l'esprit interprète une situation sociale comme contraire à son bien-être à partir du moment où il est incapable de comprendre, d'accepter ou de rationaliser ce qui différencie les perceptions des attentes. Quand l'esprit en est à ce palier de l'interprétation, il est clair que le stress est devenu un problème qui exige une solution. Ce problème se résume en un mot: pourquoi ce que je perçois et interprète de ma relation aux autres ne s'accorde-t-il pas à mes expectatives et à mes ambitions? La détection mentale du problème suscite donc invariablement une opération de l'esprit tellement corruptrice pour la sérénité qu'elle semble justifier toute la démarche intellectuelle consistant à trouver coûte que coûte une réponse au pourquoi.

Il semble que l'être humain ne puisse freiner son besoin de comprendre le pourquoi de tous les problèmes qui se posent à lui, et plus spécialement encore quand ceux-ci surgissent de son environnement social. Nous éprouvons tous ce même besoin continuel de trouver une solution à ce problème bien banal que nous appelons le "souci" ou encore "l'inquiétude", termes qui en fait me semblent parfaitement propres à désigner l'ensemble de l'activité mentale incluant le "stress".

Chacun sait que le stress à faible dose peut être bénéfique, dans le cadre d'une rencontre sportive ou d'une exécution musicale par exemple, ou encore quand il s'agit tout simplement d'organiser une soirée réussie. Mais chacun sait aussi qu'un excès de stress risque de créer des ennuis émotionnels, voire physiques. Je crois que nous sommes beaucoup mieux à même de comprendre le stress si nous lui substituons le mot "souci" ou le mot "inquiétude", d'abord parce que ces états résultent d'une disposition naturelle de l'esprit et ensuite parce que ces mots désignent une situation d'inconfort, de malaise mental, à l'arrière-plan de laquelle s'exerce le processus intellectuel de résolution du problème.

Le souci peut aussi bien amener l'individu à s'accommoder des coups du destin qu'à le faire succomber sous leur impact. Toute la question est de savoir si le souci est productif ou improductif, s'il a ou non le pouvoir de résoudre le problème. Dans la suite de ce texte, je me propose de démontrer que le souci représente l'événement mental de toute première importance dans le stress et les réactions au stress, et d'analyser en détail les étapes successives des processus mentaux aboutissant soit à maintenir l'individu en état de bien-être, soit à en faire une victime du stress.

Si les mots "souci" ou "inquiétude" semblent particulièrement appropriés, c'est aussi parce que nous comprenons tous quelle signification démesurée ils peuvent prendre. Ces mots recoupent à la fois des phénomènes conscients et inconscients; l'état d'esprit qu'ils désignent peut fort bien s'accompagner aussi d'une ou de l'ensemble des émotions telles que l'appréhension, l'anxiété, le sentiment d'insuffisance, d'insécurité, d'incertitude, de frustration, d'imitation, d'animosité, d'échec, de perte de l'estime de soi, et de bien d'autres encore.

Toutes ces émotions s'enracinent dans l'inquiétude *intellectuelle*... inquiétude face à l'activité sociale, à la réussite personnelle, à la satisfaction des critères requis par la société, inquiétude quant à la préservation de son bien-être, de sa survie. Ces sensations subjectives sont en effet autant d'expressions traduisant un dérèglement de l'intellection, de la perception et de l'appréciation intellectuelles des relations sociales.

Prenons l'exemple d'un maître-assistant d'université avide de franchir les échelons de la hiérarchie. Pour s'acquitter de sa tâche, pour enseigner, pour se livrer à des recherches personnelles, il vit en permanence l'esprit sous pression. L'inquiétude intellectuelle le mine; s'il lui semble qu'il ne remplit pas parfaitement son rôle d'enseignant ou si quelque chose fait obstacle à son avancement, alors c'est son épanouissement sociorelationnel qui est menacé. De sorte que ses tourments intellectuels peuvent fort bien se solder par un ulcère, une colite, une hypertension essentielle, des céphalées ou une névrose d'angoisse.

Le cadre d'entreprise qui contracte un ulcère est lui aussi victime de sa propre intellection. Son travail représente pour lui la plus importante de ses activités sociales. Il ne vit que pour obtenir les résultats qu'on exige de lui, que pour se faire apprécier à sa juste valeur; il ne cesse de se demander quelle interprétation il doit donner à chacun des événements qui surviennent dans sa vie professionnelle, d'imaginer comment il doit s'y prendre pour mener à bien sa tâche, comment se comporter pour démontrer qu'il fait merveille et comble les attentes de la hiérarchie. Toute sa vie est donc vouée à l'activité intellectuelle; or, quand il lui semble que son environnement social lui manifeste de l'hostilité, son esprit en déduit qu'une menace plane sur son existence, car *c'est* de son existence qu'il s'agit. Alors il se met à réagir, avec son intellect d'abord, puis avec son corps dans un second temps.

Le "stress" est un produit des systèmes d'intellectualisation de l'homme. En fait, seules les espèces animales domestiques ou captives présentent des manifestations de stress sociorelationnel. L'intellect, avec ses mécanismes internes capables de perception, de raisonnement, de jugement, d'attention directionnelle, de conscientisation, de mémorisation, d'expérimentation et d'une multitude d'autres fonctions mentales mystérieuses, intervient pour transformer les facteurs intrinsèques de l'univers sociorelationnel, soit en sensations et en sentiments de satisfaction et de bien-être, soit en sensations et en sentiments d'inquiétude, d'anxiété et de malaise, que l'on désigne communément du nom de "stress". Le produit de cette transformation qui s'accomplit dans l'esprit et le cerveau est également à l'origine des transformations nerveuses, responsables de notre sérénité comme de notre éréthisme physiologique, par lesquelles nous exprimons objectivement nos réactions au stress.

Bien que les psychologues décrivent les émotions de diverses façons, la définition la plus communément acceptée établit qu'elles consistent en "un état organique d'éréthisme accompagné de réactions conscientes, viscérales et comportementales", qu'elles sont "plus intenses que les perceptions ordinaires et qu'elles intéressent l'organisme dans son ensemble". Une telle définition manque pourtant de validité.

Les émotions dont il est question ici — celles dont nous parlent aussi les psychologues — ne sont généralement ni des réactions intenses, ni des réactions aiguës, si tant est que nous considérions comme des émotions l'appréhension, l'anxiété, la dépression et le sentiment de rejet ou de frustration. Plus important encore, l'"état d'éréthisme" (physique, mental, ou les deux) n'anéantit ordinairement pas l'individu. Les changements qui se produisent dans ses états de conscience, dans ses viscères et dans sa conduite ont plutôt tendance à demeurer très *spécifiques*; nous n'observons guère de réactions de stress ou d'émotions qui soient capables de bouleverser l'organisme dans son ensemble. Aucune — à l'exception des émotions véritablement paralysantes — n'affecte en quoi que ce soit les fonctions essentielles de l'individu, pas même ses fonctions viscérales; toutes lui permettent de continuer à se comporter de façon normale.

La plupart des gens ne manquent pas de souligner les conséquences que peuvent avoir sur le bien-être des soucis préoccupants; tout le monde sait d'expérience qu'un surcroît d'inquiétude compromet non seulement le bon fonctionnement de l'esprit et l'équilibre affectif, mais aussi l'harmonie physique. Pourtant, psychanalystes, psychiatres et psychologues préfèrent établir un rapport direct entre telle réaction émotionnelle spécifique et tel dérèglement tout aussi spécifique de l'esprit ou du corps, en rendant par exemple le sentiment de rejet responsable d'une dépression, ou la désunion d'un foyer responsable d'un asthme infantile. Ils ont tendance à considérer "le souci" comme un processus émotionnel et un proche parent de la "rumination compulsive", symptôme que l'on décèle en premier chez le patient obsédé par son état, et à le considérer aussi comme une activité mentale anormale.

Pour ma part je soutiens ceci: les détresses affectives et physiques que nous baptisons réactions de stress ne sont à proprement parler que des réactions aux différents types de stress élaborés par l'esprit et l'ensemble du processus a pour point de départ l'inquiétude en tant que telle. De plus, si nous parvenions à isoler les mécanismes mentaux qui sont à l'origine de nos réactions au stress, émotionnelles et physiques, alors nous serions en mesure de traiter plus efficacement et plus intelligemment ces réactions*.

L'escalade de la détresse: (1) les attentes

Comment naissent nos réactions au stress? Pourquoi certaines perceptions de nos relations à autrui sont-elles nocives? L'activité sociale étant indissociable de la vie humaine, comment se fait-il que certains aspects de cette activité sociale soient perçus par nous comme défavorables et stressants?

Nulle perception de l'environnement ne peut nous sembler défavorable si au préalable nous ne nous attendions pas à quelque chose de différent de ce que nous percevons.

Dans toute réaction au stress sociorelationnel, le premier en date des événements mentalement perçus consiste en une attente fondée sur une situation ou une relation sociale idéale et conforme à nos voeux.

---

* Sur les multiples variétés de réactions (énumérées dans le Tableau 1) que peut provoquer le stress fabriqué de toutes pièces par l'esprit, se reporter à l'Appendice B.

Cette "angoisse de l'examen", qui accable un jour ou l'autre tous les étudiants, illustre parfaitement le rôle essentiel que joue l'attente dans les réactions de stress. Chacun espère quelque chose d'un examen: être reçu, obtenir une mention, ou pour le moins ne pas se faire coller. Quand la date fatidique se rapproche, l'étudiant commence à percevoir de façon très aiguë de multiples données directement liées à l'épreuve qu'il va affronter: on murmure que cette année ce ne sera pas facile, que les examinateurs seront plus sévères que d'habitude, que des contretemps font obstacle... bref, bien des indices se conjuguent fâcheusement. Or, dans chaque cas, l'indice perçu est revêtu de la couleur des attentes et des espoirs. On se prend à souhaiter que l'examen ne soit pas trop difficile, on espère être interrogé sur la partie du programme qu'on a le mieux apprise, ou encore s'en tirer astucieusement. Mais il n'empêche que tout ce qui est perçu à propos de cet examen, c'est-à-dire cet ensemble d'indices, ne semble guère s'accorder avec ce qu'on en attend.

Là où le problème se pose, c'est quand il existe une différence bien marquée entre ce qu'on attend et ce qu'on perçoit, entre expectative et perception. On espère un examen facile, mais tout indique qu'il sera rude; on voudrait bien tomber sur une partie du programme qu'on a étudiée à fond mais cette année, dit-on, rien n'est moins sûr. Il n'en faut pas plus pour que naisse l'inquiétude. Or cela est bien compréhensible, puisqu'on est confronté à un problème qu'il importe de résoudre si l'on veut préserver son bien-être. La nécessité de résoudre le problème posé par l'inquiétude et les soucis peut dans certains cas se révéler bénéfique et inciter l'étudiant à travailler davantage. Alors que dans d'autres cas elle peut le pousser à se réfugier dans une échappatoire, par exemple en tombant malade le jour de l'épreuve. Mais, dans un cas comme dans l'autre, le processus tout entier a eu pour point de départ l'attente.

Les attentes, ces activités subjectives multidimension- nelles, dépendent de la biographie individuelle et sont déter- minées, modifiées par les aspirations, les motivations et les multiples façons de percevoir une situation dont les conséquences peuvent se faire sentir dans l'immédiat ou à long terme. Ce sont ces différents facteurs qui décident si oui ou non l'attente sera comblée. Aucun problème intellectuel ou affectif ne se pose si ce qui est perçu est identique à ce qu'on s'attendait à percevoir ou si encore, la perception ne comblant pas l'attente, l'individu élabore des défenses mentales ou psychologiques pour compenser sa déception. Si chacun pouvait comprendre les raisons pour lesquelles il existe des différences entre attentes et perceptions liées à ses relations sociales, si chacun pouvait tirer un enseignement de l'expérience acquise et se satisfaire d'objectifs à long terme pour tout ce qui se rapporte à son insertion dans la société, à son bien-être, à sa survie, alors ne se poseraient plus guère de problèmes personnels.

Dans toute activité sociale, la relation qui unit les attentes aux perceptions est infiniment complexe. Ce sont nos perceptions passées qui modèlent nos attentes, ce sont nos attentes qui modèlent nos perceptions. L'expectative influence ce qu'on perçoit, et ce qu'on perçoit peut également influencer ce qu'on s'attend à percevoir.

La conscience consensuelle, résultante de nos croyances et de notre culture, exerce une influence profonde sur nos attentes. Nos modes de réaction et notre comportement dans la société résultent en grande partie des décisions prises pour nous par le consensus social; c'est de façon à la fois consciente et inconsciente que nous percevons ce que doivent être nos activités si nous voulons les voir approuvées par ce consensus. La preuve? Même si nous savons fort bien que nous n'agissons pas conformément au code établi par la société, nous nous efforçons pourtant de combler les attentes qui nous ont été inculquées par le consensus social.

L'escalade de la détresse: (2) les perceptions

Ce que nous percevons d'une situation, d'une activité ou d'une relation sociale exige de nous des opérations mentales extrêmement complexes. Une telle perception exige de l'individu qu'il observe à la fois les événements et les séquences événementielles. Il lui faut interpréter les comportements sociaux, décoder les divers modes d'expression de ces comportements, tenir compte d'une grande diversité d'influences personnelles, d'habitudes sociales, de langages corporels, ainsi que des multiples signes susceptibles d'affecter la signification des objets, des événements et des conduites. Pour être perçue, toute situation sociale implique une observation, des associations, des analyses, des jugements et des conceptualisations.

Nos perceptions sont fragiles et manquent de consistance quand il s'agit pour nous de décoder la signification d'une conduite humaine; or cette fragilité n'est pas sans créer de sérieux obstacles à notre intellection et à notre capacité d'inventer des solutions. Le premier de ces obstacles consiste en ce que l'information perçue à propos des situations et relations sociales est généralement ténue, incomplète, inadéquate, et ne nous permet pas d'élaborer les solutions propres à aplanir nos problèmes relationnels ou à faciliter notre compréhension. Pour combler ces lacunes, c'est donc l'esprit qui est mis en demeure de fournir un effort accru. L'incertitude et la frustration augmentent, en même temps que l'inquiétude s'intensifie.

Le second obstacle qu'il nous faut affronter quand nous voulons comprendre la signification des événements sociaux qui nous concernent, c'est cette incompréhensible complicité qui existe entre ce qui semble être identifié par nous en toute lucidité, d'une part, et les influences non décelables exercées par des éléments profondément enfouis dans notre inconscient, d'autre part. Étrange complicité qui fait que nous ne sommes qu'"à demi" conscients de nos raisons d'agir.

La perception de toute activité, relation ou situation sociale représente une opération difficile et requiert des fonctions mentales complexes, cela même chez l'enfant qui s'éveille tout juste à la conscience. Quand une mère donne une tape sur la main du bébé qui l'exaspère, ce dernier ressent bien sûr le choc, donc de la douleur, mais il *perçoit* aussi un ensemble de sensations très distinctes. Il perçoit que sa mère est fâchée et qu'il a fait quelque chose qu'il n'aurait pas dû faire. Il se peut aussi que l'enfant éprouve consciemment quelque chose de contingent: par exemple que sa mère est fâchée pour une autre raison, que ce qu'il vient de faire n'aurait pas été répréhensible en une autre circonstance ou en un autre lieu. Il s'inquiète donc des conséquences de ce concours de circonstances particulier. L'assemblage maladroit de ces divers éléments aboutit chez lui à la formation d'une perception globale qu'il va mémoriser. Plus tard, l'expérience et l'apprentissage aidant, il deviendra de plus en plus assuré dans ses perceptions. Ce n'est que dans le cas contraire qu'il éprouvera de l'inquiétude.

Supposons qu'un homme ambitionne de séduire une femme bien précise. Il va donc se comporter, s'exprimer, tout faire pour donner de lui l'impression qu'il estime la plus flatteuse. Puis il va observer les réactions de celle qu'il convoite, attentif au moindre de ses mots, de ses gestes, de ses expressions, de ses comportements, réactions qu'il met minutieusement en relation avec ce qu'il vient de faire, *lui*, pour les provoquer. De son côté, la femme considère son interlocuteur comme un étranger venu d'un autre monde, nanti d'autres idées, d'autres façons de penser, qui toutes affectent la façon qu'elle a de réagir. Or, ce à quoi elle réagit directement, ce n'est pas à ce que l'homme lui raconte, ni à sa tenue vestimentaire ou à sa conduite, mais à l'impact de cet ensemble d'expressions sur son monde à *elle*, c'est-à-dire sur ses pensées, ses croyances, ses désirs et ses besoins. Bien entendu, le malheureux ne peut lire dans les pensées intimes de son interlocutrice. Tout ce qu'il peut percevoir d'elle, c'est sa façon de réagir. Aussi le problème ne se pose-t-il pour lui qu'à partir du moment où la jeune femme ne réagit pas comme il l'avait espéré. Bizarre! se dit-il, elle plisse le nez, elle tape du pied, elle regarde ailleurs... Mais, ma parole, elle n'a pas *écouté ce que je disais!*

Tandis qu'il observe ses réactions, qu'il rassemble des indices, il attribue par une construction de l'esprit une signification à la conduite de la jeune femme. Mais étant donné qu'il se pose davantage de questions qu'il ne dispose de

148

réponses, il ressasse pêle-mêle souvenirs et indices, tout en s'efforçant de comprendre pourquoi elle ne réagit pas comme il l'aurait souhaité. Chez lui, perceptions et attentes sont donc en conflit. C'est qu'à présent il en est à la seconde étape mentale de cette escalade qu'est la détresse*.

La plupart des événements sociaux ne s'accomplissent qu'avec le temps. En d'autres termes, c'est en des lieux divers et à des époques diverses qu'il nous est donné d'observer le comportement humain, si bien que, pour percevoir et tenter de comprendre la dynamique de notre univers social, il nous faut assembler nos différentes impressions en une histoire qui nous paraisse logique et acceptable. L'esprit doit en effet construire une image raisonnable à partir de *multiples événements disséminés à travers l'espace social et la durée sociale*, événements mettant en jeu des conduites humaines bien souvent camouflées artistiquement par des motivations ignorées, des défenses héritées de la société, des représentations symboliques obscures et par une copieuse dose de communication non verbale relevant de la seule perception infraliminaire. La perception du comportement humain et des activités sociales humaines représente peut-être bien pour l'homme moderne et doué d'intelligence l'aventure la plus hasardeuse.

L'escalade de la détresse: (3) l'inquiétude et le souci

L'inquiétude ne naît pas à l'instant même où l'esprit décèle une différence entre attentes et perceptions liées à une même situation sociale, car l'individu a en réserve une certaine somme d'expériences que son esprit met à contribution chaque fois qu'il y a lieu d'aplanir une différence et de ménager un peu de temps à la réflexion. Ce n'est qu'à partir du moment où les perceptions se concentrent sur la dif-

---

* C'est en raison même de ce processus d'escalade que les techniques d'assistance psychologique insistent sur la nécessité de faire part de ses sentiments à autrui — et sur le moment même — chaque fois qu'une émotion interne affleure à la conscience lucide.

férence qui les sépare des attentes, qu'à partir du moment où elles amplifient cette différence, que cette dernière devient problématique; car alors seulement l'esprit se livre à un effort démesuré pour inventer une solution capable de circonvenir l'inquiétude. Du fait de sa curiosité innée et de sa propension omniprésente à se poser des questions, l'esprit se livre désormais à une intense activité pour essayer de comprendre pourquoi les perceptions sont fâcheuses, pour trouver un moyen d'apporter une solution aux distorsions et pour apaiser les sentiments qui surgissent quand on découvre que la plus raisonnable des attentes et des espérances peut fort bien ne pas être comblée. Pourtant, les êtres humains savent parfaitement que la plupart des attentes sont comparables à ces paris tenus quand on n'a guère qu'une chance sur cinquante de gagner; ils ont un sens suffisant des réalités pour admettre que leurs attentes ne sont le plus souvent que des rêves éveillés. Mais il n'empêche que "l'espoir jaillit éternellement au coeur de l'homme", comme le dit le proverbe, et que les hommes ont forgé tant de mythes à partir de leurs espérances, de leurs désirs et de leurs rêves que presque tous les représentants de la communauté humaine traversent l'existence en caracolant sur les vagues de leurs attentes.

Plus que toute autre influence sociale, l'espérance mobilise l'intellect humain, qu'elle lance dans une véritable course de survie où les rêves sont seuls garants de la bonne forme psychologique. C'est à l'intellect qu'il appartient d'analyser et de considérer les raisons pour lesquelles la réalité apparente qui est perçue n'est pas à la hauteur de l'attente. Dans la société moderne en effet, grande est la tentation de rêver. Des carottes nous sont tendues au bout de milliers de perches publicitaires, et, dans chaque champ de carottes, il en existe toujours une qui nous fasse rêver. Notre intellect ne cesse de danser sur un air de carottes, cherchant à comprendre pourquoi telle ou telle carotte est hors d'atteinte, à expliquer rationnellement pourquoi telle ou telle n'est pas désirable au premier abord, se résignant à rejeter, à refuser, à renoncer pour mieux protéger l'ego et pour résister à l'imminence du stress que provoquerait le dépit ou l'échec.

Seule une fraction de cette activité mentale accède à la conscience claire, puisque bien souvent les systèmes de détection de l'inconscient sont hautement sensibles aux signaux subtils provenant des interactions sociales. À l'exemple de toute perception infraliminaire, l'intellection inconsciente perçoit et juge des informations d'une grande complexité sans que la conscience lucide intervienne. L'individu qui, après coup, se souvenant d'un incident insolite survenu au cours d'une conversation avec un ami, "découvre" ainsi que leur relation se dégrade a dans la plupart des cas inconsciemment enregistré l'incident révélateur sur le moment même, en a inconsciemment éprouvé de l'inquiétude et a inconsciemment amorcé un processus de résolution du problème dont l'intensité croissante a fini par faire céder les barrières de la perception consciente.

L'escalade de la détresse: (4) l'incertitude

Dans la plupart des tentatives de résolution d'un problème lié aux événements insaisissables et disparates de l'activité sociorelationnelle, l'esprit balance entre des solutions qu'il croit prometteuses et des solutions qu'il croit sans issue. Or, durant les périodes où les solutions évoquées lui semblent insatisfaisantes, voire inutiles, l'esprit se livre à deux activités dont les effets retentissent considérablement sur l'organisme. D'abord, la crainte de ne pas connaître les réponses possibles, raisonnables, aux incertitudes de l'avenir, représente une menace pour le bien-être; cette menace a pour effet de placer le moi en état d'alerte et de le préparer à faire face à d'éventuels dangers inconnus. Ensuite, l'impossibilité de résoudre le problème stimule de façon continuelle l'activité mentale imaginaire et fantasmatique.

Cette impossibilité de résoudre un problème d'échanges sociaux signifie que l'individu est incertain de la tournure que va prendre son avenir dans la société. Cette incertitude est perçue par lui comme une menace sociorelationnelle, dirigée contre son futur bien-être. Du fait que l'appréhension et l'anxiété, nous le savons, amènent l'organisme à adopter une attitude d'éréthisme physique, c'est-à-dire de tension, il nous faut bien admettre que l'esprit, soumis aux dures contraintes du stress social, n'établit pas de distinction entre les menaces dirigées contre le bien-être physique et celles qui le sont contre le bien-être relationnel, si bien que le corps réagit aux secondes à peu près comme il réagit aux premières. Une menace pesant sur le bien-être appelle le plus primitif des instincts, celui de protection et de défense face à l'agression et au danger, autrement dit fait appel à la réaction branle-bas de combat/sauve-qui-peut. Les mécanismes de défense de l'organisme, sollicités par toute menace dirigée contre le futur bien-être, génèrent une attitude de défense caractérisée par de la tension, phase par laquelle le corps se prépare à passer à l'action défensive.

Voilà qui remet donc singulièrement en cause les mérites de l'éréthisme-réponse chez l'être humain, si tant est que ce type de réponse soit considéré comme garant du bien-être et de la survie de l'espèce.

Quant à moi je soutiens — j'y reviendrai plus tard — que l'éréthisme physiologique instinctuel mettant en jeu des mécanismes *physiques* de défense contre des agressions physiques, mécanismes que les espèces animales ont appris à développer sur des durées incommensurables, ne représente en aucun cas un moyen de défense approprié quand il s'agit de parer aux agressions dirigées contre le bien-être *relationnel* dans l'environnement social dont l'homme s'est doté. Il semble infiniment plus logique de postuler que les mécanismes de défense psycho-intellectuels élaborés par l'homme, ou bien n'ont pas évolué comme il l'aurait fallu pour devenir une réaction quasi systématique aux menaces relationnelles, ou bien que, pour une raison ou pour une autre, les capacités intellectuelles de défense contre les menaces pesant sur le bien-être relationnel n'ont pas été exploitées par l'homme de façon adéquate. Cette conception des choses est d'ailleurs corroborée par les résultats obtenus grâce aux plus récentes méthodes de psychothérapie, lesquelles se proposent de faire comprendre aux patients ce qu'est la réalité sociale, ce que sont les dispositifs d'adaptation à cette réalité.

L'escalade de la détresse: (5) les fantasmes de l'inquiétude

L'une des opérations qui obsède le plus l'esprit, tant que la solution du problème n'a pas été trouvée et que l'inquiétude est présente, consiste en la construction mentale d'images fantasmatiques. Bien que cette activité de l'imaginaire accompagnant l'inquiétude puisse parfois être fructueuse et salutaire, elle peut aussi se révéler passablement destructrice. L'élaboration d'images par l'esprit et l'extraordinaire pouvoir de corruption que peuvent exercer ces images sur les fonctions physiques de l'organisme sont le propre d'une activité mentale singulièrement sous-évaluée.

Edmund Jacobson, père de la Relaxation Progressive et promoteur d'exercices physiques destinés à relâcher la tension, a démontré il y a fort longtemps que les images spontanément construites par l'esprit excitent puissamment les différents systèmes physiologiques. Pourtant, le pouvoir exercé par l'imagination sur le corps demeure amplement négligé par la science, en dépit du fait, bien connu de chacun, que la représentation mentale de l'aigre ou de l'amer stimule la salivation, que l'évocation d'un événement triste peut provoquer les larmes, que celle d'un désastre imminent peut générer de la tension physique ou encore que les fantasmes sexuels peuvent déclencher des activités physiologiques quasiment incontrôlables.

Il est surprenant que le recours habituel à la représentation imaginaire pour dissiper l'anxiété, tout spécialement chez les enfants — si tu es courageux chez le dentiste, tu auras une crème glacée — , ne nous ait pas incités à explorer ce phénomène en le considérant comme un mécanisme interne capable d'accentuer les dérèglements de nos systèmes physiologiques. Car en bonne logique, si l'on admet que les images mentales peuvent stimuler les systèmes organiques et les amener à promouvoir les changements bénéfiques qui s'imposent, il faut bien admettre aussi que ces images peuvent provoquer des changements physiologiques inopportuns et destructeurs. L'enfant qui vit dans la peur d'une fessée et contracte la cage thoracique quand on lui en administre une évoque assurément certaines images quand, par la suite, il se remémore cette expérience; il se peut fort bien qu'il devienne un jour asthmatique.

Tant qu'une solution n'a pas été apportée à l'inquiétude, même modérée, l'esprit — éperdu par la confusion qui existe entre perceptions conscientes et perceptions enfouies dans l'inconscient — élabore des images par milliers. Il recrée en imagination tout ce que la mémoire peut lui apporter d'éléments liés au problème qu'il croit réel, se représentant et revivant indéfiniment une même scène et s'efforçant de deviner ce qui a bien pu la provoquer. Tandis que l'esprit se débat pour trouver des réponses, il projette dans le futur comme dans le passé des images de solutions possibles. Dans ces représentations, des lieux, des êtres, des mots et des conduites passent et repassent sans cesse, l'esprit s'épuisant à découvrir des réponses qui soient acceptables pour l'intellect, pour l'affectivité, ou pour l'un comme pour l'autre. À partir du moment où je pressens que mon directeur de thèse n'est pas satisfait de mon travail, mais qu'il ne me le dit pas clairement, c'est à des images que je vais faire appel pour tenter d'expliquer pourquoi une difficulté a surgi et comment il convient d'y remédier à l'avenir. Pour chacune des images que j'évoque, que celle-ci soit projetée dans le passé ou dans le futur, je recrée une attitude posturale comparable à celle que me suggère l'image. Chacune de ces attitudes posturales est une attitude de crispation: mon corps demeure tendu, sur le qui-vive, dans l'attente de la décision qui va me révéler si la réponse imaginaire est la bonne ou la mauvaise.

Entre la raison et la déraison

Jusque-là, les opérations de l'esprit que j'ai décrites sous le nom de souci ou d'inquiétude sont des opérations parfaitement normales et représentent les étapes que nous franchissons tous quand nous tentons de résoudre des problèmes dont nous percevons l'imminence. Car nous connaissons tous ces mêmes états de vigilance, ressentons cette même anxiété, faisons les mêmes efforts pour rationaliser, construisons les mêmes défenses mentales et affectives pour nous protéger des ennuis qui semblent menacer directement notre équilibre psychique.

À cette étape, la tentative de désarmer l'inquiétude peut avoir deux conséquences possibles. Ou bien la démarche se révèle productive, comme cela se passe quand nous parvenons à bien cerner le problème et à imaginer comment nous en accommoder. En revanche, quand l'intellect se révèle incapable d'élaborer, à l'aide des informations dont il dispose, les réponses requises, tout se passe comme si l'esprit était néanmoins contraint de pousser plus avant sa recherche d'une solution. Si aucune information, aucune possibilité de compréhension, aucune perspective nouvelles ne lui sont fournies, alors l'inquiétude se dégrade en une activité mentale de rumination. Cet enchaînement des phénomènes mentaux aboutissant au stress et aux réactions de stress est schématisé dans la Figure 2.

Normalement, nous sommes partagés entre des poussées d'inquiétude, des bouffées de soucis à la fois productives et improductives; mais, quand la tentative de résolution du problème échoue, l'activité mentale et les transformations physiologiques que cette activité provoque risquent de devenir destructrices et de se résoudre en une maladie de stress.

Dès l'instant où échoue la tentative de résorber une inquiétude jusque-là normale, où aucune réponse ne semble adéquate, l'inquiétude devient destructrice. Un bon exemple nous est fourni par l'épisode de télévision classique au cours duquel une femme mariée découvre dans les poches de son époux une feuille de papier sur lequel on a griffonné "Linda, 345-1156". D'abord raisonnable, l'inquiétude de cette femme ne se fait destructrice qu'à partir du moment où elle se souvient qu'à sa connaissance aucune Linda ne compte parmi les relations du mari, où celui-ci prétend pour sa part ne pas savoir de qui il peut bien s'agir, ni comment ce morceau de papier a bien pu aboutir dans sa poche, ou encore à partir du moment où il étudie la question en éclatant de rire et en inventant une piètre histoire de faux numéro de téléphone.

L'inquiétude destructrice est une conséquence normale d'un défaut d'information ou bien d'un intellect qui manque de pratique et de discipline. L'inquiétude destructrice surgit quand les émotions échappent à la tutelle de l'intellect, cela pour la raison bien légitime que ce dernier manque des informations qui lui permettraient de résoudre les problèmes qu'il perçoit.

L'escalade de la détresse : (6) la rumination

Par rumination il faut entendre cette préoccupation insidieuse et persistante qui pousse incessamment l'esprit à soupeser, spéculer, imaginer et multiplier les représentations fantasmatiques, à ressasser et régurgiter tous les éléments d'information dont il dispose sur le problème qui l'obsède, selon toutes les combinaisons possibles, mais sans le moindre succès. Il s'agit là d'une opération mentale purement stérile, improductive et destructrice, du fait que l'esprit est préoccupé par le problème qui le mine à un point tel qu'il est incapable de comprendre *pourquoi* il ne peut le résoudre.

La rumination compte parmi ces mots que psychologues et psychiatres ont annexés pour désigner un processus pathologique s'obstinant à tourner en rond, mots qu'ils utilisent communément pour décrire une préoccupation compulsive et obsessive liée à un mode de pensée qui part à la dérive. Mais bien longtemps avant que ce mot ait été revêtu d'une coloration névrotique, la littérature a largement exploité l'association que suggère cette fonction propre aux ruminants pour décrire le besoin qu'éprouve l'homme de ressasser à n'en plus finir les mêmes pensées.

Selon moi, l'inquiétude caractérise une étape de la recherche d'une solution où l'attention et la pensée sont encore capables de résoudre le problème, tandis que la phase

Figure 2. Opérations mentales aboutissant soit à un état de bien-être, soit à un état de stress accompagné de réactions au stress

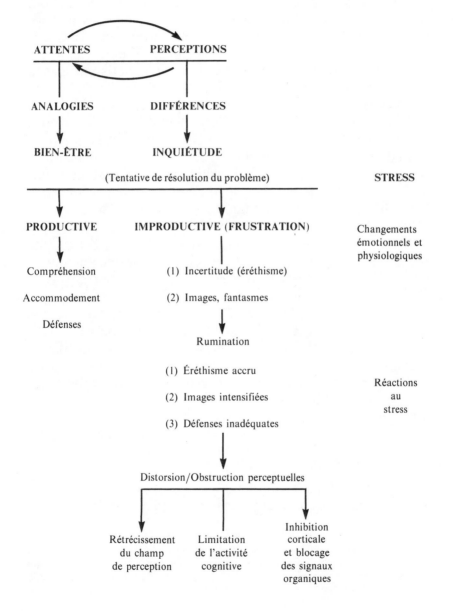

de rumination n'apparaît qu'à partir du moment où l'attention ne se fixe plus que sur la détresse causée par le problème en question, au lieu de s'évertuer à le résoudre.

En un certain sens, ce sont donc les psychologues qui ont raison, à ceci près que c'est le *résultat*, et non le *processus*, qui est pathologique*. Car il semble parfaitement normal que l'esprit se préoccupe des opérations qui se déroulent en lui, à partir du moment où ces opérations n'aboutissent pas à fournir les réponses qui s'imposent d'urgence. Ce n'est donc pas une défaillance de l'esprit ou de la pensée qui rend la rumination destructrice pour l'équilibre mental et physique, mais bel et bien le manque d'information dont l'esprit a besoin pour résoudre le problème qu'il perçoit. Pourtant, même dans cette inquiétude intense et tourbillonnaire qu'est la rumination, il arrive qu'un éclair soudain de compréhension force l'attention et, chose étonnante, que les problèmes se résolvent alors si vite qu'ils semblent littéralement s'évanouir.

Les psychologues s'étendent d'abondance sur l'activité par laquelle l'esprit tente de résoudre les problèmes qui se posent à lui, mais ils s'intéressent exclusivement aux opérations de l'esprit-cerveau qu'ils tiennent pour responsables de la pensée purement décisionnelle; la majorité des mécanismes qu'ils étudient sont calqués sur les opérations comparables à celles que peut effectuer un ordinateur: programmes mis en mémoire pour traiter différents types d'informations, routines interchangeables pour traiter des données dans différentes conditions, alternances de type Basic (attention/non-attention), stratégies cognitives — cela, même si l'analyse des mécanismes de la pensée humaine débouche inévitablement sur de mystérieux contrôles "d'ordre supérieur" (l'âme? la volition? le psychisme global?).

Néanmoins, la tentative de résolution de ses problèmes par l'homme est considérée scientifiquement comme un pro-

---

* La difficulté de recourir à une terminologie appropriée pour désigner les activités de l'esprit en dit long sur la tendance qu'affichent les sciences de la santé mentale à qualifier d'anomalies des processus parfaitement normaux, ainsi que sur le désintérêt désespérant marqué par nos scientifiques pour ce qui pourrait bien représenter un type d'activité *normal* de l'esprit.

cessus mécanique dans lequel sont réunies toutes les conditions et toutes les exigences requises pour que les opérations soient menées à bonne fin. Quiconque est aux prises avec des difficultés relationnelles est pourtant bien loin de se trouver dans une situation idéale pour en sortir. Il lui manque en effet une infinité d'informations qui lui seraient nécessaires pour trouver à son problème une solution adéquate. Il ne sait rien des raisons d'agir et des intentions des êtres avec qui il est en relation. Pourtant, l'énorme complexité du processus par lequel des pensées sont isolées de leur contexte émotionnel original et par lequel l'esprit tente de résoudre ses problèmes à l'aide de simples bribes d'information fiable n'a guère préoccupé nos spécialistes de la santé mentale, si tant est qu'elle ait jamais recueilli la moindre attention de leur part.

Tant que l'esprit rumine, les effets nocifs de l'inquiétude affectent l'équilibre physiologique de l'organisme. La précarité des réponses élaborées et l'impossibilité d'en concevoir une qui soit adéquate continuent à maintenir le corps en état d'éréthisme, conduisent au sentiment de frustration et accroissent aussi bien l'appréhension que l'anxiété. Au fur et à mesure que la peur augmente, la rumination tend à susciter des solutions "désespérées", des défenses émotionnelles non appropriées, et à "surcharger" les mécanismes de l'idéation, introduisant ainsi des distorsions dans les opérations mentales et intellectuelles et transformant celles-ci en un circuit fermé où se relaient sans fin l'inquiétude et la peur, la tension et la détresse.

La rumination exerce deux effets sur l'organisme. Tout d'abord, elle intensifie l'incertitude quant à l'avenir du bien-être. L'éréthisme physiologique qui entraîne un effet de "crispation" corporelle s'accompagne d'une conscience accrue de la non-productivité des soucis et s'intensifie au fur et à mesure que la rumination se poursuit, en même temps que se manifeste la sensation croissante que le bien-être, cela va de soi, est en grand péril. Cette menace grandissante dirigée vers la survie relationnelle engendre une appréhension et une anxiété croissantes, qui à leur tour excitent des mécanismes nerveux indistinctement responsables de tension musculaire, viscérale et subjective, c'est-à-dire déclenchant des réactions physiologiques, partiellement innées et partiellement acquises, chez l'organisme vivant, pour répondre aux menaces qui hypothèquent son bien-être. Puis, du fait que la rumination appelle constamment la création et la re-création en images mentales de la situation et du problème relationnels qui en sont la cause, l'effet physiologique exercé sur l'organisme par cette activité fantasmatique s'en trouve lui aussi accru.

Tant que dure la rumination, le mouvement cyclique de l'insécurité et de la production d'images se poursuit, chaque cycle venant renforcer les tensions organiques. Si aucun nouvel élément de compréhension ne survient ou si aucune nouvelle information utile ne fait avancer le processus de résolution du problème, la rumination finit par épuiser ses propres ressources en pensée productive pour ne plus générer que de la distorsion et de l'obstruction perceptuelles, par inhiber la conscience des signaux en provenance de l'organisme. Ces deux dérèglements de l'activité intellectuelle tirent le rideau qui désormais sépare l'esprit de la réalité relationnelle et emprisonnent l'individu dans un univers clos.

L'escalade de la détresse : (7) l'univers clos

La distorsion perceptuelle consiste en une singularité de l'esprit qu'il faut considérer soit comme le résultat normal de l'attention, soit comme une sérieuse anomalie de l'activité intellectuelle. Elle signifie tout simplement que, lorsque l'attention se fixe ailleurs, certaines impressions détectées par l'appareil sensoriel ne sont plus perçues clairement par la conscience lucide. Supposons par exemple que je sois absorbée par la lecture d'un bon livre, il se peut fort bien que je n'entende pas le chien aboyer devant la porte pour qu'on la lui ouvre. Il est communément admis par les théoriciens de la psychologie (et je m'élève véhémentement contre cette façon de considérer les choses) que le cerveau ne dispose que d'un nombre limité de réseaux dont la fonction est de traiter l'information et que, lorsque l'attention est absorbée par une pensée qui l'accapare, toute autre activité de pensée s'en trouve réduite.

Il est certain qu'à partir du moment où la rumination devient excessive et que l'attention est captivée par une activité mentale soutenue, cela s'exerce aux dépens des autres informations disponibles. Dans la rumination, l'individu finit par ne plus se préoccuper que de certains types de conclusions reflétant la crainte du pire. Sa perception ne se limite plus alors qu'aux éléments de la situation sociorelationnelles qui s'accordent à une notion préconçue. Il ne voit plus et n'entend plus que ce qu'il veut voir et entendre: il opère une sélection parmi les données en accord avec les notions et les solutions qu'il a élaborées et applicables au problème qui, selon lui, se pose entre lui-même et son environnement social.

Un exemple personnel illustrera plus clairement mon propos. Alors que je rentrais d'un voyage en Inde, je fus fort contrariée par certaines choses dont je rendis responsable la personne qui avait gardé la maison en mon absence. Je découvris en effet qu'elle y avait introduit un certain désordre qui ne laissa pas de m'irriter. Un jour, je ne pus mettre la main sur mes moules à gâteaux neufs. Un peu plus tard, il me fut impossible de retrouver un shampoing bien précis. Rien d'important sans doute, mais ce fut la proverbiale goutte d'eau qui fit déborder le vase. J'étais au comble de la contrariété et, plus mes efforts de recherches étaient vains, plus mon énervement grandissait. Dans mon esprit se bousculaient les visions de la fautive négligeant avec désinvolture les instructions que je lui avais données avant mon départ. Je l'imaginais organisant chez moi des parties débridées, et ainsi de suite. Au bout de quelques heures, j'étais dans un état de tension et d'irritation indescriptible, prête à exploser avec une violence presque égale à celle des élucubrations de mon propre esprit. Je finis pourtant par me détendre, et même par rire de moi, en songeant à ce qui fait l'objet de mes conférences. En cherchant une casserole dans les placards de la cuisine, j'y découvris — ils étaient là, sous mes yeux — les fameux moules à gâteaux. Puis, avant même que je me remémore à quel point la distorsion perceptuelle peut fausser le jugement, je me rendis à la salle de bain et, là encore, exactement à sa place habituelle, j'y trouvai mon shampoing. La rumination avait aveuglé mes perceptions, au point même de m'empêcher de rien voir de ce que j'avais sous les yeux.

Car l'individu qui ressasse les mêmes pensées se met à déformer la réalité relationnelle de son environnement, en puisant en elle des éléments qu'il isole de leur contexte et en se servant de ces éléments pour élaborer une configuration imaginaire applicable à la résolution du problème en cause, résolution qui jusque-là n'a pas dépassé le stade de la tentative. L'appréciation du réel subit donc des distorsions, du fait que ce qui préoccupe l'esprit ne laisse aucune place à la perception de quoi que ce soit qui ne corrobore pas les conclusions anticipées. Si je me mets en tête que mon amant se détache de moi sans pour autant en avoir la preuve formelle, je vais ne prendre en considération que ses absences et leur attacher une telle importance qu'au bout du compte sa présence ne sera plus pour moi que la confirmation qu'il aura été absent.

Les perceptions inconsciemment, mais intentionnellement déformées, continuent à aggraver les effets qu'exerce le stress perçu, tant sur les impressions subjectives que sur les fonctions physiologiques. Quand la tentative de résolution se limite à une assimilation faussée de l'information, cette tentative devient improductive et le cycle rumination/distorsion perceptuelle se perpétue de lui-même. L'incertitude et l'insécurité qui entourent le bien-être relationnel se font de plus en plus aiguës et alourdissent la future menace qui pèse sur l'harmonie des échanges sociaux, de sorte que cette menace aggrave à son tour l'éréthisme physiologique et la tension posturale.

La distorsion perceptuelle s'accompagne invariablement d'obstruction perceptuelle de l'information primordiale d'origine interne. Puisque que les circuits de l'attention sont accaparés par la rumination, la perception de l'information renseignant sur les activités internes, cognitives ou physiologiques, subit un blocage. Désormais, l'esprit perd la faculté de faire aisément appel à toute une gamme de souvenirs dans laquelle il peut opérer un choix. Le recours à la logique autocorrectrice et à l'appréciation de la réalité interne s'estompe. Les fonctions cognitives deviennent tributaires d'efforts improductifs et cessent d'être disponibles pour ouvrir de nouvelles perspectives à l'attention consciente. Les circuits permettant l'appréciation de l'information sensorielle sont simultanément obstrués, de sorte que la conscience ne peut plus identifier les signes physiques de tension. Les signaux physiologiques internes, avertisseurs d'un excès de tension ou d'une hyperactivité physiologique, cessent eux aussi d'être interceptés. Le résultat, c'est que la tension organique continue de s'élever et que l'incapacité des trajets cérébraux à déceler cette tension croissante inhibe activement le fonctionnement normal de la régulation physiologique.

Tandis que ces opérations mentales se déroulent, la détresse physique qu'elles provoquent conduit inévitablement au dérèglement émotionnel ou physique, ou à l'un et à l'autre. Le mode d'expression de la détresse — le dérèglement émotionnel peut revêtir bien des aspects, de l'anxiété à l'alcoolisme, et la misère physique peut tout aussi bien consister en une migraine qu'en une crise d'épilepsie due au stress — dépend du tempérament individuel, de ses expériences vécues antérieures, des connaissances qu'il a acquises et de l'influence culturelle à laquelle il est soumis. Il ne fait aucun doute aussi que certains traits génétiques spécifiques, certaines anomalies biochimiques peuvent entrer en ligne de compte pour expliquer pourquoi différents systèmes physiologiques présentent des vulnérabilités différentes aux effets du stress. L'expérience vécue détermine également la façon dont se manifestent les réactions au stress sociorelationnel. Chacun d'entre nous se souvient assurément d'avoir présenté différentes réactions physiologiques à différents types d'expériences traumatisantes ou bouleversantes, ce qui explique pourquoi certains manifestent de l'asthme, d'autres de l'hypertension et d'autres de l'arythmie cardiaque.

Quand on considère le pouvoir exercé par l'esprit sur la nature physique de l'être, on néglige bien souvent un fait de première importance: lorsqu'un individu oppose au stress des réactions éminemment émotionnelles, c'est encore un dérèglement des fonctions intellectuelles (mentales) qui est à l'origine des changements survenant dans les fonctions (physiques) du *cerveau*, ce qui est particulièrement manifeste dans l'anxiété, la dépression ou l'hystérie. Ici encore, c'est l'esprit qui régit le corps.

Revenons au point de départ

Reportons-nous au tableau 1 de la page 128, pour essayer cette fois de déterminer si la définition que nous avons donnée du stress relationnel — une perception défavorable de l'environnement social génératrice d'un état d'inquiétude — s'applique indistinctement à *tous* les problèmes liés au stress. Examinons si cette définition nous aide à comprendre comment le stress peut être cause d'une telle variété de perturbations.

La classification des troubles et des affections présentée dans ce tableau est tout à fait neuve, même si médecins et psychologues admettent que les détresses affectives ou physiques qui y figurent sont liées au stress. Le regroupement ordonné de ces différentes détresses a essentiellement consisté pour moi à colliger les exemples et à concevoir un mode de classification adéquat.

Une des conséquences les plus intéressantes de toute mise en tableau, c'est qu'une telle opération renouvelle la vision qu'on avait jusque-là du sujet. Réorganiser de diverses façons une information permet presque toujours de la mieux comprendre; bien souvent, ce procédé apporte un enseignement neuf sur la nature du phénomène étudié.

S'il est vrai que certains éléments de la vie sociale ne deviennent stressants qu'après avoir été interprétés comme tels par l'esprit, alors nous devrions découvrir que tous les problèmes et toutes les maladies de stress énumérés dans le Tableau 1 ont pour origine l'inquiétude provenant de ce que l'esprit perçoit l'environnement social comme étant défavorable au bien-être relationnel.

164

Que nous apprend ce tableau? Il nous révèle que l'ensemble des détresses classées sous la nomenclature "Dérèglements émotionnels" dérive de toute évidence du stress relationnel; or les spécialistes tombent d'accord pour affirmer que chacune de ces détresses prend naissance quand l'individu éprouve de l'inquiétude à propos de son insertion, de sa réussite sociale, de la censure que les autres peuvent exercer à son égard, ou de la sécurité de son ego dans la société. La même remarque s'applique à la catégorie suivante, celle des désordres psychosomatiques. Que dire alors des dérèglements organiques tels que la migraine, l'épilepsie ou l'arthrite? Il est presque universellement admis de nos jours que le stress provoque des épisodes aigus de ce type d'affections organiques et que le stress se ramène ni plus ni moins aux soucis qui entourent l'accomplissement social, la réussite sociale et le sentiment que le bien-être relationnel fait l'objet d'une menace. C'est encore ce même problème sous-jacent qui est associé aux troubles et aux problèmes répertoriés dans les trois dernières rubriques du tableau. Tous ont pour point de départ l'inquiétude.

La parfaite logique du "stressé"

Bon nombre de thérapeutes abusent purement et simplement leurs patients en se fondant sur des théories selon lesquelles quiconque est victime du stress et connaît des problèmes émotionnels ou psychosomatiques n'a "pas la tête sur les épaules". Rien de plus faux pourtant. Le stressé qui fait des excès médicamenteux ou qui souffre de maux de tête est aussi sain d'esprit que quiconque. Seulement, il ne dispose pas de l'information suffisante ou adéquate qui rendrait sa pensée efficiente et productive.

Si l'on suit pas à pas le processus mental aboutissant aux problèmes de stress, on s'aperçoit que chacune de ses étapes est éminemment logique *compte tenu de l'information disponible*. Car il *est* parfaitement logique que je me fasse des cheveux si j'ai des ennuis professionnels et si mon patron témoigne d'une sollicitude particulière à l'égard du collègue qui brigue mon poste. Comme il *est* logique de manifester de l'éréthisme mental et physique quand le problème à résoudre exige attention et concentration d'esprit. Tout comme il *est* logique dans les cas semblables d'éprouver de l'inquiétude et de faire appel à l'imaginaire pour tenter de trouver les réponses appropriées. Si l'activité intellectuelle accuse un défaut de productivité, c'est uniquement parce que les mécanismes de l'intellection manquent de l'information adéquate qui leur permettrait d'élaborer les réponses propres à alléger la difficulté et le stress que l'intellect crée précisément parce qu'il est incapable de leur opposer une réponse efficace. La distorsion et l'obstruction perceptuelles qui dérivent d'une rumination excessive sont simplement des dispositifs mentaux intervenant pour fixer l'attention et la pensée sur le problème en cause, même si l'activité de ces dernières s'applique à résoudre un problème insoluble.

La plupart des victimes du stress ne se rendent pas compte que leurs problèmes ont le plus souvent pour cause un manque d'information. Paradoxalement, l'énoncé qui précède constitue en soi une information de première importance dans le processus de réduction du stress; or, le fait même de posséder une *telle* information, à savoir qu'on ne détient pas celle qui est importante et adéquate, représente peut-être l'un des facteurs les plus décisifs de toute la démarche psychothérapeutique et de toute la procédure de réduction du stress.

Une fois que le stressé comprend que son état est dû en grande partie à un manque d'information, il a de bien meilleures raisons de rechercher celle qui s'impose et aussi d'accorder une plus grande attention à la valeur potentielle des éléments d'information relationnelle qu'il acquiert, ainsi qu'à des réactions émotionnelles qui dans d'autres circonstances demeureraient ignorés de lui*.

L'intellect manque de l'information qui lui fait défaut pour maintenir l'équilibre psychique dans deux circonstances

---

* Se reporter à l'Appendice C.

bien identifiables; ces circonstances sont en quelque sorte le terrain sur lequel se développent les détresses mentales conduisant aux désordres émotionnels et psychiques considérés comme "liés au stress".

La première de ces circonstances survient quand l'information fait défaut aux processus intellectuels cognitifs, perceptuels et interprétatifs, indispensables à la perception des réalités situationnelles, relationnelles et dynamiques de l'environnement social.

L'information sur la nature de la réalité sociale et sur les moyens de construire des dispositifs d'adaptation efficaces peut être obtenue par divers modes de psychothérapie. La valeur de la psychothérapie tient surtout à ce qu'elle améliore la compréhension de la réalité sociale et révèle au patient des moyens plus perfectionnés de s'accommoder des difficultés dérivant du contexte sociorelationnel. Que la thérapie s'appuie sur l'auto-analyse ou soit axée sur les aspects pragmatiques de la réalité sociale, la cure a pour effet d'éclaircir les idées du patient à propos de la signification véritable des situations environnementales et lui propose des stratégies pour faire face aux problèmes qui corrompent son intellect et exacerbent ses émotions.

Le second déficit informationnel contribuant au développement d'une sémiologie et d'une symptomatologie de stress dérive directement des préoccupations mentales causées par la tentative de résolution des problèmes qui se posent et par l'inquiétude qui les accompagne. Ce déficit se traduit par l'impossibilité d'identifier les perceptions internes. Quand la plupart des circuits corticaux sont mis activement à contribution par les préoccupations que provoque l'inquiétude, il ne leur reste guère de latitude pour apprécier les signaux internes résultant de tensions organiques croissantes. Dans les circonstances ordinaires, le cortex interprétatif agit comme un régulateur des fonctions physiologiques automatiques, en comblant à la demande les besoins de changement organique en fonction des données de l'environnement. Les circuits corticaux mobilisés pour analyser l'environnement externe sont de toute évidence étroitement reliés aussi à ceux qui identifient les changements survenant dans l'environnement interne. Or, quand les premiers sont monopolisés par d'autres activités, leur sensibilité aux signaux internes décroît considérablement, au point même d'être totalement inhibée. Ce blocage a pour effet pur et simple de paralyser la fonction régulatrice exercée par le cortex sur l'activité physiologique interne. Cette régulation cessant de jouer son rôle, les changements compensatoires cessent eux aussi de se produire et les tensions continuent de croître.

D'ordinaire, le cortex perçoit inconsciemment les tensions organiques survenant au cours de fonctions et de conduites normales et, dès que le besoin de tension ne se fait plus sentir, il transmet aux aires cérébrales du contrôle musculaire des signaux permettant aux muscles de se détendre. Mais dans les réactions de stress, quand le cortex est accaparé par la rumination et la production d'images mentales, il éconduit les perceptions, ne prête plus aucune attention aux signaux révélateurs des tensions organiques et continue à transmettre aux aires du contrôle musculaire des messages leur commandant de ne pas relâcher la tension et de maintenir le corps en état d'alerte. Puis, le cycle se répète, car, même si les tensions sont identifiées par d'autres mécanismes inconscients, elles ne sont désormais plus corrigées. Ce qui ne fait que nourrir les sensations de tensions subjectives, détourner de son cours normal la perception et intensifier la rumination.

Il nous reste encore à expliquer pourquoi les états de tension peuvent se prolonger si longtemps. Si c'est l'éréthisme qui représente la réaction de base, alors il nous faut bien admettre que l'éréthisme peut persister pendant de longues durées. Pourtant, les stimuli qui le provoquent, eux, ne s'exercent pas continuellement. En effet, ces stimuli consistent en des situations de stress sociorelationnel et en des réactions émotionnelles et cognitives à ces situations. Ils n'agissent donc pas continuellement, sinon dans l'esprit et dans l'inconscient. Autrement dit, c'est donc bien un mécanisme mental qui prolonge l'effet stress-stimulus en l'absence de la situation réelle de stress. Et ce mécanisme n'est autre que l'activité par laquelle l'esprit s'obnubile sur un problème, réel ou imaginaire.

Quand l'inquiétude ou la rumination font interpréter un problème d'échange social comme une menace pesant sur le bien-être, ce bien-être fût-il *relationnel*, plus cette situation se poursuit et plus la menace se généralise, au point d'affecter également le bien-être *physique*. Mobilisé par la menace, le cortex interprétatif retransmet alors les messages nerveux aux centres musculaires et viscéraux du cerveau inférieur, afin de maintenir l'état de vigilance et de préparation à l'action. Cette préoccupation cérébrale empêche (inhibe) l'appréciation de l'information proprioceptive (les signaux en provenance du corps), révélatrice du degré de tension organique, de telle sorte que le corps, les viscères et la conscience subjective demeurent tendus, et que la tension s'accroît jusqu'à ce que la tentative de résolution du problème débouche sur une solution, une stratégie de défense opérationnelle ou un moyen d'accommodement.

L'impossibilité dans laquelle se trouve le cortex de prêter attention aux signaux d'origine interne et d'en évaluer l'importance peut être corrigée si l'on fournit à l'esprit et à l'activité consciente des informations sur l'état de l'organisme et sur ses réactions aux situations stressantes. Nombre de nouvelles techniques permettent aujourd'hui d'aider le cortex interprétatif à identifier les tensions internes et, en désarmant ces tensions, de restaurer la fonction régulatrice perturbée. Entre autres techniques grâce auxquelles une information adéquate peut être fournie, nous citerons le yoga, le biofeedback, diverses méthodes d'éveil corporel, le recours aux images mentales, l'autosuggestion, ainsi que différentes procédures de relaxation*.

---

* Ces techniques sont discutées plus en détail à l'Appendice D.

La maladie secondaire

Les divergences académiques, intellectuelles et thérapeutiques séparant la psychologie de la médecine ont rendu la notion de maladie — quelle qu'en soit la cause — infiniment plus confuse qu'elle n'a lieu d'être.

Le sectarisme extrême de ces deux disciplines thérapeutiques explique peut-être pourquoi ni l'une ni l'autre n'ont entrevu l'un des problèmes les plus fondamentaux de l'état pathologique. Le fait est que *tout* dérèglement du corps ou de l'esprit appelle une "maladie secondaire" bien réelle. Je soutiens en effet que, pour toute affection, toute détresse mentale, il existe une "maladie secondaire" qui n'est rien d'autre que la détresse de se sentir sans raison malade ou écarté du cours normal de l'existence.

Cette "maladie secondaire" consiste en une réaction mentale et émotionnelle qui se produit en réponse au malaise, au problème qui se pose; or il s'agit là d'une affection pathologique bien réelle, dont les graves effets retentissent à la fois sur l'esprit et sur le corps. Ce qui est quasiment inexplicable, c'est que les thérapeutes, qu'ils soient médecins ou psychologues, traitent la maladie ou bien comme un dérèglement émotionnel, ou bien comme un dérèglement organique. Il est rare, et même extrêmement rare, que les uns et les autres considèrent le corps et l'esprit comme ce qu'ils sont en réalité, c'est-à-dire comme un tout indissociable. Au point que des affections purement émotionnelles sont bien souvent traitées comme si leur origine était exclusivement physique, physiologique, et que, tout aussi curieusement, la psychothérapie elle-même concentre son attention bien davantage sur les racines de l'émotion brute, primitive (colère refoulée, animosité, haine, peur), que sur la culture individuelle, l'ingéniosité, l'invention, c'est-à-dire sur cet appareillage mental de l'esprit humain qui est la source d'où jaillit la détresse émotionnelle.

Au fur et à mesure que nous percevons mieux les interrelations qui, dans le phénomène pathologique, lient le corps à l'esprit, il apparaît clairement que les problèmes (et les émotions) qui affectent celui-ci peuvent sérieusement affecter aussi le fonctionnement harmonieux du corps, comme cela se produit dans la maladie psychosomatique, de même qu'il apparaît clairement que les problèmes mentaux et émotionnels causés par la maladie peuvent aggraver les dérèglements préexistants, affectifs ou physiques, et compromettre la guérison.

La tendance à répartir les malades en deux catégories, tendance qui prévaut chez les thérapeutes, n'est pas sans entraîner de graves conséquences sur l'équilibre de la société. Car négliger la "maladie secondaire", c'est littéralement instituer deux castes de proscrits: celle des psycho-proscrits, destinés à être négligés ou ravalés par leur entourage à la condition d'êtres quasi infantiles, et celle des socio-proscrits, que la société rejette en bloc du fait que leur maladie leur interdit de participer aux activités de la vie normale.

Pour apprécier à sa juste valeur la surprenante étendue et la véritable virulence de la maladie secondaire, examinons de façon globale différents exemples de ses manifestations. D'abord se présentent à nous des affections et des détresses qui sont à l'origine d'un malaise relativement modéré, mais qui réduisent la capacité de participation aux activités de la vie courante. Quel que soit l'exemple que nous choisissions dans la gamme pratiquement infinie des ennuis de santé — qu'il s'agisse d'une migraine répétitive, d'un ulcère, d'un accès de rhume des foins, d'un déséquilibre consécutif à un deuil ou d'une hypertension —, dans tous les cas le phénomène restreint la dynamique individuelle et la participation aux activités sociales. La misère physique ou le malaise affectif écartent l'individu du courant de la vie normale; ils l'amènent bien souvent à opposer d'intenses réactions de contrariété à l'étrange concours de circonstances qui l'empêche de vivre à sa pleine mesure et fait de lui un être à part dans une société qui prise le normal, l'effort et la réussite.

Vient ensuite une catégorie de maladies transformant l'individu en un invalide: paralysies, perte d'une fonction organique essentielle, cancer, affections débilitantes ou chroniques, troubles psychiques graves dans certains cas. Ces maladies font de leurs victimes des socio-proscrits, des êtres rejetés de la société parce que diminués et incapables de se secourir par eux-mêmes. Toute défaillance dans l'aptitude à mener une vie normale, même si cette défaillance est assortie d'une récupération partielle, est généralement considérée comme une incapacité totale. Le handicapé n'a plus alors pour statut que celui d'un malade à perpétuité, que l'on relègue dans l'arrière-cour de l'existence avec la piètre consolation de faire l'objet d'un gardiennage attentif.

Ces deux catégories — celle des maladies bénignes et celle des maladies graves — sont l'une comme l'autre justiciables des effets qu'exerce la pathologie sur le psychisme et sur l'esprit. Aussi longtemps que survit l'esprit, il garde le pouvoir de percevoir et de réagir. Il perçoit que son intégrité est atteinte. Et il réagit avec une force accordée à ses perceptions. Car s'il comprend le problème qui se pose, il est incapable de lui apporter des réponses satisfaisantes, puisque notre société ne s'est quasiment jamais préoccupée de fournir des réponses aux effets et aux besoins psychosociaux relevant de la "maladie secondaire".

Considérons l'impact psychologique de *n'importe quelle* maladie. Qu'il s'agisse d'une affection mentale ou organique, l'esprit et son pouvoir d'intellection perçoivent la moindre réduction de l'aptitude à mener une vie normale, à participer aux échanges et aux activités sociales. La mère de famille qui souffre d'une migraine n'éprouve pas seulement un état de malaise. Elle est également consciente de ne pas pouvoir remplir le rôle familial qu'elle souhaiterait remplir. La réaction émotionnelle d'un amputé des deux jambes n'est guère différente par *nature*, même si son équilibre affectif est beaucoup plus gravement perturbé, et pour beaucoup plus longtemps, que dans l'exemple précédent. La réaction émotionnelle opposée au sentiment de ne pouvoir combler une attente, personnelle ou environnementale, mobilise pêle-mêle à peu près toutes les émotions décrites par les psychologues, de l'angoisse à la colère, en passant par la dépression et la frustration. Quant à l'angoisse, elle est multipliée par la peur de l'inconnu: les signes de la maladie ne font-ils pas présager quelque chose de plus grave? Que faire en attendant de reprendre une vie normale? Où trouver de l'aide, et quelle sorte d'aide? Combien de temps la maladie va-t-elle durer?

L'angoisse de voir se restreindre la capacité de mener une vie normale est encore alourdie par la frustration de ne pouvoir concrètement la mener. La secrétaire affligée d'un mal de tête, et qui est pourtant contrainte de travailler, connaît aussi la détresse de ne pouvoir s'acquitter convenablement de sa tâche; elle imagine toutes les conséquences que peut avoir cette défaillance sur la sécurité de son emploi. Les douleurs et les malaises physiques provoqués par la maladie ne sont qu'un moindre mal comparés aux détresses mentales qui les accompagnent. Que l'activité soit limitée par de l'hypertension ou qu'on soit perclus de rhumatismes, l'impact émotionnel qui en résulte dépasse de loin l'angoisse et la frustration du moment, du fait que la maladie risque de restreindre les échanges sociaux et d'hypothéquer l'avenir. À cela vient encore s'ajouter chez le malade le sentiment pénible d'avoir soudain perdu son autonomie, de désormais dépendre des spécialistes et de son entourage, et de devoir endurer cet inséparable acolyte de la dépendance qu'est la perte de l'estime de soi.

Bref, la maladie est stressante. Et stressante de façon pernicieuse, envahissante. Le stress ressenti par le malade occupe en fait une telle place dans sa maladie qu'on s'étonne de constater à quel point le traitement néglige pareille composante. Car dans la plupart des cas, quand les symptômes émotionnels sont évidents ou aggravants, on se contente de les traiter par les tranquillisants ou les sédatifs. Malheureusement, si ces médications s'imposent pour réduire une anxiété déclarée, aiguë, elles ne sont d'aucun secours à longue échéance. À vrai dire, elles ont seulement permis à la médecine et à la psychologie de créer une société dépendante de sa pharmacopée et de répandre la maladie secondaire, la maladie iatrogénique résultant de l'abus médicamenteux.

Quand cette affection surajoutée — le stress de se savoir malade — n'est pas traitée, la maladie primaire devient plus pernicieuse qu'elle ne devrait normalement l'être; et la guérison s'éternise. Même un ennui de santé aussi bénin qu'un mal de tête peut avoir des retentissements émotionnels dramatiques. Perdre une journée parce qu'on souffre de migraine et, le temps passant, multiplier le nombre des journées perdues pour cette même et unique raison compromettent sérieusement l'activité socioprofessionnelle, la prospérité économique et la sécurité de l'avenir. Mais si le mal de tête représente le seul symptôme qui bénéficie de l'attention du médecin, le malade n'est pas sorti d'affaire pour autant, puisque c'est lui seul qui doit assumer de son mieux ses problèmes émotionnels et sa détresse mentale.

On pourrait en dire autant de la détresse affective du malade chronique ou handicapé. En effet, les problèmes qui se posent alors sont largement comparables à ceux qui se posent dans les cas moins graves. Mais du fait que l'incapacité devient manifeste, la maladie incriminée vaut souvent au malade suffisamment de compréhension, de sympathie, d'affection, pour qu'il y puise le soutien psychologique dont il a besoin, du fait que le traitement qui lui est prescrit par l'autorité médicale est bien loin de soulager tant soit peu les dérèglements inextricables qui affectent son esprit et, par voie de conséquence, son corps.

Pourtant, par petites étapes, émotion par émotion pourrait-on dire, l'idée que la torture mentale et affective éprouvée par le malade fait bel et bien partie de toute maladie gagne peu à peu du terrain. Médecine et psychologie n'ont encore mené aucune offensive concertée contre le "stress de se savoir malade", encore que ceux qui font profession de guérir soient de plus en plus conscients des effets que le psychisme — ce moteur de l'homme moderne — exerce en profondeur sur le cours de tout processus pathologique. De plus en plus s'affirme la nécessité, quand survient une maladie ou un accident physique, de prendre aussi en compte l'esprit et les émotions. Le besoin, pour un handicapé, de restaurer sa propre estime fait désormais partie de la thérapie. Le besoin de compréhension et d'amour, pour celui qui va finir ses jours, est à l'origine de cette nouvelle science qu'est la thanatologie. Par ailleurs, on constate que la "responsabilisation" de l'indi-

vidu à l'égard de lui-même ainsi que les techniques individuelles de conscientisation relaient avantageusement les pres-
criptions médicamenteuses dans le traitement des détresses
dues au stress du quotidien.

Il apparaît donc que l'esprit peut jouer un rôle de premier
plan dans la guérison. Tout le problème est d'en apprendre
davantage sur ses facultés thérapeutiques.

Troisième partie

•

L'intégration cérébrale

•

Chapitre 7

L'esprit et le cerveau

Dans un de mes vieux dictionnaires figure toute une liste de définitions s'appliquant à l'esprit, liste dont la lecture est en soi passablement déroutante. On y apprend tout d'abord que l'esprit se confond à la "mémoire", et un peu plus loin à "ce qu'on pense". Puis on le décrit comme "une intention ou un désir". Un peu plus loin, il est assimilé à "ce qui ressent, perçoit, décide pense, etc". C'est le "etc." qui me semble le plus savoureux. Car, à partir du moment où un dictionnaire aussi sérieux que le Webster's se résigne à faire usage d'une locution semblable, il cautionne pour ainsi dire notre impuissance quasi générale à définir l'esprit.

La définition numéro sept m'apprend que ce dernier représente "la partie perceptive et pensante de la conscience, distincte de la volonté et de l'émotion". Voilà qui ne laisse pas de m'étonner, puisque je viens de lire à la définition numéro six que l'esprit était "ce qui pense". La définition numéro neuf accroît encore ma confusion puisqu'elle fait de l'esprit la description philosophique suivante: "Élément ou facteur conscient de l'univers; âme; intelligence opposée à la *matière*." Ce qui me déroute, c'est que ce dernier énoncé diffère radicalement de la conception psychologique formulée à la définition numéro dix, où l'esprit est présenté comme

179

"(a) l'ensemble des états de conscience de l'individu et (b) la faculté d'exercer une activité mentale".

Un dictionnaire plus récent et plus conséquent ne m'en apprend guère plus, à ceci près que j'y découvre des définitions de l'esprit plus modernes, et en un certain sens plus familières: "L'intellect dans son état normal; la raison; l'équilibre mental." "Personne douée d'intelligence." "Mode, état ou direction de pensée et de perception." "Ensemble des expériences conscientes d'un individu." Ou encore: "Le conscient et l'inconscient considérés comme un tout; le psychisme."

Ensuite, dans ce qui semble être une tentative de clarification, le dictionnaire consacre un paragraphe interminable à l'illustration des multiples aspects que peut revêtir l'esprit, en expliquant le sens d'une bonne vingtaine de phrases dans lesquelles le mot figure. Ces phrases remplissent une pleine colonne, mais n'ajoutent pas grand-chose, exception faite de deux explications qui ne semblent pas cadrer avec le reste, à savoir que le mot esprit peut encore signifier "oeil de l'esprit" (l'imagination) et "attention qu'on prête à".

Toutefois, c'est la liste des synonymes venant clôturer la rubrique qui souligne le mieux à quel point la notion même d'esprit est complexe. On y découvre en effet les équivalences suivantes: l'âme, l'activité spirituelle, l'intellect, la compréhension, l'opinion, le sentiment, le jugement, la croyance, le choix, l'inclinaison, le désir, la volonté, l'engouement, l'intention, l'impulsion, la mémoire, l'évocation et la réminiscence. Cette énumération ne fait qu'exalter l'immensité, le mystère, l'ineffable, les facultés, le pouvoir et le caractère divin de l'esprit. En somme, l'esprit se confond à tout ce qui fait que l'homme est homme.

Le problème esprit-corps

Sitôt que l'homme a commencé à se demander d'où il tirait son énergie vitale, c'est en ses organes internes qu'il a situé la source de son activité consciente. Au fur et à mesure que s'est perfectionnée la pensée philosophique, les hommes se sont interrogés sur la nature des liens qui unissent l'essence impalpable de l'expérience subjective, c'est-à-dire la conscience, à la substance même de l'être physique. La question de savoir comment l'être physique engendre sa propre conscience d'être, autrement dit l'obsession de percer le mystère de l'esprit-corps, déconcerte les penseurs les plus érudits.

Ce mystère oppose, en effet, aux caractéristiques physiques aisément définissables et mesurables, une qualité de la nature humaine qui, elle, échappe à toute défintion et à toute mesure. Les corps possèdent une masse qui leur est propre, peuvent être pesés, occupent un certain espace. Ce sont là les caractéristiques de ce que nous qualifions de matière. L'esprit, lui, n'a ni masse, ni poids, ni limites spatiales. Pourtant, ce non-objet n'en prend pas moins une réalité quand l'individu prend conscience de sa propre existence et de sa propre identité. Cette conscience d'exister, de se livrer à une activité pensante, d'attribuer un sens à l'expérience vécue, représente l'essence non physique de l'homme, la nature essentielle, incommensurable et inévaluable qui guide toute conduite humaine. Au coeur de ce mystère de l'esprit-corps, la question qui se pose est donc de savoir comment cette nature immatérielle s'est dégagée du substrat de l'animalité pour gouverner le phénomène vital.

L'esprit et la conscience:
La conception des spécialistes

En dépit d'une pléthore de recherches sur le cerveau, l'organisme et le comportement, la science n'a déployé aucun effort sérieux pour explorer la nature ultime de l'esprit. Les psychologues étudient les interéchanges de l'homme avec son milieu. Les sociologues étudient le comportement des groupes humains et les effets exercés par les autres sur l'individu. Quant aux sciences médicales et biologiques, elles se préoccupent uniquement de la nature physique de l'homme ou de l'animal. Mais nul ne se soucie d'étudier spécifiquement l'esprit, bien que tout le monde s'accorde pour admettre que

ce que nous appelons ainsi est un produit de l'activité cérébrale. (En fait, les outils les plus précis en vue d'une documentation sur les changements physiques du cerveau ont été
façonnés grâce à l'action conjuguée de la neurologie, de la
neurophysiologie et de la neurochimie.)

La complexité et la richesse des réseaux nerveux répartis
à travers l'organisme, ainsi que la relation hautement énigmatique qui unit le corps au comportement, ont attiré l'attention des plus brillants de nos biologistes. Or, les moyens
dont ils se sont dotés pour étudier le cerveau sont proprement
inimaginables. Neurochimistes et neurohistologistes ont
réussi à isoler maintes et maintes molécules et substances
complexes à partir de cellules microscopiques. De leur côté,
les neurophysiologistes peuvent à présent intervenir sur une
cellule nerveuse unique pour mesurer son activité électrique à
l'aide de micro-électrodes. Enfin, les endocrinologistes sont
aujourd'hui en mesure de suivre le déroulement d'une infime
réaction chimique à l'intérieur même d'une cellule.

Les disciplines neurologiques ont mis en évidence un
grand nombre de changements systématiques survenant dans
les neurones quand l'information est véhiculée à travers les
réseaux nerveux de l'organisme. On sait, par exemple,
comment se produisent dans les nerfs certains changements
électrochimiques quand une information visuelle, tactile, ou
d'une autre nature, est transmise au cerveau. On sait à peu
près quelle aire du cerveau reçoit l'information, l'analyse,
déclenche l'action appropriée à la donnée enregistrée. On sait
également comment l'information commandant l'action est
transmise en retour aux organes effecteurs.

Compte tenu de leur prodigieux acquis de connaissances
sur l'anatomie et la physiologie, les sciences médicales et psychologiques peuvent aisément rendre compte des effets de
l'esprit-cerveau sur le comportement et les phénomènes
organiques. Étant donné que le cerveau et le corps sont l'un et
l'autre composés de substances physiques et sont physiquement reliés, tout ce qu'ils peuvent produire dans le
domaine du comportement, de la sensation et de l'idéation
procède uniquement de réactions physiques. Les récepteurs

nerveux réagissent aux changements de l'environnement et acheminent les messages électrochimiques, porteurs d'information, aux mécanismes nerveux coordinateurs situés dans les centres cérébraux, lesquels provoquent les réajustements organiques appropriés aux conditions de l'environnement.

C'est sur la connaissance de ces phénomènes élémentaires se déroulant dans l'intimité des neurones cérébraux et des différents systèmes nerveux que se fondent la plupart des théories modernes de l'esprit-cerveau. Selon la conception qui aujourd'hui fait autorité, les réactions supérieures et acquises, caractéristiques des échanges sociaux complexes, ne sont que des versions élaborées de réactions instinctuelles; mais elles mobilisent l'organisme physique de façon identique. La plupart des théories explicatives de l'esprit-corps concluent que l'esprit, de même que toutes ses fonctions constitutives (conscience, conscientisation, idéation), résulte purement et simplement de combinaisons spécialisées, associant des activités cérébrales physiques, responsables des perceptions et des souvenirs, à la faculté dont disposent les cellules nerveuses d'instituer certains changements à partir de l'expérience vécue et d'exécuter mécaniquement des programmes de comportement imprimés dans le tissu cérébral, à la façon d'un ordinateur.

Il reste que ces conclusions, pour populaires qu'elles soient, relèvent davantage de l'hypothèse que de la certitude, puisqu'on ignore encore, et qu'on ignorera vraisemblablement toujours, comment l'information électrochimique véhiculée par les nerfs et le cerveau est convertie en concepts, en conscientisation et en expériences conscientes.

De l'activité cérébrale à la conscience: Les théories

En élaborant leurs théories de l'esprit, de la conscience et de l'activité cérébrale, les spécialistes du cerveau et du comportement semblent merveilleusement oublier qu'il n'existe aucune preuve *directe* que l'activité des neurones et des cellules cérébrales soit la cause et le substrat de l'esprit, même si d'évidence tout plaide indirectement en faveur de cette hypothèse. Il n'en reste pas moins que ces scientifiques échafaudent des théories interprétant l'esprit et la conscience par l'action mécanique des nerfs et des faisceaux nerveux et reposant sur la hiérarchisation de l'activité cérébrale, à partir du réflexe élémentaire jusqu'aux fonctions mentales complexes. Mais aucune de ces théories n'a été en mesure d'esquisser une explication cohérente de l'expérience intérieure consciente; celles qui font autorité de nos jours rejettent ou ignorent purement et simplement deux caractéristiques spécifiquement humaines de l'esprit conscient: l'expérience subjective et le libre arbitre.

La pierre d'achoppement majeure de ces théories est représentée par le fait, passablement gênant à vrai dire, que l'ensemble de la production cérébrale est fort différent de la somme de ce que produisent les parties constitutives du cerveau. Car si ces différentes parties sont autant de microcosmes, le cerveau-esprit considéré comme un tout n'est rien de moins qu'un macrocosme, dont la complexité est celle d'un véritable univers. Or si nous savons comment les parties fonctionnent, les théories s'épuisent à expliquer comment ces composantes physiques peuvent devenir ces touts impalpables que nous qualifions d'esprit et de conscience.

L'interprétation de la conscience la plus couramment répandue parmi les physiologistes contemporains qui étudient l'esprit ou le comportement, et dont les travaux comme les convictions dictent l'attitude des psychophysiologistes, est représentée par la théorie dite de l'identité ou par une de ses variantes. Cette théorie affirme — mais sans preuve décisive à l'appui — que les opérations mentales et les processus physiques qui s'accomplissent dans le cerveau sont une seule et même chose. Une variante de cette conception, la théorie dite du parallélisme psychoneural, laisse entendre que le vécu subjectif et les événements psychiques ont pour cause l'activité des neurones et se déroulent parallèlement à elle, alors que l'activité subjective n'influence en rien les processus physiques du système nerveux. Autre variante de la théorie de l'identité: l'isomorphisme. Il s'agit d'un concept gestaltiste selon lequel il existe une corrélation étroite entre l'expérience consciente et les phénomènes affectant le substrat physique de la conscience (le cerveau), mais sans pour autant que les deux processus soient identiques.

Exception faite des spécialistes de la question, n'importe qui est à même de percevoir l'incroyable inconsistance de ces prétendues "théories", qui ne sont que des moyens scientifiquement édulcorés d'exprimer à peu près ceci: "L'activité consciente est certainement en relation avec le cerveau d'une façon ou d'une autre, mais nous ignorons complètement en quoi consiste cette relation." Quand, dans une perspective réductionniste, la science étudie l'esprit comme s'il se décomposait en unités de perception sensorielle et en données résultant d'un apprentissage mécanique, elle ignore obstinément une évidence, à savoir que le processus mental global est sans équivoque possible entièrement différent de ce qui résulte de l'addition et de la conjugaison de processus indépendants tels que la perception, la mémoire, la logique et le jugement. La science est incapable d'appréhender l'esprit dans sa globalité, avec ses caractéristiques très particulières que ne peuvent expliquer ni la connaissance des fonctions cérébrales, ni une quelconque et superficielle analyse du comportement. La conscience, la volonté, l'intention, l'imagination, la faculté d'abstraction, qui toutes contribuent à former et à synthétiser des concepts ou à imposer un ordre à la nature, sont des propriétés de l'esprit global et non pas des propriétés de l'une ou l'autre des parties constitutives de l'esprit ou du cerveau.

Deux questions gigantesques se posent à propos de la conscience et de la pensée. Deux questions qui peut-être demeureront éternellement sans réponses. La première peut être ainsi formulée: comment les opérations physiques de l'organisme — de la captation des sensations par les récepteurs sensoriels logés dans les orteils aux échanges labyrinthiques de l'information s'accomplissant dans le cerveau lors de l'idéation — se traduisent-elles en expérience consciente? La seconde, qui risque elle aussi de se dérober indéfiniment à toute tentative d'explication, est de savoir comment les modifications électrochimiques intervenant dans les cellules nerveuses transmettent une information signifiante. Autrement dit, comment l'information perçue par les récepteurs nerveux du corps converge-t-elle vers la substance cérébrale pour devenir contenu de pensée.

Roger Sperry a proposé une conception de la nature de l'activité consciente qui tend à concilier les deux aspects objectif et subjectif de l'esprit. Cette conception compte parmi les plus neuves et les plus convaincantes. Cet auteur, considéré comme un pionnier de la recherche en matière de "dédoublement du cerveau", poursuit activement et depuis fort longtemps des travaux dans le domaine de la psychologie et de la psychophysique expérimentales. Ils constituent un fonds de données infiniment plus riches que l'acquis proposé par la plupart des scientifiques qui s'évertuent à jongler avec les théories du cerveau automatisé. Sans doute mû davantage par la probité intellectuelle que par le souci de satisfaire à une mode, Sperry a confronté les problèmes que pose la conscientisation aux données scientifiques disponibles et mis le doigt sur les insuffisances des théories avancées par les adeptes de l'interprétation mécaniste. Ainsi fait-il remarquer, comme je viens moi-même de le faire, qu'aucune preuve ne plaide en faveur des théories comportementales et matérialistes de l'esprit et de la conscience.

Pour Sperry, la conscience serait une propriété évolutive du cerveau, procédant des structures et des dispositions de cet organe et agencée de telle sorte que les interactions cérébrales ne préjugent en rien de la nature des phénomènes de conscience. En d'autres termes, le phénomène de conscientisation, propre au cerveau, résulterait de facultés supérieures à la somme des facultés dont sont dotées les différentes aires cérébrales mises en jeu*.

---

* La pensée de Sperry repose donc sur les relations qui existent entre esprit et cerveau. Pour sa part, Konrad Lorenz a formulé une théorie explicative de l'évolution de l'esprit qui conforte indirectement les conceptions de Sperry (nous en reparlerons au chapitre 9).

Le modèle proposé par Sperry pour expliquer le mode de relation esprit-cerveau se fonde sur les données de la recherche neurologique. Il en tire la conclusion que le phénomène interne de la conscientisation fait partie intégrante de l'activité cérébrale. Selon moi, il ne s'agit pas seulement là d'un modèle vérifiable, mais d'un modèle bel et bien vérifié, et dont la validité a été parfaitement établie. En effet, toutes les techniques nouvelles d'éveil de la conscience, d'auto-suggestion, de représentation mentale et de méditation viennent confirmer avec le temps l'aptitude de l'esprit et des changements d'états de conscience à retentir sur les opérations physiques du cerveau et de l'organisme.

Quelques extraits des publications de Sperry éclaireront davantage les thèses qu'il soutient. "Les phénomènes mentaux construits à partir d'événements neuroniques, écrit-il, sont conçus pour agir comme des entités dynamiques de l'organisation cérébrale, interagissant dans la fonction cérébrale à leur propre niveau." Puis, ajoute-t-il, "tout indique qu'une interaction mutuelle s'accomplit entre événements neuroniques et événements mentaux". "Les propriétés et les phénomènes subjectifs de l'esprit, écrit-il encore, ont pour fonction, en tant que déterminants de la causalité, d'exercer un contrôle au plus haut niveau. C'est en ce sens que l'esprit intervient sur la matière à l'intérieur même du cerveau."

Des conclusions semblables, déroutantes pour les adeptes de la théorie mécaniste, sont en grande partie dictées à cet auteur par les spectaculaires recherches qu'il a menées sur des sujets humains chez lesquels toute communication entre les hémisphères cérébraux avait été interrompue, pour des raisons thérapeutiques, à la suite d'une intervention chirurgicale. Sperry devait ainsi découvrir que certaines prises de conscience ne pouvaient s'effectuer que si l'information sur l'environnement était fournie (visuellement) à l'hémisphère dominant (généralement le gauche), alors qu'elles ne s'effectuaient pas si l'information était fournie à l'hémisphère non dominant. Cet apparent confinement de la conscience dans un seul hémisphère se produit en dépit du fait que l'autre (l'hémisphère non dominant) est tout aussi capable de comprendre l'information perçue, de la juger et d'activer des réponses parfaitement adéquates et harmonieuses à une sollicitation d'intervention, le tout en l'absence de conscience lucide. En effet, chez les patients dont la communication interhémisphérique a été interrompue, quand par exemple on fournit à l'hémisphère non dominant (ordinairement le droit) une information requérant une réponse spécifique, on constate que la réponse qu'ils donnent est non seulement appropriée à la demande, mais intelligente, bien qu'elle ait été élaborée en dehors de toute conscience claire et de toute intentionnalité de réponse.

Ce qui se dégage des expérimentations de ce genre, c'est que, quelle que soit l'activité cérébrale de synthèse qui s'accomplit dans l'hémisphère non dominant, cette activité ne devient consciente qu'à partir du moment où les événements en cause sont transmis à l'hémisphère dominant. Considérant que les patients de Sperry ne pouvaient pas être conscients de leurs actes — quel qu'eût été le degré de "raison" et d'"intelligence" de ces actes —, il faut donc bien admettre que ce n'est pas leur hémisphère non dominant qui décidait d'une action volontaire et que l'activité volontaire décisionnelle et exécutoire était en l'occurrence exercée ou contrôlée par un processus nerveux ayant pour siège l'hémisphère dominant.

Ce qui complique les choses, c'est qu'ici la conscientisation, l'intention (ou direction "intelligente" du comportement) et l'activité décisionnelle sont considérées comme synonymes de conscience, ou plutôt de conscience de soi, et que cette façon de voir les choses a largement tiré avantage d'un consensus tacite selon lequel intelligence, conscience et prise de conscience de soi relèvent de la seule activité de l'hémisphère dominant. Scientifiques et philosophes commettent une fâcheuse méprise qui ne laisse pas de surprendre en définissant de façon tout à fait imprécise des aires qui, au contraire, exigeraient d'être définies avec une absolue précision. Quand ils dissertent de la "conscience", les spécialistes de l'activité mentale et cérébrale omettent bien souvent de nous préciser de quoi ils parlent au juste, oubliant, semble-t-il, que le spectre des phénomènes de conscience s'étend de l'inconscient primitif à la conscientisation explicitement définissable.

En analysant l'oeuvre et la pensée de Sperry, par exemple, sir John Eccles se fonde sur les différences qui existent entre les activités propres à chaque hémisphère pour signaler que l'hémisphère non dominant est largement comparable au cerveau d'un animal supérieur et que, par ailleurs, il est littéralement dépourvu de tout moyen de communiquer avec le moi conscient — car incapable d'autoconscientisation. Voilà qui serait à la rigueur convaincant, si cette analyse critique n'abordait pas simultanément des évidences expérimentales qui suggèrent exactement le contraire.

Sir John Eccles mentionne par exemple les expérimentations au cours desquelles Sperry demandait à des sujets dont le cerveau avait été "dédoublé" d'accomplir une certaine tâche ne pouvant être exécutée qu'en vertu d'une "directive" émanant de l'hémisphère non dominant, l'ordre d'accomplir cette tâche ayant été formulé de telle sorte que seul ce même hémisphère pouvait l'intercepter. Concrètement, on apprenait à ces sujets à se saisir du billet de un dollar placé devant eux quand on leur présentait l'image d'un billet identique (image enregistrée par leur hémisphère non dominant). Or, quand on substituait des pièces aux billets, les sujets se comportaient de façon semblable, c'est-à-dire en se saisissant d'elles. De la même façon, si l'on entraîne un sujet à se saisir d'un réveil quand on fait enregistrer une photographie de réveil par son hémisphère non dominant et que, à cet instant précis, aucun réveil ne se trouve à sa portée, le sujet se saisira de l'objet disponible qui s'en rapproche le plus, une montre d'enfant en matière plastique, par exemple. Dans son analyse critique, Eccles décrit cette faculté comme une aptitude de "l'hémisphère mineur à programmer une délicate performance stéréognostique", autrement dit à assumer une fonction propre au "cerveau de l'animal supérieur".

J'ai bien peur que Eccles ne commette une injustice, à l'endroit des êtres humains comme des animaux supérieurs.

Dans l'étude à laquelle il se réfère, les sujets, on vient de le dire, étaient affectés d'un défaut de communication entre leurs hémisphères. Mais on leur avait aussi retiré l'usage des centres cérébraux responsables du langage. Pourtant, non seulement ils étaient capables de conceptualiser la tâche qui était exigée d'eux mais encore, à partir du moment où les outils permettant d'accomplir parfaitement la tâche requise leur étaient retirés, leur cerveau "non conscient" se chargeait de prendre la décision la plus propre à satisfaire aux exigences de l'expérimentation. Cette opération "inconsciente" témoigne donc bien d'une faculté de décision et d'exécution que Eccles attribue exclusivement à l'hémisphère dominant.

Sperry, lui, soutient que l'hémisphère non dominant est le siège d'"un autre esprit". Et je tombe d'autant plus volontiers d'accord avec lui que cet esprit *inconscient* révèle aussi d'extraordinaires aptitudes qui *jamais* n'affleurent à la conscience claire.

L'interprétation de Eccles me semble donc fort sujette à caution. En tout état de cause, celle qu'avance Sperry est passablement différente, puisque selon lui chacun des deux hémisphères *contribue* au dévelopement de la conscience individuelle et de l'intention par divers types d'opérations mentales. Ainsi, l'hémisphère non dominant se chargerait d'analyser et de synthétiser les concepts, puis de promouvoir le comportement approprié, alors que de son côté l'hémisphère dominant fournirait les éléments qui mettent en relation la discrimination consensuelle et la synthèse conceptuelle avec la conscience ontologique du vécu. Aucune opération mentale ne peut donc être à la fois conceptuelle et appropriée si ne se produit pas un continuel échange d'information entre les hémisphères. Faire le choix d'une pièce de monnaie, par exemple, alors qu'on demande au sujet de prendre un billet de un dollar et qu'aucun billet de ce genre n'est disponible, signifie que cette réponse (qui est en soi une approximation d'action adéquate) n'a pu être élaborée que par le biais et d'une conceptualisation judicieuse et d'une opération ontologique de conscientisation. L'action ne peut donc intervenir que si au préalable se forme un concept bien défini de ce que doit être la réponse appropriée, concept *couplé* à une conscientisation, lucidement perçue ou non, du seul ego qui soit capable d'exécuter la réponse fournie.

Nous ne serons peut-être jamais en mesure d'expliquer totalement comment conscience et langage s'articulent, mais s'il s'avère que les structures du discours ne relèvent que de l'hémisphère dominant, il se pourrait fort bien aussi que la nonconscientisation par l'individu de ses propres actes (dans les cas de "dédoublement" cérébral) signifie que le langage est exclusivement lié aux mécanismes de la conscientisation et non pas nécessairement à d'autres aspects de l'activité consciente. La conscience de son propre corps par une opération de l'inconscient est certainement indispensable à la production d'activités coordonnées et directionnelles. Tout laisse à supposer par ailleurs, eu égard à l'extraodinaire profusion de circuits dont le cerveau dispose, qu'avec l'expérience les patients qui sont affectés d'un dédoublement cérébral peuvent avec le temps faire l'*apprentissage* de la conscientisation ontologique, exactement comme les chimpanzés assimilent la symbolique humaine.

En somme, si l'hémisphère non dominant est capable de percevoir qu'une tâche doit être exécutée et s'il est capable de la mener à bien sans qu'intervienne le pouvoir de conscientisation de l'hémisphère dominant, c'est donc que l'inconscient a lui aussi le pouvoir de conscientiser l'information perçue; c'est donc qu'il peut traiter logiquement cette information, l'évaluer et la juger; c'est donc qu'il détient la faculté de prendre des décisions et de les exécuter. Le fait que ces différentes opérations ne puissent pas même être communiquées à l'ego n'implique pas que l'organisme soit incapable de les identifier. Car il est bien évident que l'hémisphère "dépourvu de conscience" perçoit comment l'ego (le "Moi") a été sollicité et pourquoi il n'a pas entrepris la moindre action significative. Il est clair que la conscience lucide n'est pas indispensable quand il s'agit de synthétiser de façon très élaborée les relations unissant les exigences de l'environnement aux réponses appropriées qui leur sont fournies. Tout comme il est clair que de telles synthèses ne font pas seulement l'objet d'une évaluation subjective ou biologique mais sont aussi mises en mémoire, où elles demeurent disponibles.

Voici quelques années, un autre physioneurologue de premier plan, Wilder Penfield, devait lui aussi rejoindre les rangs des adeptes d'une nouvelle conception révolutionnaire de l'esprit. Un ouvrage*, publié peu de temps avant sa mort, résumait les conclusions tirées de toute une existence consacrée à l'étude scientifique du cerveau. "Il n'est nullement évident, écrivait-il,... que ce soit le cerveau seul qui exécute l'oeuvre de l'esprit."

Vient ensuite une mise en garde: il dénie aux hommes de science le droit de tirer des conclusions définitives de l'étude de l'homme avant qu'on ait découvert la véritable nature de l'énergie responsable de l'activité mentale. Un tel réalisme à propos de la relation esprit-cerveau incline bon nombre de chercheurs à douter qu'un jour on soit en mesure d'expliquer cette énergie. Si tant est que nous partagions cette façon de voir, nous voilà donc réduits à ne plus émettre que des conjectures répétées pour faire avancer la connaissance que nous avons des opérations de l'esprit.

Car les interprétations que donnent les scientifiques des interactions esprit-corps ne sont rien que des conjectures, qui par tradition n'ont acquis une certaine validité que parce qu'elles sont précisément réputées "scientifiques". La création et l'acceptation des concepts entourant l'esprit relèvent de phénomènes fort complexes. Car d'un côté les spécialistes de ces questions tirent avantage de l'ingénuité ou du manque d'expérience de leurs collègues et de l'opinion publique quand ils s'autorisent de l'extrapolation de certaines données pour échafauder leurs théories. Et de l'autre, il est bien évident que, si l'acceptation d'idées inconsistantes résulte de la crédulité comme de l'ignorance, il faut, semble-t-il, en voir la principale raison dans "le besoin infantile d'une dépendance quelconque et le désir de s'en remettre à des chefs et à des dogmes autocratiques", comme l'a bien vu Franz Alexander

---

* Wilder Penfield, et autres. *The Mystery of the Mind*, Princeton University Press, Princeton, N.J., 1975.

à propos de notre société aux prises avec les rapides progrès de la science.

Le plus triste de l'affaire, c'est que notre manque d'information et notre confusion sont à peu près les mêmes qu'il y a plusieurs siècles. À l'époque où la science a acquis ses lettres de noblesse pour asseoir son autorité sur la pensée, elle a englobé le corps et l'esprit en un concept unitaire, affirmant que, dans un cas comme dans l'autre, il était question d'une entité matérielle constituée d'une seule pièce. Mais la dualité que la science tentait d'abolir tenait bon. À ceci près que, cette fois, c'était la société qui se trouvait divisée en deux factions. Car si la science est convaincue que l'esprit n'est rien d'autre que le produit des réactions physico-chimiques des cellules nerveuses, la majeure partie de la société demeure persuadée que l'esprit est immatériel, qu'il consiste en une énergie unique, insaisissable, ultra-sensible et que, même s'il procède du tissu cérébral, il n'en conserve pas moins une certaine liberté d'action qui lui donne en fait le pouvoir d'intervenir sur l'activité du cerveau. Nous avons déjà vu que certains représentants parmi les plus doués de la science contemporaine sont bien près de partager pareille conception mystique, que cette fois ils ne doivent qu'à leur propre démarche scientifique rigoureuse.

Percer l'esprit, c'est comprendre l'homme

Comme je l'ai fait remarquer dans une page qui précède, il se pourrait fort bien que notre civilisation considère un jour les années 70 comme l'époque où science et religion auront pour la première fois reconnu et admis que l'esprit représente l'énergie et le pouvoir suprêmes de l'espèce humaine. Dans toute l'histoire de la science, bien peu de faits sont comparables à la découverte du pouvoir régulateur exercé par l'esprit sur les fonctions organiques, normales ou anarchiques.

Cette révélation des pouvoirs de l'esprit occulte une autre découverte tout aussi révolutionnaire, laquelle consiste

193

en une nouvelle interprétation de l'activité mentale, interprétation à ce point extraordinaire que sa pleine signification échappe encore aux praticiens et thérapeutes, qui pourtant font couramment appel au contrôle exercé sur le corps par l'esprit. Car la conclusion irrécusable de ce phénomène, c'est qu'il nous faut bien admettre que l'esprit possède la faculté de gouverner l'organe duquel il procède: le cerveau.

Il est communément admis que l'esprit (en tant que produit de l'activité cérébrale) peut exercer une régulation sur ses propres activités (mentales). C'est sur cette notion que reposent la psychothérapie, l'éducation et le développement de la compréhension. Mais que l'esprit puisse également intervenir sur les fonctions électrochimiques naturelles du cerveau, voilà une idée que la science n'accepte pas de gaieté de coeur.

Au dernier chapitre de ce livre, nous reviendrons amplement sur cette influence que l'esprit exerce sur les activités physiques de l'encéphale. Contentons-nous pour l'instant de noter le dédain dont la science entoure une qualité capable de surdimensionner "l'esprit indépendant du cerveau", qualité qui lui est pourtant inhérente, et de faire remarquer au passage que ce dédain est peut-être responsable de bien des difficultés particulières.

Ce désintérêt scientifique pour la nature même de l'esprit est parfaitement perceptible si l'on considère que chaque secteur de la société dénonce de plus en plus véhémentement les problèmes d'un quotidien difficile à vivre. La criminalité ne cesse de croître de façon régulière, et aussi sa violence; les abus de médicaments se multiplient sans que les efforts scientifiquement déployés pour y mettre un terme s'accompagnent du moindre effet; la jeune génération se plaint de recevoir un enseignement totalement inadapté; les demandes d'enquête sur la corruption de tel ou tel fonctionnaire sont devenues monnaie courante; de subtils détournements de fonds se pratiquent tous les jours; l'art — qu'il s'agisse de musique, de peinture ou de littérature — n'obéit plus qu'à des considérations strictement commerciales; l'amour du travail bien fait est bel et bien mort, relayé par le médiocre, le bâclage; les ressources naturelles sont saccagées sans la moindre retenue, que ce soit par les individus, les industries ou les gouvernements. Quant au genre humain, son inhumanité ne cesse de grandir. Enfin, l'influence de plus en plus forte qu'exercent ces comportements destructeurs est de moins en moins compensée par d'autres comportements tournés vers l'amélioration de la condition humaine.

Les tentatives "scientifiques" de compréhension, et donc de traitement des conduites sociales inadaptées, relèvent pour la plupart de l'absurdité, vu que les corps de science concernés par ces questions attribuent essentiellement les désajustements sociaux à deux facteurs: un dérèglement des activités biochimiques du cerveau, justiciable d'un rééquilibrage médicamenteux, et un environnement *extérieur* à l'individu perturbé. Mais en aucun cas on ne prend en considération les mécanismes internes de l'esprit. Il est relativement simple d'inventorier les influences exercées sur l'individu par son environnement: foyer désuni, pauvreté, criminalité ambiante, éducation négligée, mauvaise santé due aux conditions de vie, pressions de l'entourage, ainsi qu'une multitude de contraintes désastreuses infligées par la société aux moins aptes et aux moins bien nantis. Et, bien sûr, il va de soi que ces conditions d'existence débilitantes provoquent confusion d'esprit et instabilité chez ceux qui en sont les victimes sans défense. Bien sûr, il va aussi de soi que le meilleur remède à certains comportements perturbés consisterait à modifier le contexte social, comme le font chaque fois qu'ils le peuvent les psychologues ou les conseillers des services sociaux.

Mais, de quelque façon qu'on manipule l'environnement social pour modifier un comportement perturbé résultant de conditions extérieures détestables, le traitement restera totalement inopérant si l'individu ne s'imprègne pas des valeurs culturelles d'intégration sociale que lui propose son nouvel environnement, c'est-à-dire si ce n'est pas de son esprit qu'il se sert pour comprendre les règles de sa propre survie. En fait, tout dépend bien davantage de la façon dont il va s'accommoder de l'environnement dans lequel il est plongé, de la façon dont il va apprendre à contrôler sa relation à cet environnement, que des modifications environnementales qui auront été introduites. Bon nombre de gens perturbés du fait d'un contexte misérable et débilitant n'en adoptent pas moins un comportement qui seul leur permet de survivre, compte tenu de la corruption de leur milieu. C'est pourtant dans les cas semblables que l'individu révèle pleinement son aptitude mentale à définir et à comprendre le problème que pose sa survie sociale. Le fait que le reste de la société, à qui ce type d'environnement pénible est parfaitement étranger, n'ait qu'une bien piètre idée des solutions qu'exigent les problèmes sociaux ainsi posés ne fait tout simplement que confirmer l'ignorance dans laquelle nous sommes du fonctionnement de l'esprit, ainsi que notre incapacité à reconnaître une activité mentale intelligente à partir du moment où le produit de cette activité nous semblerait inacceptable dans un contexte social différent.

Veut-on interpréter les comportements inadaptés par un dérèglement pathologique? On invoque généralement un second facteur explicatif tout aussi solidement implanté dans les esprits: l'usage des médicaments que l'individu absorbe, précisément pour corriger les troubles comportementaux que lui causent les dysharmonies sociorelationnelles.

Il m'a toujours semblé totalement illogique de traiter les abus médicamenteux par la prescription d'autres médicaments. Je ne veux pas dire que cette façon de considérer le problème ne soit pas un mal nécessaire, eu égard à la conception dominante qui entoure les activités mentales. Mais il me semble que s'obstiner à prescrire des drogues pour soigner les abus de drogues, alors que n'importe qui est à même de constater qu'une telle attitude thérapeutique ne s'accompagne d'aucun effet, aurait dû amener depuis bien longtemps praticiens et psychologues à comprendre ceci: si l'individu fait une consommation excessive de substances médicamenteuses, c'est uniquement pour fournir à son esprit quelque chose que celui-ci n'a pas appris à créer de lui-même. On constate par exemple que certains drogués bénéficient d'une rémission totale à partir du moment où ils s'adonnent à la méditation, c'est-à-dire découvrent un autre moyen socialement acceptable d'explorer les merveilles de leur propre esprit.

Les cabinets des psychothérapeutes et des psychiatres, tout comme les centres institutionnels de la santé mentale, sont remplis de patients qui abusent de médicaments. Leur esprit a été "tranquillisé" au point même de ne plus jouer son rôle normal et les fonctions divines de leur intellect ont été malmenées par les agents étrangers au point d'en être anéanties. De ce fait, la triste réalité qui s'impose, c'est que le peu que nous savons des opérations mentales n'a incité notre société ni à former des "praticiens de l'esprit", ni à créer des organismes susceptibles de remédier aux défaillances de l'intellect.

Aussi l'esprit nous joue-t-il de nos jours des tours incompréhensibles. La vogue de la cocaïne, par exemple, est à l'origine d'une nouvelle catégorie de drogués (du même type, vraisemblablement, que ceux qui usent et abusent de l'alcool), lesquels se recrutent parmi les nantis, la génération "jet" et les extravertis. Un phénomène réservé aux "gens bien", en somme. Une permissivité récente, assortie d'une certaine logique, a transformé l'engouement relativement innocent pour la marijuana et l'alcool, dont les effets se marquent par une transposition passagère de l'activité mentale, en un attrait pour cette substance chimique qu'est la cocaïne, dont les effets consistent en une stimulation mentale à plus long terme qui déconcerte passablement les spécialistes. Car la cocaïne, telle qu'on en use pour modifier l'état d'esprit, n'entraîne pas d'accoutumance biologique au sens où on l'entend, pas plus qu'elle n'exerce le moindre effet contraire, si ce n'est peut-être de provoquer chez le drogué un extraordinaire bien-être alors que tout laisse à penser qu'il n'a aucune raison de se sentir euphorique.

En tout état de cause et du fait que nous en savons bien peu sur les opérations de l'esprit, la communauté humaine n'est pas seulement déroutée par le phénomène de la cocaïne, mais plus encore épouvantée par lui, *du fait qu'elle ignore ce qui se passe dans l'esprit*. L'absence d'une étude systématique de l'esprit en tant que tel ne fait qu'attiser la peur; l'ignorance, elle, nourrit une controverse sociale improductive, quand elle n'impose pas de restrictions aux activités relationnelles. Il aura fallu une bonne dizaine d'années d'études systématiques sur l'usage de la marijuana pour que cette drogue soit replacée dans son véritable contexte social, encore que les jugements portés sur sa relative "innocuité" tablent généralement sur ses effets physiologiques et non mentaux.

Il se pourrait que le besoin d'en savoir davantage sur l'esprit soit en fait un besoin désespéré. Car pour mieux savoir comment tirer parti de l'esprit, il importe avant tout de le mieux connaître. Mais pour que soient comblées les aspirations de l'homme à comprendre son esprit et ses capacités mentales, encore faudrait-il que nos penseurs décident d'examiner la question en ne tenant compte ni des préjugés hérités de la tradition scientifique, ni des tendances auxquelles il est de bonne politique de se conformer.

Si les médecins et psychologues sont offusqués par l'idée que "l'esprit est quelque chose de plus que le cerveau" et s'ils prétendent que l'esprit n'existe pas en dehors des cas où c'est à son activité inconsciente qu'on peut attribuer un dérèglement affectif ou psychosomatique, existe-t-il alors une justification scientifique au fait que ce que nous appelons l'esprit soit un attribut de l'homme, fonctionnant en semi-autonomie et tirant son existence de la substance cérébrale, un peu comme une fleur s'affranchit de la graine d'où elle est née ou comme un enfant se développe en dehors de ses géniteurs?

Doit-on par ailleurs accréditer et tenir pour logique le point de vue selon lequel les mystères et le pouvoir de l'esprit résident dans un inconscient doué d'une prodigieuse intelligence, mais fonctionnant à la manière d'un sous-ensemble mental dont le rôle serait d'inhiber chez l'individu la conscientisation de *soi* durant le processus évolutif de l'espèce, quelque chose comme un outillage de survie qui, chez l'homme moderne, aurait perdu son importance en tant que tel?

Ces deux questions, j'en suis convaincue, appellent des réponses affirmatives. Les preuves abondent pour démontrer que l'activité mentale inconsciente est une activité efficiente, intelligente, et que les fonctions intellectuelles de l'esprit modifient indiscutablement dans son intimité la substance nerveuse qui elle-même donne naissance à l'esprit et à ses opérations.

D'où la nécessité de replacer l'esprit et ses facultés dans un cadre de compréhension cohérent, qui nous permette de nous extirper de la prison où nous ont confinés des disciplines scientifiques essentiellement préoccupées de notre nature physique. Les masses de connaissances dont nous disposons sur l'esprit et sur la nature de l'homme n'ont fait l'objet d'aucune tentative de mise en ordre et d'unification, sauf peut-être quand il s'est agi de répertorier certaines entités systémiques ou certains traits de comportement relativement mineurs. Mais bien peu d'hypothèses ont été avancées pour expliquer comment des unités systémiques segmentaires se conjuguent pour former un être ou un esprit humain. Si nous voulons formuler une conception neuve de l'esprit — considéré en tant qu'*esprit* régissant la nature humaine et non plus en tant que produit de la substance cérébrale organique —, il importe donc de réorganiser les connaissances dont nous disposons d'ores et déjà sur l'esprit-cerveau et, une fois remises en ordre ces données, d'analyser les conclusions qui naturellement s'en dégagent. Il urge donc pour la science de procéder à un réexamen d'ensemble systématique de ce que nous savons aujourd'hui de l'esprit *comme* du cerveau.

•

Chapitre 8

La genèse de l'esprit

La perspective évolutionniste

Au moment où j'entrepris de découvrir si l'on pouvait se prévaloir de la connaissance scientifique pour considérer l'esprit comme une entité distincte de l'ensemble fonctionnel représenté par le cerveau biologique (encore que cette entité procède et se nourrit de lui), je me rendais bien compte des bizarres inconsistances inhérentes aux théories proclamant que le cerveau et l'esprit sont invariablement en étroite corrélation, voire qu'ils sont identiques en nature. Mais je ne percevais pas encore à quel point ces théories étaient vulnérables.

Tant les unes que les autres, les sciences qui étudient l'être humain et son activité mentale font prévaloir l'idée que l'esprit et le cerveau sont une seule et même chose, que ce que le vulgaire appelle esprit n'est rien d'autre qu'une manifestation externe de la communication de nature électrochimique s'effectuant à travers les réseaux nerveux. Une telle façon de considérer les choses est tout particulièrement nourrie par une donnée d'observation évidente, à savoir que, au cours de l'évolution des êtres organisés, des fonctions physiologiques et des structures anatomiques de plus en plus compliquées se sont développées du fait que de telles innovations adaptatives étaient seules à pouvoir garantir la survie dans des conditions et des écosystèmes changeants. D'un point de vue scientifique, la remarquable similitude qui, d'un bout à l'autre du règne animal, existe entre substance nerveuse et faisceaux de nerfs que l'on voit évoluer pour constituer l'encéphale, a été interprétée comme la preuve que ce que nous nommons l'esprit, peu importe le degré de son perfectionnement, n'est rien de plus que le résultat de l'activité biologique du cerveau.

Pour faire la preuve de l'évolution du cerveau, on fait généralement appel à l'étude de l'évolution des différents sytèmes nerveux de l'organisme, qui s'organisent et se développent de façon autonome pour remplir des fonctions bien spécifiques, telles que la perception des sensations, la mémorisation, l'activité réflexe et instinctive, ou encore à l'étude des autres systèmes physiologiques, qui tous semblent programmés par des substances chimiques héréditairement transmises. Il est vrai, d'ailleurs, qu'une indéniable progression se révèle quand on observe de quelle façon se perfectionnent et s'enrichissent les structures anatomiques et les fonctions de toutes les parties constitutives du cerveau et du système nerveux central, depuis les espèces les plus simples jusqu'aux plus évoluées. L'évolution des systèmes biologiques rendant possibles des fonctions telles que la vue, l'ouïe, le toucher, la spécialisation musculaire, les conduites élémentaires et instinctives, s'accomplit de façon si méthodique et si ordonnée que toute étude systématique du phénomène évolutif semble imposer cette conclusion: si le comportement et l'intelligence ont progressé comme le montre l'observation — c'est-à-dire du simple au complexe —, c'est précisément parce que leurs substrats physiques ont évolué de façon parfaitement méthodique. La correspondance étroite, et presque invariable, que sur des millions d'années d'évolution on observe entre structures anatomiques et attitudes comportementales est d'une telle constance que, pour les scientifiques, il est inconcevable d'attribuer le comportement, l'intelligence et "l'esprit" à toute autre influence, sinon à une évolution physique systématique affectant la substance nerveuse constitutive du cerveau.

L'hypothèse d'un "esprit qui n'est rien de plus que le cerveau" semble donc aussi solide que logique, à tout le moins tant qu'on veut ignorer que la vie animale ne se ramène pas à une simple collection de systèmes biologiques, mais que toute vie se démarque singulièrement de l'inanimé par une communion éminemment harmonieuse de toutes les parties fonctionnelles et par des interdépendances mutuelles rendant possibles des intégrations très élaborées. Le résultat aboutit à un tout indivisible dont les qualités transcendent les éléments physiques des parties constitutives. Il est surprenant que les hommes de science qui s'en tiennent rigoureusement à l'aspect biologique des phénomènes et sont convaincus que le psychisme, la conscience et l'intellection s'expliquent par des réactions chimiques intracérébrales, n'aient jamais médité sur certaines données d'observation — par exemple "l'ADN fabrique des cellules, mais ne fait pas un homme" —, données pourtant bien familières et dont le mérite est de nous mettre en garde contre la tentation de conclure que la nature humaine dérive exclusivement d'un substratum physique.

Le malheureux scientifique qui s'avise de théoriser sur l'éventualité d'un esprit-cerveau devient vite suspect, faute de pouvoir fournir à l'appui de sa thèse une preuve biologique consacrant la supériorité de l'argument "l'esprit est quelque chose de plus que le cerveau" sur l'argument "l'esprit n'est rien que le cerveau". Mais si l'on faisait appel à davantage de logique, si l'on considérait la nature de l'homme dans une perspective plus vaste, sans pour autant renoncer à la méthodologie ou à la démonstration scientifique ni tirer les conclusions qui se dégagent des prédicats physiques, tout laisse à penser que de cette démarche se dégageraient de solides arguments en faveur d'un esprit qu'il faudrait bien considérer désormais comme le principe vital et immatériel de l'homme, et non plus simplement comme un équivalent pur et simple de son cerveau. Cette démarche a été celle de Teilhard de

Chardin. Mais vu que la science s'est obstinée à soutenir que l'esprit n'est autre que le cerveau, rares ont été les philosophes qui se soient risqués à démentir cette opinion toute puissante et largement vulgarisée. Pourtant, du fait que la société contemporaine ne se fait pas faute d'exprimer le dépit qu'elle éprouve devant l'incapacité des sciences "physiques" à comprendre et à traiter les problèmes exclusivement humains, le temps est peut-être venu de reprendre la controverse, ne serait-ce que pour consolider nos positions et affirmer nos raisons de considérer l'esprit comme une entité dotée d'une énergétique propre et d'une certaine indépendance à l'égard de la substance matérielle qui le produit. Si l'homme est plus que la simple somme des parties biologiques qui le constituent, alors toute recherche menée sur une "spiritualité" indépendante du cerveau est susceptible d'ouvrir la voie à une compréhension plus réaliste de la nature humaine. Cela ne revient pas à dire que l'esprit peut être dissocié du cerveau, mais que l'esprit créé par le cerveau possède une énergie, une dynamique que l'organe cérébral en tant que tel ne possède pas. Mais encore s'agit-il de le prouver.

Il m'est clairement apparu, alors que je cherchais à étayer l'hypothèse d'un "esprit surpassant le cerveau" par des arguments critiques et significatifs, que pour ce faire on pouvait se fonder sur les données auxquelles on fait généralement appel pour corroborer la théorie évolutionniste, ainsi que sur les études relatives aux antécédents physiologiques et comportementaux de l'homme, que l'on invoque pour démontrer que ce dernier n'est pas biologiquement distinct de l'animal, pas plus que son esprit n'est distinct de son cerveau. Si l'on part de l'idée que les graines de l'intelligence ont peut-être été semées dans les formes vivantes les plus primitives et sont peu à peu devenues indispensables au processus évolutif, il suffit de creuser un peu sous la théorie évolutionniste et génétique pour découvrir que tout ce qui plaide en faveur de "l'esprit confondu au cerveau" pourrait tout aussi bien, à l'inverse, plaider en faveur de l'existence d'une entité mentale autonome. Et pour découvrir qu'il se pourrait aussi qu'à l'origine ait existé un archétype d'esprit-cerveau (la première substance ayant permis la transmission de l'information à l'intérieur du tissu vivant) ayant joué le rôle de principe vital appelé à déterminer ultérieurement tout le processus évolutif. Quant à savoir si cet archétype est l'oeuvre de Dieu ou le résultat d'un accident naturel, tout est affaire de conviction personnelle.

L'essentiel de la théorie de l'évolution, telle qu'elle est généralement interprétée, procède pour le moins d'une bonne demi-douzaine de concepts fondamentaux, scientifiquement définis à partir d'études sur l'origine biologique de l'homme. Ces concepts expliquent pour une bonne part les analogies et les différences, parfois évidentes et parfois obscures, qui affectent structures organiques et habitudes comportementales du règne animal, en même temps qu'ils rendent fort bien compte de ce qui semble être un processus progressif d'hominisation. Il reste cependant que ces concepts relèvent très largement de présupposés théoriques, même si certaines propositions fondamentales qu'ils énoncent sont suffisamment nourries pour prendre rang de lois naturelles. Par exemple, c'est à partir d'une moisson d'évidences qu'on explique de façon fort logique l'extraordinaire enchaînement des changements survenus dans la structure physique des organismes vivants, pour passer des unicellulaires microscopiques aux anthropoïdes, de même qu'il semble absolument indéniable que la survie des espèces dépend en grande partie des substances chimiques génétiquement transmises de génération en génération. Certes, les théories expliquent parfaitement *certains* mécanismes du changement évolutif et aussi nombre de *causes* physiques responsables de ce changement. Mais aucune n'est capable de rendre compte de ce qui stimule la diversification écologique ordonnée du règne animal, ni d'expliquer comment les transformations individuelles qui se produisent dans l'intimité des gènes et des chromosomes peuvent aboutir à des morphologies anatomiques intégrées et complexes, douées d'une faculté d'autorégulation à la fois individuelle et communautaire.

La théorie évolutionniste est par ailleurs vague et imprécise quand il s'agit d'interpréter certains phénomènes de première importance, d'expliquer par exemple comment s'effectue la sélection et l'encodage des messages génétiques, comment s'est développée la capacité de mémorisation pour finir par rendre possibles des processus d'apprentissage extrêmement perfectionnés, comment les modifications comportementales acquises sont transmises d'une génération à l'autre, comment s'opère l'accroissement de complexité des structures anatomiques et des conduites, quelle "énergie" commande la diversification des systèmes et des organes internes pour faire d'eux un tout fonctionnel harmonieux, ou encore comment l'homme a acquis la capacité d'agir sur son environnement au lieu de lui rester soumis comme les autres animaux.

Les "lois" découvertes pour expliquer le processus évolutif régissant exclusivement le biologique, la science ne s'est nullement souciée de suivre à la trace le phénomène évolutif aboutissant au développement de l'intellect individuel, du psychisme, de la conscience ou de la nature intime des êtres vivants. On devrait pour le moins, me semble-t-il, examiner ce processus pour tenter de découvrir si une quelconque preuve plaide en faveur d'une intelligence, d'un psychisme ou d'une conscience dont la nature ne procéderait pas directement du substratum physique de plus en plus complexe du corps et du cerveau. Ne serait-il pas tout aussi légitime et scientifique, par exemple, de retracer l'évolution de "l'esprit" (conscience, compréhension, psychisme individuel) comme on retrace celle des organismes biologiques? Se pourrait-il que des "accidents" évolutifs survenus dans le continuum psychique aient transformé celui-ci de la même façon que certains accidents biologiques ont engendré de nouvelles formes, grâce auxquelles les espèces animales ont pu survivre? Qui sait si des "accidents" de ce genre, quand ils affectent les processus intellectuels, c'est-à-dire quand ils introduisent en eux des changements imprévisibles, n'expliquent pas le passage à des formes plus élaborées et plus réfléchies de vie organisée? Et si c'étaient les qualités d'organisation de l'intellect, de l'individualité, de la psyché, de l'activité consciente, qui régissaient le mode de développement de la vie biologique? Se pourrait-il aussi qu'existât une autre "loi" de l'évolution, quelque force énergétique particulière que nous n'avons pas encore découverte ni même cherché à découvrir, qui ne serait autre que le principe unificateur d'une nature dominant l'évolution et gouvernant ses destinées?

L'apparent paradoxe qui existe entre l'ordre inexorable de l'univers et l'explication scientifique d'une évolution qui ne serait due qu'à une série d'"accidents" biologiques m'a toujours confondue. Car, même si la survie des espèces semble de toute évidence reposer sur leur faculté de s'adapter à l'environnement — phénomène en grande partie dû à la chance, surtout chez les organismes les plus élémentaires —, il suffit de considérer la *chaîne* constituée par les formes de vie qui ont survécu pour se rendre compte que le processus évolutif est également un processus de mise en ordre de toute forme de vie organisée. C'est en cela peut-être que prend son sens la destinée.

Les fondements de l'évolution biologique

Pour mettre en évidence une progression continue du psychisme ou de l'intellection à travers les formes de vie organisée, il convient tout d'abord de rechercher, parmi les principes de base de l'évolution biologique, les signes et preuves permettant d'affirmer que l'intelligence représente bien le facteur évolutif central et décisif d'une vie animale qui n'a cessé de croître en complexité. Tâche d'autant moins simple qu'avant même de pouvoir proposer ou formuler une théorie de l'énergétique mentale et de ses origines qui soit convaincante, il importe de bien comprendre, si l'on veut déceler leurs défauts et leurs simplifications, les théories scientifiques de l'évolution et de l'hérédité qui de nos jours font autorité.

Je commencerai donc par résumer brièvement les conceptions maîtresses de l'évolution biologique, afin de pouvoir ensuite dégager de chacune ce qui peut étayer la notion évolutionniste d'"un esprit qui est quelque chose de plus que le cerveau".

Vient en tête, bien sûr, la théorie darwinienne de la sélection naturelle, laquelle explique très en détail le mécanisme du dévelopement et de la diversification des formes de vie organisée. Pour Darwin, la survie des espèces résulte essentiellement de la sélection naturelle, processus par lequel les divers êtres vivants modifient leur structure anatomique et leurs fonctions au fil des générations, jusqu'à ce que toute l'espèce ait adopté le changement qui lui permette de s'adapter et de survivre.

À ceci j'ajouterai un second principe universel distinct, qu'il est bizarrement bien rare de voir décrit séparément: il s'agit du rôle primordial que joue le tissu nerveux, ou névroglie, en tant qu'intermédiaire grâce auquel changements anatomiques et fonctionnels peuvent se produire et peut-être même en tant que générateur de ces changements. Suivre l'évolution de la substance nerveuse primitive revient donc à suivre celle de *l'appareil* de l'intellection.

Le troisième concept fondamental de l'évolutionnisme, c'est que le support physique de l'hérédité est contenu dans les gènes et les chromosomes. Pourtant, en corollaire à cette certitude, apparaît aussitôt une donnée beaucoup moins certaine et quelque peu troublante: comment les substances vectrices de l'hérédité peuvent-elles utiliser des forces extérieures à elles pour encoder leurs messages génétiques et comment ces derniers peuvent-ils s'exprimer très différemment, selon les circonstances, dans les cellules et les tissus? Si la sensibilisation des gènes aux influences extérieures échappe le plus souvent à l'attention des généticiens, c'est sans doute parce que ce phénomène met en jeu des facteurs que nous sommes encore incapables de mettre en évidence. Il n'empêche qu'il y a là quelque chose qui risque de remettre en question quantité d'idées reçues. Nous y reviendrons ultérieurement. Il se pourrait fort bien que les mystérieux mécanismes de la programmation génétique résident dans la capacité de la névroglie à transmettre l'information.

Notre énumération des processus évolutifs indispensables au développement d'êtres organisés de plus en plus complexes et efficaces se doit aussi de faire une place à l'évolution continuelle de nouveaux moyens de communication entre divers types de cellules, de tissus et d'organes fonctionnellement différenciés, et aussi entre divers membres d'une même espèce. L'amélioration des systèmes de communication internes active l'intégration de l'information environnementale, aboutit à l'autorégulation de ces systèmes, à une interaction plus harmonieuse entre les différentes fonctions organiques, en même temps qu'elle fournit le support structurel permettant un apprentissage complexe, qui à son tour augmente les chances de survie. Quant à l'amélioration de la communication entre membres d'une même espèce ou entre espèces différentes, elle aboutit elle aussi à instituer de nouveaux modes d'autorégulation et à maintenir le bien-être à l'intérieur des collectivités vivantes.

Cinquième processus déterminant pour l'évolution: le développement intra-organique de systèmes perfectionnés accroissant l'efficacité des systèmes vitaux responsables de l'équilibre physiologique et de la survie. En effet, différents systèmes organiques nouveaux et améliorés semblent évoluer à partir d'interactions se produisant entre différents systèmes doués d'autonomie et d'autorégulation. Un exemple nous en est fourni par l'humidification uniforme de la cornée grâce au clignement des paupières: le globe oculaire (système d'interception des informations visuelles) et les paupières (système de protection de l'oeil) semblent en quelque sorte avoir conjugué leurs actions pour stimuler l'évolution de glandes destinées à lubrifier la cornée, ainsi que celle du réflexe palpébral, grâce auquel la lubrification s'opère de façon uniforme, conjugaison fonctionnelle qui contribue à la sauvegarde de l'organe de la vision.

L'influence la plus déterminante qui se soit exercée au cours de tout le processus évolutif tient peut-être à l'émergence de ces systèmes tout à fait nouveaux, qui ont évolué à partir d'interactions exercées entre systèmes préexistants, autonomes et déjà complexes. Ce n'est qu'avec l'interprétation toute nouvelle des comportements, grâce à l'analyse de systèmes (cybernétique), que les processus évolutifs peuvent être examinés dans une perspective neuve. L'analyse des systèmes a en effet démontré que deux ensembles systémiques opérant indépendamment l'un de l'autre peuvent donner naissance à de nouveaux systèmes dotés de caractéristiques, de formes et de fonctions nouvelles. Au cours de l'évolution par exemple, on voit deux systèmes biologiques, le nerveux et le cardio-vasculaire, interagir fonctionnellement et générer d'autres systèmes perfectionnés, comme le neuro-endocrinien, dans lequel des substances hormonales de première importance sont sécrétées par les structures nerveuses et véhiculées par le système circulatoire vers des zones distantes, où elles exercent des actions spécifiques indispensables.

Ces nouveaux systèmes procédant de l'interaction corrélative et harmonieuse de deux ensembles systémiques ont en commun une propriété fondamentale: leur probabilité de survie très forte. Par contre, cette probabilité est beaucoup plus faible quand il s'agit de nouveaux systèmes procédant de l'interaction de deux ensembles systémiques non corrélatifs ou même antagonistes. Il reste pourtant que, dans ce dernier cas, bien des systèmes survivent et jouent un rôle important dans l'évolution ultérieure. Quoi qu'il en soit, il est malaisé de préjuger de la nature d'un nouveau système en se fondant sur ce qu'on sait de ceux qui lui donnent naissance.

Considérons par exemple la fibre nerveuse primordiale, ce filament microscopique déjà spécialisé qui, chez les protozoaires, transmet l'information d'un côté à l'autre de l'unique cellule. Si nous examinons comment s'accomplit, au cours de l'évolution, l'activité vitale des systèmes nerveux de communication, on se rend compte que certains moyens sont progressivement mis en oeuvre pour préserver ces systèmes et entretenir la survie, ce qui aboutit au développement d'un tissu protecteur entourant les fibres, innovation systémique qui résulte des interactions s'opérant entre divers ensembles de l'organisme. S'il est facile de comprendre rétrospectivement que le développement d'un manchon protecteur périneuronal a doté les êtres organisés d'une plus grande capacité de survie, il reste que les gènes eux-mêmes étaient bel et bien incapables de prédire ce qu'allaient devenir leurs descendants dans le cas d'un appariement inadéquat. Car les systèmes moléculaires qu'ils déterminaient auraient pu tout aussi bien interagir pour élaborer des structures protectrices permanentes inefficaces.

Ce phénomène — l'impossibilité de prévoir quelles structures évolutives vont se dégager des systèmes vivants — a amené les théoriciens à conclure que c'est l'environnement qui "sélectionne" les espèces appelées à survivre. Se plaçant d'un point de vue strictement objectif et se fondant sur l'information provenant du passé, la plupart d'entre eux affirment que la matière vivante multiplie quasiment à l'infini ses variétés morphologiques et fonctionnelles, que les espèces qui survivent sont celles qui, par chance, ont su s'adapter à leur milieu. Il s'agit là, bien sûr, d'un résumé de la théorie darwinienne de la sélection naturelle et de la survie des plus aptes, quelque peu modifiée par l'apport de données plus récemment acquises.

Reste enfin l'indécise question de l'énergie (moléculaire, cellulaire ou organique) qui est mise en jeu au cours du processus évolutif lui-même. Car tout au long de l'évolution s'est manifestée une énergie potentielle capable de répondre de façon dynamique aux changements survenant dans le milieu. Il se pourrait donc fort bien qu'une fraction de cette force vitale se soit transformée et actualisée d'elle-même en cette forme d'énergie particulière qu'on appelle l'esprit.

La survie des plus aptes

Plus connue du grand public sous le nom de principe de la survie des plus aptes (ou encore des plus doués), la théorie de la sélection naturelle fait bien souvent l'objet d'une fausse interprétation de la part de ceux qui considèrent qu'elle décrit une évolution ordonnée, progressive, vers les formes les plus complexes de la vie organisée. Pour la majorité des théoriciens au contraire, et faute d'une explication plus satisfaisante, la sélection naturelle est un phénomène résultant du hasard. En raison de l'environnement physique modifié du fait des changements météorologiques, des catastrophes naturelles, de la végétation, des invasions par d'autres formes de vie, et en raison aussi de certaines espèces qui ont migré vers de nouveaux milieux, il est généralement admis que seules ont pu survivre les espèces animales dont les traits morphologiques, les fonctions et les comportements permettaient d'entretenir et de perpétuer la vie dans de nouvelles conditions écologiques. Sur des milliards d'années, la vie animale a dû presque continuellement se transformer dans sa lutte pour la survie; les espèces qui ont survécu sont celles qui, par des modifications anatomiques et physiologiques graduelles, se sont adaptées aux conditions de l'écosystème.

Les chercheurs qui se penchent sur l'origine de l'homme ont une expression pour décrire les facteurs qui semblent avoir dicté l'évolution de la vie organisée: la pression du milieu. Entendons tout simplement par là que, pour toute la durée d'une espèce ou d'une vie animale individuelle, le milieu environnemental est inflexible. Autrement dit, c'est aux espèces qu'il appartient de s'adapter à la pression du milieu pour survivre, et non pas au milieu de se modifier pour permettre la survie des espèces. Pourtant, en dépit de ce que cette rigoureuse exigence peut comporter d'inexorable, on voit bien que ce n'est pas sur l'individu en tant que tel que s'exerce cette pression pour la survie, mais sur les *collectivités* vivantes, qui sont mises en demeure de changer et de développer les caractéristiques permettant *à l'espèce tout entière* de se perpétuer.

L'ensemble du phénomène d'adaptation est donc conditionné par la question suivante: comment toute une population peut-elle, sur un grand nombre de générations, modifier les caractéristiques des individus qui la composent pour que non seulement l'ensemble de l'espèce s'adapte avec succès à un environnement donné, mais aussi pour que les nombreuses transformations requises *soient indentiques chez tous les individus*? Les spécialistes de l'hérédité affirment que les transformations génétiques survenant chez les êtres vivants sont d'une telle abondance qu'il suffit que certaines d'entre elles s'avèrent efficaces et satisfassent aux exigences de l'environnement pour que la survie soit assurée. Mais cela n'explique pas comment une mutation réussie est génétiquement encodée (encodage qu'on attribue généralement à un processus "accidentel", tant et si bien que l'évolution serait due à une suite d'"accidents" singulièrement identiques). Cela n'explique pas non plus comment des traits génétiques adaptatifs sont intégrés aux systèmes préexistants, ni comment ils s'imposent dans la transmission héréditaire au point de se retrouver indistinctement chez tous les descendants.

Reste encore, pour la théorie évolutionniste, à expliquer comment des millions de changements génétiques individuels (ceux qui ont provoqué l'allongement de l'appendice caudal ou le développement de muscles préhensiles dans la queue de certains singes, par exemple) se sont conjugués pour converger en des ensembles fonctionnels efficaces et harmonieux. En admettant même que l'élaboration d'ensembles ou d'organismes fonctionnels adaptatifs capables de survie soit elle aussi "accidentelle", le processus d'intégration grâce auquel des cellules et des tissus très différents sont invariablement transmis d'un bloc laisse supposer qu'un autre mécanisme, un autre principe chimique de l'hérédité, ou quelque médiateur inconnu, intervient pour maintenir une organisation cyto-histologique adéquate. Tout se passe en effet comme si un mécanisme "supérieur" intégrait et coordonnait la convergence de toutes les parties. Au fur et à mesure que la vie animale a organisé ses éléments physiques constitutifs de façon plus complexe, le principe organisateur a dû lui aussi évoluer vers la même complexité. Une donnée d'observation accrédite l'idée qu'un tel principe organisateur intervient dans le phénomène évolutif: c'est la rapidité avec laquelle s'est accomplie l'évolution des espèces animales complexes, comparée à la lenteur d'évolution des formes de vie élémentaires. Car, si les gènes déterminant quelles formes de vie animale doivent survivre ne résultent que du hasard, alors il s'ensuit au contraire que plus une forme de vie animale est complexe, plus il devrait proportionnellement lui falloir de temps pour évoluer.

J'ai de bonnes raisons de penser — j'y reviendrai plus tard — que l'évolution en tout point ordonnée de la vie organisée et aussi l'accélération du processus évolutif chez les espèces supérieures ne peuvent s'expliquer que par l'intervention simultanée d'une force, d'un principe opérationnel ayant influencé l'ordre selon lequel la vie se manifeste. Il semble évident que la névroglie joue le double rôle de transmetteur des exigences qu'implique la survie et de mécanisme intermédiaire capable de promouvoir les changements adaptatifs requis pour que les organismes puissent survivre. Si l'on admettait que ce tissu nerveux est le médiateur de l'évolution, alors s'expliquerait que son influence organisatrice ait contribué à accélérer l'évolution des formes animales supérieures les plus "réussies", en opérant les choix qui s'imposaient face à une pléthore de changements génétiques sans incidence positive sur la survie de l'espèce.

J'ai également de bonnes raisons de penser qu'en même temps que le système nerveux s'est lui-même structuré en cerveau (céphalisation qui s'est opérée par automodification), le produit de son activité (l'information transmise) a progressivement joué un plus grand rôle dans l'autorégulation de ce système. Je crois en d'autres termes que le produit de l'activité nerveuse s'influence *de soi-même* (par effet de feedback ou de régulation en retour), exactement de la même façon que tous les autres systèmes physiologiques du corps, tous les individus et toutes les sociétés ont développé des mécanismes "automatiques" d'autorégulation, par lesquels toute action retentit sur le mode d'action lui-même. Ce sont ces mécanismes qui augmentent les chances de survie de toutes les espèces animales.

De leur côté, les anthropologues insistent sur le rôle, essentiel selon eux, qu'a joué le milieu sur le cours de l'évolution et parlent des forces sélectives de l'écosystème ou de leurs effets comme si ces facteurs exerçaient véritablement une influence active "transhéréditaire". Ce qui est d'autant plus étonnant qu'une bonne partie de l'environnement est inerte, inanimé ou végétal, et que les seules forces environnementales actives sont représentées par des créatures qui se nourrissent d'autres créatures, ou bien colonisent leur espace vital.

Or, les deux types d'environnement auxquels on se réfère généralement — le physique et le "social" — sont fort distincts l'un de l'autre. Si tant est que le principe majeur de l'évolutionnisme tienne au fait irréfutable que les espèces doivent, pour survivre, s'adapter à leurs environnements, il semble évident que des caractéristiques aussi différentes que celles du monde inorganique et végétal d'une part, et celles des sociétés animales d'autre part, imposent des processus adaptatifs radicalement distincts. Il est clair en effet que les mécanismes grâce auxquels les formes animales inférieures s'adaptent à des environnements physiques très restreints n'ont rien de commun avec les mécanismes qui permettent aux espèces animales les plus évoluées de s'adapter à des environnements beaucoup plus complexes. Dans ce dernier cas, et à supposer même que des supergènes assurent la parfaite coordination de structures et de fonctions spéciales, la probabilité d'un "accident" génétique est évidemment beaucoup plus élevée que dans le cas des espèces inférieures. Mais étant donné que les formes supérieures de vie organisée semblent avoir évolué beaucoup plus rapidement que les autres, on devine sans peine qu'une influence quelconque a dû réduire la haute probabilité d'échec représentée par la reproduction d'une multitude de gènes inadéquats et augmenter la basse probabilité de réussite représentée par la reproduction des quelques gènes favorables à la survie. Autrement dit il doit exister, superposée au rôle d'organisateur que joue le système nerveux pour maintenir *individuellement* en vie les êtres vivants, une forme de communication et de partage de l'expérience permettant aux membres et aux générations d'une même espèce de tirer profit des adaptations biologiques avantageuses, une sorte de transmission du "succès" qui catalyse les changements évolutifs et adaptatifs.

Tout se passe aussi comme si une certaine information était communiquée à l'espèce pour l'avertir de ne pas pousser plus avant tel ou tel processus évolutif. Parmi les multiples populations du règne animal, c'est avec une extraordinaire constance que les mutations génétiques incessantes, lesquelles témoignent de la marche de l'évolution, cessent de s'accomplir pour que l'espèce puisse maintenir son intégralité. Puisque, comme le veut la théorie génétique de l'hérédité, ce sont les mutations qui permettent aux différentes espèces de survivre, il reste donc encore à expliquer pourquoi, à un moment donné de l'évolution, ces mutations cessent et pourquoi alors les caractéristiques propres à une espèce se stabilisent.

Quand un environnement demeure relativement constant, les espèces tendent à une spécialisation génétique de plus en plus poussée; elles tendent aussi à développer des qualités qui leur permettent de s'adapter de mieux en mieux à cet environnement. Nous relevons ici encore une évidente contradiction dans la mise en perspective des faits d'évolution. Car la question qui se pose est celle-ci: pourquoi la spécialisation s'arrête-t-elle? Ou plutôt: pourquoi les espèces se stabilisent-elles, si la variation génétique est un processus continuel? Si des "accidents" viennent si fréquemment modifier les gènes, quelle est donc l'influence qui stabilise les espèces et *empêche* les modifications ultérieures? La réponse généralement admise appelle une autre question. Car cette réponse veut que, si les espèces se stabilisent à un certain stade de leur développement, c'est que non seulement elles ont réussi à parfaitement s'adapter à l'environnement global, mais encore qu'elles ont parachevé leur stabilité à l'intérieur du système écologique global de leur environnement. Toute variation génétique qui viendrait compromettre le développement optimal serait alors préjudiciable à l'espèce. Cela expliquerait pourquoi de telles variations sont écartées du patrimoine génétique et pourquoi aussi seules sont transmises aux descendants des caractéristiques stables.

Pareille réponse appelle encore une autre question: qu'est-ce donc qui détermine l'équilibre écologique? Il est inévitable que se produisent des échanges entre toutes les formes de vie organisée, végétales et animales. Les principaux facteurs qui influencent l'équilibre des écosystèmes sont représentés par la recherche de la nourriture et de l'espace disponibles, par les activités prédatrices et migratoires, par le délimitation des territoires et le déroulement des activités sociales organisées. Dans ces deux derniers cas, on se rend compte que l'influence exercée sur l'équilibre écologique est très particulière. Le fait de défendre un territoire pour tous les membres d'une même espèce et non plus pour une famille isolée, et celui de tendre, comme chez certaines espèces, à déployer des activités sociales ou des activités de groupe conformément à une hiérarchisation des comportements ne doivent *pas* être considérés comme des réactions involontaires et instinctives aux conditions environnementales. Il s'agit là au contraire de comportements acquis, hautement différenciés, évolués et *organisés*, qui non seulement augmentent les chances de survie de l'espèce, mais qui encore institutionnalisent une autorégulation des collectivités animales et des interactions écologiques qu'il faut considérer comme un mode de "contrôle" de l'environnement. Voilà qui facilite évidemment bien davantage la survie des espèces que les qualités adaptatives des "plus doués".

Vu que ce qui induit le changement ou le non-changement à l'intérieur d'une espèce peut fort bien être représenté par les agents chimiques contenus dans les gènes, la source, ou contrainte, qui provoque le changement ne se ramène pas à un facteur *unique*, mais résulte de la façon selon laquelle un ensemble vital est organisé et manifeste des réactions, aussi bien internes et localisées qu'externes et *globales*. Si nous nous penchons sur le processus évolutif, des protozoaires à l'homme, nous constatons qu'à chaque niveau de vie correspond un niveau d'organisation; que chaque fois qu'un nouveau niveau apparaît ceux qui l'ont précédé sont éliminés, voués à l'extinction ou incorporés à des types d'organisation de vie permettant une intégration comportementale plus étendue. Quel que soit leur bilan, tous les niveaux d'organisation supérieurs exercent une profonde influence sur ceux dont ils procèdent. Ce qui conditionne le succès et la survie, ce ne sont pas les éléments spécifiques de la vie animale, ni l'environnement auquel les espèces en voie d'évolution doivent s'adapter, mais *le mode selon lequel est organisé l'environnement*. Cela implique l'intervention d'un médiateur quelconque entre l'environnement, qui par ses qualités organisées influence le développpement évolutif, et les formes de vie; celles-ci, en évoluant, développent le type d'organisation approprié. Il est donc très vraisemblable que ce médiateur consiste en un mécanisme capable de communiquer une information qui soit "compréhensible" pour les formes vivantes évolutives, cette "compréhension" pouvant s'étendre des remaniements organiques primitifs — par essais et erreurs — de la substance vivante aux manifestations les plus évoluées de l'intelligence humaine.

Car l'évolution n'est pas uniquement conditionnée par les gènes, les agents chimiques et les hasards qui rendent la vie compatible avec l'environnement. La force évolutive la plus décisive consiste en une faculté d'apprendre, si rudimentaire qu'ait pu être ce processus d'apprentissage, si perfectionné qu'il ait pu devenir. Apprendre, c'est-à-dire tirer profit de l'expérience vécue, modifie les propriétés réactionnelles du tissu nerveux. Or l'apprentissage est aussi l'agent qui transforme la structure moléculaire des gènes, tout comme il transforme les messages que les gènes véhiculent de génération en génération.

Jamais ou presque les théories de l'évolution ne tiennent compte dans leurs spéculations du rôle joué par *l'apprentissage collectif*, tant il est vrai que l'apprentissage est invariablement considéré comme un phénomène éminemment individuel. Selon cette dernière conception, la transmission des données d'apprentissage se fait donc de l'animal qui a appris vers le groupe, dont les membres vont à leur tour apprendre en "s'instruisant" les uns les autres. Pourtant, bien des comportements animaux laissent à supposer que des familles, des communautés ou même des espèces entières apprennent collectivement à modifier des conduites de groupe. Au cours de la croissance des anthropoïdes, par exemple, chez lesquels le partage, par les adultes, de la nourriture avec les jeunes, représente un mécanisme de survie de l'espèce, on voit bien mal comment l'apprentissage d'individu à individu pourrait précéder l'apprentissage collectif. L'apparition d'une culture de la drogue parmi les groupes d'adolescents est aussi un parfait exemple d'apprentissage de masse, car ce mode comportemental et "non verbal" de partage d'une expérience vécue explique peut-être en partie certains changements évolutifs déterminants. Notre ignorance dans ce domaine tient simplement au fait que les phénomènes de l'évolution n'ont pas été examinés sous cet angle.

L'apprentissage retentit sur l'environnement — ainsi, la toile de l'araignée modifie l'écosystème pour toute l'espèce, en ce sens qu'elle facilite l'approvisionnement en nourriture — et, réciproquement, c'est de l'environnement que viennent les contraintes qui stimulent l'adaptation et l'apprentissage. Cette réciprocité de changements s'est traduite par une complexité graduellement croissante des formes de vie organisée et, pour les plus évoluées d'entre elles, par une maîtrise concomitante de l'environnement de plus en plus affirmée.

Le rôle essentiel joué par l'apprentissage dans l'évolution, rôle sur lequel je reviendrai un peu plus loin, peut expliquer le pourquoi de la gradation phylogénique, autrement dit la multiplication au cours de l'évolution d'organismes vivants de plus en plus complexes. S'il est vrai que les espèces survivent en développant des caractéristiques appropriées et que des centaines d'entre elles ont atteint à des états de stabilité et d'équilibre écologique, alors la question se pose de savoir pourquoi certains ordres ou sous-ordres — en particulier ceux des anthropoïdes et des hominiens — se sont dotés de caractéristiques d'une complexité "superflue". Comment expliquer dans ce cas que la complexité acquise surpasse celle qui eût été simplement nécessaire pour assurer la survie?

Les adeptes de l'évolutionnisme ne fournissent que des interprétations passablement confuses de ce phénomène — ainsi d'ailleurs que d'un certain nombre d'autres traits de l'évolution tout aussi déroutants. Pour eux, l'accroissement de complexité structurale, fonctionnelle et comportementale qui s'observe dans les espèces animales s'explique en ce sens qu'il augmente l'efficacité des mécanismes de survie, principalement dans la lutte pour la nourriture et l'espace vital. C'est vrai sans aucun doute. Mais cette explication n'est que partielle. Car, si le lion possède des mécanismes de survie plus *diversifiés* que ses ancêtres les félidés ou ses cousins les équidés, il n'en reste pas moins vrai que de nombreux représentants du règne animal se sont eux aussi dotés de la *capa-*

cité de survivre. Les lézards, les souris, les poissons, les abeilles et les fourmis diffèrent profondément les uns des autres, bien que tous vivent dans le même environnement global; même si les uns se confinent dans une fraction de cet environnement tandis que les autres en occupent de vastes aires, tous sont parfaitement capables d'y survivre.

Aucune des théories de l'évolution formulées à ce jour ne semble être en mesure d'expliquer pourquoi les espèces complexes — les mammifères marins, les anthropoïdes, les singes, l'homme — se sont équipées d'un outillage de survie plus perfectionné que celui qui leur serait simplement nécessaire. Je n'emploie pas ici le mot "pourquoi" en me référant à la finalité ultime de l'existence, mais dans le sens le plus "survivaliste" du terme. Pourquoi, en effet, des centaines d'espèces, allant des protozoaires aux amphibiens en passant par les orthoptères comme la blatte, ont-elles vécu si longtemps, et avec tant de succès, sous une forme d'organisation relativement simple, alors que d'autres espèces sont soumises à une stimulation évolutive qui les contraint à adopter des formes de plus en plus complexes? Qu'y a-t-il donc à l'origine de cet accroissement graduel de complexité qui a fini par aboutir à l'homme? Pourtant, par comparaison avec d'autres espèces, ni l'homme ni certains animaux supérieurs ne sont très aptes à survivre, dans le sens physique où peuvent survivre les animaux inférieurs. S'ils le font, c'est donc uniquement parce qu'un quelconque principe responsable de leur genèse les a également équipés de mécanismes de survie d'un genre totalement original, l'un des plus importants étant sans doute la faculté de *protéger* l'espèce. Il s'agit là d'un mécanisme de survie tout à fait différent du pouvoir limité, dont disposent les espèces inférieures, de s'adapter lentement à leur écosystème et de se reproduire en nombre excédentaire pour maintenir leur population.

Les mécanismes biologiques de *protection* d'une espèce contre l'extinction sont totalement différents de ceux qui assurent simplement la survie globale d'autres espèces. Dans le premier cas, il s'agit d'un saut créatif dans l'évolution, par lequel l'espèce, désormais dotée de dispositifs-réflexes de défense et de survie, protège plus pleinement ses membres en bas âge et étend sa protection à la famille, au groupe, à la horde et à la colonie. Bien que les mécanismes adoptés par certaines espèces pour protéger leur progéniture ne se différencient guère d'une simple réaction biochimique programmée, comme chez les fourmis ou les abeilles, tous les processus de protection ne peuvent cependant s'expliquer en termes de communication biochimique. Dans les formes d'organisation les plus évoluées, par exemple, la défense de l'espèce se fait plus sélective et passe de la protection des descendants pris en groupe à celle des descendants pris individuellement. La signification comportementale d'une telle activité sera discutée plus longuement par la suite.

Si la survie dépend de l'aptitude de l'espèce à s'accommoder de l'environnement — à ceci près que les espèces les plus complexes sont soumises à une évolution plus rapide —, il ne semble pourtant pas que la bonne réponse au processus évolutif consiste simplement à augmenter les chances de survie par des mutations génétiques au hasard, dont l'efficacité se révèle très aléatoire. Ce qui surprend le plus, quand on examine comment se déroule un processus évolutif rapide, c'est que ce ne sont pas les *individus* qui changent, mais la *population* de l'espèce considérée. Une fois de plus, nous sommes mis en présence d'une mystérieuse influence qui transcende l'individu.

Ici encore, exactement comme quand il s'agit de promouvoir un changement évolutif individuel, un processus intermédiaire est mis en oeuvre ou, si l'on veut, un médiateur qui semble communiquer l'expérience vécue. Quand il est question des espèces complexes, le rôle joué par la communication et la mise en partage de l'expérience est plus facile à comprendre; si à cela viennent s'ajouter les effets que peut produire l'apprentissage (d'un comportement) sur les gènes, alors il est tout aussi facile d'en déduire qu'une opération intellectuelle est l'agent qui transforme le phénomène évolutif de simple processus de survie mécanique et aléatoire en une faculté directionnelle de discrimination et de traitement de l'information. Car c'est une opération "intellectuelle" qui a été à l'orginine des mécanismes de *protection* grâce auxquels les espèces ne se sont pas éteintes, opération qui a fini par doter l'homme du pouvoir de maîtriser jusqu'au processus même de l'évolution.

On croit communément que la théorie génétique de l'hérédité est en mesure de combler les lacunes de la théorie de la sélection naturelle. Avant d'examiner les contributions apportées par d'autres principes de l'évolutionnisme, il convient de nous demander si les concepts qui s'attachent au rôle fondamental joué par les gènes et les chromosomes dans l'évolution accréditent ou non l'idée qu'une évolution parallèle de l'intellect prend une part aussi importante que les processus chimiques dans l'évolution de la vie organisée.

Les gènes et le patrimoine héréditaire

Il est aujourd'hui bien établi que les gènes qui entrent dans la constitution des chromosomes contiennent de l'acide désoxyribonucléique (ADN), substrat de la mémoire génétique, et aussi une substance qui est son acolyte et son messager, l'acide ribonucléique (ARN). L'ADN recèle le code selon lequel s'effectue le développement des caractères acquis et sert de modèle à l'ARNm (acide ribonucléique messager) qui le copie et le véhicule dans le cytoplasme pour former, également par effet de copie, l'ARN de transfert, lequel induit à son tour la production des protéines spécifiques et des matériaux cellulaires indispensables au développement des tissus organiques.

Aussi effrayants soient-ils par leurs implications, les comptes rendus scientifiques qui nous sont faits de l'ADN, et aussi le "déterminisme" de la chimie génétique et chromosomique, sont loin d'apporter une réponse à la question de savoir comment les développements structuraux et fonctionnels induits par un gène, un groupe de gènes ou des polygènes, sont organisés en ensembles dont les fonctions sont suffisamment intégrées pour garantir la survie. Bien qu'il soit certain que l'ADN contienne les instructions codées lui permettant de se reproduire dans les cellules de la génération suivante et qu'il rende partiellement compte des opérations physiques de l'hérédité, par exemple du développement des structures anatomiques et de leurs fonctions à divers stades du développement, et bien qu'il rende compte aussi de la transmission de cette information d'une génération à l'autre, *rien n'explique encore ni l'origine de ces instructions codées, ni les mécanismes responsables de ces codes génétiques.*

Si les gènes sont effectivement programmés par des facteurs externes (c'est-à-dire par des changements dans l'environnement) et si les messages qu'ils émettent sur le mode d'expression des éléments anatomiques et physiologiques sont eux aussi affectés par des influences externes, alors il doit exister un quelconque médiateur dont le rôle serait de communiquer les "sollicitations" de changement provenant de l'extérieur aux agents chimiques de l'hérédité; il doit aussi exister un autre médiateur — à moins que ce ne soit le même — qui fournirait l'énergie requise pour que s'opèrent les changements sollicités. Si, pour prendre un exemple, la sécheresse prolongée qui est à l'origine des déserts a contraint un rongeur tel que la gerboise à restreindre ses besoins hydriques, donc à modifier aussi ses dispositifs organiques d'absorption des liquides, alors, pour inciter la famille tout entière à adopter ces changements évolutifs, il a fallu que le "succès de survie" soit communiqué et intégré aux programmes génétiques de tous les individus, peu importe que l'information transmise ait été ou non confondue à l'agent qui a stimulé la modification du code chimiogénétique et l'a orientée au bénéfice de la survie.

Pour expliquer les changements structurels et fonctionnels qui permettent aux espèces de survivre, les théoriciens de la génétique allèguent que les agents chimiques de l'hérédité sont sujets à de fréquentes variations "accidentelles" et que les mutations ainsi provoquées (qui vraisemblablement convergeraient et se conjugueraient aussi pour former des ensembles structuro-fonctionnels) sont si innombrables que les millions d'entre elles qui ne favorisent pas la survie ne sont pas transmises aux descendants.

Ces variations inadéquates étant vouées à disparaître d'elles-mêmes, seuls les gènes vecteurs de caractéristiques appropriées seraient donc incorporés au patrimoine génétique et légués aux générations suivantes. Si bien des évidences plaident en faveur d'une activité génétique de ce genre dans le développement des espèces, on s'explique mal pourquoi les mécanismes héréditaires se dérouleraient avec une telle unifomité chez tous les membres d'un même phylum, quand on sait que les gènes disposent de moyens d'expression potentiellement illimités selon les circonstances. S'il est vrai, comme l'affirment les généticiens, que le message génétique peut être modifié par l'expérience, mais que c'est le changement *global* d'une population qui induit le changement des individus, il faut bien admettre alors que *l'expérience individuelle* isolée n'influence en rien les changements qui affectent une population dans son ensemble. Il est fort probable au contraire que des expériences identiques sont communes à un grand nombre d'individus et que ces expériences font vraisemblablement l'objet d'un partage (et d'un apprentissage) par le biais d'un mode de communication quelconque. Un partage de ce genre accroîtrait le pouvoir adaptatif du patrimoine génétique, du fait principalement que la dispersion dans une espèce de caractéristiques identiques favorise la création de nouveaux systèmes "réussis". Il est certain que les caractéristiques de dominance et de récessivité des gènes doivent s'affirmer d'une façon ou d'une autre. Et il se pourrait bien que la mise en partage de l'expérience soit à l'origine de supergènes. Car l'expérience représente sans doute le facteur de catalyse, et la communication la source du changement évolutif.

Quant au media de communication grâce auquel est acheminée l'information sur les changements anatomiques ou fonctionnels qui s'imposent, et grâce auquel encore ces changements sont institués, sans doute s'agit-il du tissu neuronal et des réseaux nerveux de coordination.

Les biosystèmes de communication
et leur effet sur les gènes

Il n'y a pas si longtemps que la science a fini par accréditer un des processus "opérationnels" intervenant dans la variation et l'organisation des gènes: la communication. Mais si l'explication de ce processus relève d'un principe universel, nous sommes bien loin de parfaitement le comprendre. Dès l'apparition des premières cellules vivantes, en effet, on assiste presque simultanément à ce curieux phénomène qui ne s'observe pas dans le cas des associations chimiques constitutives des corps inertes. Ce phénomène dit de la communication se révèle dans la communication entre composants chimiques de la matière vivante, entre cellules, entre tissus, entre organes, entre organismes différenciés. La communication consiste en un échange d'informations, et elle exerce un effet régulateur sur les systèmes qu'elle met en relation les uns avec les autres.

Le fonctionnement de tout système dépend de la façon dont s'effectue la communication de l'information relative à l'harmonie ou à la défaillance fonctionnelle. Quand un système, biologique ou mécanique, reste fonctionnel grâce à l'information qui lui est transmise sur la façon dont son fonctionnement s'accorde à celui d'autres systèmes, c'est qu'il opère en vertu du principe de la régulation en retour, ou feedback, que nous avons examiné au chapitre 4.

Le feedback est une artère de communication à double sens qui, entre certaines limites, permet à un système de fonctionner de façon automatique. Une bouilloire électrique, par exemple, cesse de chauffer quand la température atteint celle qui a été déterminée d'avance et se remet à chauffer dès qu'une déperdition de chaleur fait chuter le thermostat. "L'intelligence" de l'appareil réside tout entière dans le système-relais qui a reçu des instructions électroniques pour ouvrir et fermer l'interrupteur en fonction de la température effective (laquelle est mesurée par un dispositif thermométrique) et en fonction du réglage du thermostat. (Ce dispositif automatique ne fonctionne bien sûr correctement que si le codage des opérations s'est effectué en dehors de lui.) Pour la bouilloire électrique, une des voies de l'artère de communication est représentée par des événements internes retentissant sur des événements externes (le relais commande le degré thermique); l'autre voie, en sens inverse, est représentée par des événements externes retentissant sur des événements internes (le degré thermique commande le relais).

Tous les éléments constitutifs de la substance vivante — qu'il s'agisse de végétaux, de micro-organismes ou de représentants des espèces animales les plus évoluées — acquièrent leur degré d'organisation par les fonctions qu'ils accomplissent. Ce qui est extérieur à une cellule affecte les opérations qui se déroulent au-dedans d'elle, et souvent — dans l'excrétion des déchets du métabolisme par exemple — ce qui est intérieur à une cellule affecte aussi les opérations qui se déroulent en dehors d'elle. Des échanges de ce genre se produisent entre cellules, entre cellules et tissus, entre organes et systèmes organiques, et à tous les niveaux d'organisation biologique de la matière vivante. Du point de vue opérationnel, tout système et tout sous-système physiologique, des plus humbles unités cellulaires aux ensembles complexes capables d'intégrer les fonctions de sous-ensembles plus modestes, possèdent la faculté d'effectuer cette opération de régulation "en retour" de l'information, encore appelée feedback, du fait que son activité majeure consiste à détecter l'information relative à l'état de marche de l'ensemble fonctionnel et à "retourner" cette information au dit ensemble (cellulaire ou organique) pour qu'il effectue les corrections et réajustements qui s'imposent. Ce que capte le système consiste en une information relative aux changements qui surviennent en dehors de lui et l'incitent à réagir.

Au fur et à mesure que les fonctions physiologiques se compliquent, le degré d'organisation se fait lui aussi plus complexe et permet un "contrôle" sur les sous-ensembles systémiques. Le système cardio-vasculaire, par exemple, fournit de l'oxygène aux cellules musculaires et "contrôle" ainsi l'activité d'oxygénation. Mais le système cardio-vasculaire est doté d'une organisation complexe, étant donné qu'il doit fonctionner en relation avec le système respiratoire et que de ce fait non seulement il exerce un contrôle localisé, mais il est encore assujetti au contrôle d'autres systèmes qui l'influencent.

Du fait que la vie a d'abord été évolution, la régulation en retour de toutes les activités vitales internes et externes a fait partie intégrante de la survie. Ce mode de fonctionnement commun à tous les niveaux de l'activité biologique est si généralisé que, d'un bout à l'autre de l'évolution, se sont développés des systèmes régulateurs dont la suprématie sur les systèmes plus modestes s'est de plus en plus accentuée, au point d'aboutir à une hiérarchisation très stricte. Le contrôle moléculaire exercé sur la cellule est par exemple assorti en retour d'un contrôle cellulaire sur les molécules. Il existe également un contrôle cellulaire sur les organes, et réciproquement. Et ainsi de suite à travers tout l'organisme. En outre, tous les systèmes "supérieurs" qui interviennent dans la régulation des activités de différents ensembles fonctionnels ont aussi la capacité d'intervenir dans la régulation automatique (feedback) de fonctions locales plus limitées. Tout se passe comme s'il existait toujours un autre système, à un plus haut degré d'organisation, qui soit capable de contrôler à son tour le contrôle exercé par les systèmes hiérarchiquement inférieurs à lui.

Il semble donc bien que la transmission de l'information en retour soit responsable de la régulation de l'expression génétique, c'est-à-dire que les variations de l'encodage génétique qui induisent dans les organismes des changements fonctionnels favorisant la survie (adaptation au milieu) ont une forte probabilité d'être héréditairement transmises. De toute évidence, le "succès" de l'adaptation génétique est d'une manière ou d'une autre "dicté en retour" à l'organisme: cette information modifie le message engrammé dans les agents chimiques de l'hérédité.

Un des problèmes que pose la théorie génétique est de savoir *comment* l'information est dictée en bloc aux êtres organisés et aux espèces. Problème d'autant plus épineux que le substrat de la mémoire génétique, l'ADN, en tant que composant des organismes *individuels*, ne semble pas lui-même influencé par le feedback.

Du fait que les espèces interagissent avec les éléments de leur environnement, les mutations structurelles et fonctionnelles qui augmentent les chances de survie ne peuvent pas, en fait, être transmises en tant que changements individuels. Il doit donc exister aussi des modifications dues à des changements fonctionnels et affectant des groupes entiers ou des séries entières de gènes, modifications qui n'augmentent les chances de survie *que si elles opèrent en bloc*. Vivre, survivre, implique que toutes les parties d'un organisme, tous les membres d'une communauté animale, soient associés à un même processus adaptatif. C'est la coopération des multiples et diverses parties constitutives des individus et de toutes les variétés de représentants d'une espèce qui représente le degré d'organisation le plus élevé et influence la production et la reproduction des facteurs chimiques de l'hérédité. Autrement dit, qu'il s'agisse des parties constitutives d'un individu, d'un individu considéré dans son ensemble, ou d'une collectivité d'individus, tout se ramène à un système organisé global se conformant aux forces inconnues qui prédéterminent et effectuent le codage des vecteurs génétiques du patrimoine héréditaire à transmettre aux générations suivantes, tandis que d'autre part ces mêmes parties constitutives, ces mêmes individus et ces mêmes collectivités influencent le mode d'expression des messages génétiques ou, plus précisément, le mode d'intégration de ces messages aux structures et aux fonctions créées.

Les supports de la transmission génétique sont faits de matériaux passifs. Les concepteurs et les auteurs des codes ne résident pas dans l'organisme individuel, mais parmi une *population* d'individus. Et c'est bien là le grand défaut de la théorie de l'hérédité que ses adeptes s'empressent discrètement de ne pas évoquer: son impuissance à expliquer comment une action collective, celle d'un groupe ou celle d'une espèce, peut prévaloir sur la structure moléculaire des matériaux génétiques individuels au point de modifier la constitution biologique. Le fait que le développement évolutif semble dépendre d'un niveau d'organisation qui dépasse l'individu, c'est-à-dire dépendre de formes vivantes qui déterminent *en tant que groupes* l'évolution individuelle, laisse fortement supposer que, au fur et à mesure que les esppèces évoluent, leurs membres acquièrent également la faculté de percevoir aussi bien les influences qui s'exercent sur la population dans son ensemble que celles qui s'exercent sur les individus eux-mêmes. Autrement dit, de développer une intelligence transindividuelle.

Le problème crucial qui se pose, quand on veut appréhender la nature du phénomène vital, est de comprendre d'où proviennent les contrôles régulateurs. Le fait que les vecteurs chimiques de l'hérédité soient dotés d'une mémoire qui gouverne le *mode* de développement des cellules n'explique pas pour autant comment ces corps chimiques ont été programmés pour jouer ce rôle. D'où vient donc cette intelligence qui "programme" leurs mémoires? Certainement pas d'une quelconque régulation en retour, puisque le feedback n'exerce aucun effet, et dans aucune des formes de la vie organisée, sur l'ADN *contenu dans les gènes de l'individu*. Le feedback, nous l'avons dit, ou si l'on veut la mise en place des contrôles régulateurs, est un phénomène extérieur à la substance physique de l'être organisé.

Le fait que l'action collective soit en première instance responsable du développement d'individus identiques à l'intérieur d'une même espèce est à coup sûr fort troublant et représente l'un des secrets les mieux gardés — et pour cause! — de la théorie évolutionniste. Pourtant, tout phénomène évolutif dépend pour une bonne part de l'énergie ou du niveau d'organisation (colonies, familles, espèces) des individus pris en groupes, des organes pris en groupes ou des cellules prises en groupes. Une force, une énergie, un principe chimique ou quelque suprême entité confère donc à l'individu la faculté spéciale d'organiser son développement en fonction de buts ou de critères que la population (ou l'espèce, ou le groupe) *dans son ensemble* juge favorables à la survie.

Est-ce là une "intelligence", une forme d'intelligence, que la science n'a même pas entrevue, tant était grande sa préoccupation de découper les ensembles en pièces et en fragments pour mieux les étudier, quitte à s'aveugler sur les effets innovateurs et uniques exercés par les systèmes *dans leur globalité?* J'en suis pour ma part convaincue. Considérons un instant la merveilleuse coopération que l'on observe entre organes et entre systèmes physiologiques de l'organisme. Les enzymes gastriques, hépatiques et pancréatiques agissent dans ces organes éloignés les uns des autres que sont l'estomac, le foie et le pancréas, pour maintenir des fonctions vitales pour les muscles, la peau et le cerveau. Cette interrelation est-elle programmée par un quelconque dispositif faisant intervenir l'ADN? Je n'ai pas connaissance qu'on en ait mis aucun en évidence, pas plus qu'on n'en a mis en évidence dans d'autres interactions complexes, grâce auxquelles l'organisme global fonctionne et assure l'intégration, elle aussi complexe, de ses tissus, de ses organes et de ses systèmes.

Il apparaît en fait que les choses se passent quelque peu différemment, surtout quand il s'agit des cellules les plus importantes de l'organisme: les neurones. Quand ils se développent, les neurones, comme toutes les autres cellules en voie de formation, contiennent des substances chimiques intrinsèques qui les mettent en relation avec des régions anatomiques très précises du système nerveux. Mais quand le neurone établit une liaison synaptique avec les cellules tissulaires qu'il sert (en leur transmettant des informations), tout laisse supposer que des cellules d'un autre type transmettent en retour au neurone en développement certaines informations indispensables à la fonction spécialisée qu'il se prépare à remplir. Cette même information "extérieure" induit aussi très vraisemblablement la cellule nerveuse à établir à l'intérieur du système nerveux les liaisons synaptiques permettant l'arc réflexe.

Les deux grandes inconnues des théories de l'hérédité et de la sélection naturelle, ce sont d'une part la façon selon laquelle sont mises en ordre les mutations moléculaires pour qu'il en résulte un ensemble fonctionnel cohérent après qu'elles ont été transmises, et d'autre part le mode de transmission des modèles organisateurs permettant de créer une nouvelle espèce. Il n'est pas si difficile d'imaginer que des molécules génétiques puissent être réorganisées en organismes monocellulaires, surtout si l'on considère qu'il existe des milliards d'organismes de ce type et aussi des centaines de forces physiques capables de stimuler les corps chimiques. Mais c'est une tout autre affaire de comprendre comment, pour donner un exemple, une molécule que sa mémoire génétique destine à former les téguments va coopérer avec d'autres molécules pour induire le développement de griffes et de muscles rétractiles spécialisés, associés à ces griffes. La convertibilité de la griffe rétractile, grâce à laquelle l'animal va dans certains cas pouvoir chasser avec succès, et dans d'autres cas corriger ses petits pour leur donner une leçon, n'est qu'un exemple parmi des millions de l'extraordinaire processus évolutif par lequel d'innombrables molécules sont "ordonnées" de telle sorte qu'elles puissent s'associer pour produire les ensembles structurels et opérationnels assurant les multiples fonctions nécessaires à la survie.

Tout se passe donc comme si une certaine forme d'"intelligence" dirigeait en totalité des gènes, des cellules et des organes disparates pour les intégrer en un tout cohérent et fonctionnel. Après tout, l'évolution n'est pas un événement moléculaire, pas plus que la sélection naturelle des espèces destinées à survivre ne relève exclusivement des gènes. Quel que soit le principe qui détermine le mode d'intégration des matériaux chimiques selon une distribution parfaitement ordonnée, ce principe procède du pouvoir et des systèmes de communication d'un niveau d'organisation assurément supérieur.

Les systèmes de communication

Je crois que les théories qui expliquent l'hérédité par l'infinie variété des gènes et par des arrangements ou amalgames dus au "hasard", grâce auxquels l'anatomie et la physiologie facilitent de mieux en mieux la survie dans l'environnement physique, ont pour principal défaut d'ignorer quelques-unes des conséquences importantes de la complexité avec laquelle a évolué la vie animale. Car l'évolution des espèces les plus aptes à survivre implique aussi chez elles une "maîtrise" de plus en plus affirmée *sur* leur environnement; elle ne signifie pas simplement qu'elles acquièrent la faculté de mieux s'adapter à lui. On s'aperçoit en effet que les comportements des formes animales les plus évoluées influencent l'équilibre écologique (beaucoup d'espèces se nourrissent aux dépens d'espèces moins évoluées, ou encore inventent des accommodements réciproques avec d'autres espèces, comme par exemple les oiseaux qui mangent les insectes qui parasitent le dos de certains animaux sauvages), en même temps qu'elles garantissent la survie. Là encore, il semble qu'il est question d'une fonction relevant de l'espèce dans son ensemble, et non pas des individus qui la composent. Il existe des centaines d'exemples de symbioses dans le règne animal, et le phénomène symbiotique permet la survie des deux espèces qu'il associe. Ce que nous nommons équilibre écologique désigne en fait des interactions de populations *globales*.

Il s'ensuit que l'environnement qui conditionne l'évolution se modifie considérablement chaque fois que la vie animale gagne en complexité. Les nouvelles espèces doivent non seulement s'adapter à leur milieu physique, mais aussi à de multiples activités vitales. L'environnement croît lui aussi en complexité. Cela n'aboutit sans doute qu'à multiplier davantage les mutations génétiques, mais à partir de l'instant où un organisme doit survivre dans un écosystème complexe, il est mis en demeure d'absorber, d'intégrer et de "comprendre" des masses d'informations dont il devra tirer parti. Les réorganisations génétiques indispensables aux organismes pour qu'ils puissent s'adapter à des environnements complexes sont vraisemblablement les mêmes qui perfectionnent l'appareil sensoriel, les systèmes de communication internes et la coordination anatomo-fonctionnelle. Et il semble bien que ce soit au système nerveux que ces perfectionnements aient été dévolus.

Si l'on admet le principe de la sélection naturelle — selon lequel espèces et gènes sont "sélectionnés" par des changements résultant d'essais et d'erreurs, qui leur permettent d'adopter des caractéristiques favorables à la survie —, alors il faut admettre aussi que, plus les environnements deviennent complexes, plus la survie des espèces dépend de leur faculté de développer des systèmes spécialisés leur permettant de s'accommoder de cette complexité: systèmes internes de communication, d'intégration de l'information sensorielle, de mémorisation, de comparaison des données et d'autorégulation. Ce sont les endosystèmes de ce type, capables de percevoir, d'évaluer et d'exploiter l'information environnementale, qui représentent les outils de l'intellection.

On ne sait rien des causes du bond évolutif qui a permis de passer du cerveau déjà fort complexe, grâce auquel les espèces animales les plus évoluées peuvent ingénieusement satisfaire aux exigences de leur survie, aux capacités d'intellectualisation absolument uniques des êtres humains. Pourtant, s'il y a là matière à réflexion, convenons qu'on y a bien peu réfléchi. Certains "accidents" survenus à l'homme préhistorique, comme la découverte du feu ou de la relation qui existe entre les graines et la récolte des végétaux de subsistance, ou de la chasse en groupe, ou plus tard de la plus grande efficacité d'une défense collective contre les pillards maraudeurs, ont sans nul doute modifié l'environnement; or ces modifications ont à leur tour suscité de la part des organismes humains divers types d'adaptation, sans lesquels la survie aurait été incompatible avec les transformations du milieu. Ces transformations ont en outre favorisé l'activité de groupe. La possibilité de se communiquer des informations et des connaissances sur des objets ou des phénomènes sans rapport immédiat avec le milieu physique ayant pour effet de consolider la vie communautaire, il est possible que cette communication ait inspiré la création du langage. Quoi qu'il en soit, une culture sociale s'est développée, et avec elle est apparu chez l'homme un esprit capable de s'accom-

moder d'exigences environnementales à la fois plus relationnelles et moins physiques. Mais désormais le principe selon
lequel c'est le milieu qui impose le changement aux êtres
vivants change du tout au tout, car pour la première fois
depuis la première adaptation "accidentelle" qui a conduit
l'homme à manger des fruits, à enfouir des graines et à se
doter d'outillage, celui-ci entreprend de contrôler et de créer
son propre environnement.

Cette maîtrise effective et bénéfique de l'environnement
— s'échelonnant de l'agriculture et de la chasse à la protection des communautés humaines contre les agressions des
prédateurs — a stimulé de nouvelles formes d'échanges. Dans
la communication, l'interéchange des comportements a fait
place à celui des sons articulés, puis à celui des symboles et,
au fur et à mesure que l'homme a mieux dominé le milieu
physique, l'environnement qui est devenu indispensable à sa
survie est essentiellement un environnement d'activités
sociales.

L'évolution de systèmes spécialisés de communication
interne et d'intégration communautaire a lui aussi contribué
à modifier l'environnement. Les espèces animales avaient
développé la vie grégaire, et la vie grégaire avait évolué en vie
de société. Mais avec l'homme, "l'environnement" va
désormais être dominé par l'activité culturelle. À chaque
étape du continuum phylogénétique, la faculté de communication, interne et externe, a créé un environnement fait davantage d'immatériel que de tangible.

L'élargissement du champ de communication

La "nécessité", pour le système nerveux, d'élargir ses
activités de coordination a également perfectionné le niveau
d'organisation du tissu nerveux. Les chances de survie ont été
fortement accrues à partir du moment où les organismes
ont superposé à leurs activités réflexes primitives, résultant
d'une mémoire inhérente à des circuits neuroniques
restreints, des structures nerveuses et des substances chi-

miques capables de stocker l'information pendant des durées variables, ainsi que des circuits capables de comparer des informations relatives à différents aspects de l'environnement, de procéder à des associations et de prendre des décisions.

Un autre trait caractérise encore toute vie évolutive qui consolide ses facultés de survie: le développement de systèmes permettant des intercommunications de plus en plus complexes entre cellules et organes internes dont les vocations fonctionnelles sont différentes. L'expansion et la spécialisation de ces systèmes de communication sont exclusivement tributaires de l'évolution du tissu nerveux. En fin de compte, la perception de l'information sur les changements survenant dans l'environnement est plus nourrie et, pour que l'organisme puisse réagir à ces changements, cette information peut être transmise à divers organes. L'enrichissement de la communication interne est également lié au mode de reproduction de l'espèce. Considérons à titre comparatif la mouche et le chat. Bien que son sens visuel soit extrêmement développé et que l'innervation de ses ailes et de ses pattes soit très perfectionnée, la mouche ne dispose pourtant que d'un système nerveux primitif comparé à celui du chat; ses options de survie sont très modestes, puisqu'elle ne peut guère faire autre chose que de voler pour se nourrir ou fuir un danger. Le chat, au contraire, avec son système nerveux bien organisé, développé et même surdéveloppé, a le choix entre maintes activités de survie, comme l'apprentissage, par l'exploration ou par le souvenir comparatif, d'événements favorables ou défavorables. Pourtant le chat, en dépit d'une prolificité en apparence inconsidérée, se reproduit infiniment moins, et beaucoup plus lentement que la mouche.

C'est l'évolution des sytèmes internes de communication, autrement dit des réseaux nerveux, qui détermine le mode d'organisation des réseaux nerveux eux-mêmes. Si la survie est facilitée par un accroissement de l'information sensorielle disponible et par l'augmentation du flot des données qui circulent dans les réseaux nerveux, elle l'est aussi par une gestion plus efficace de cette information sensorielle. Tout laisse à penser qu'il s'agit là du stimulus ayant permis le développement de structures nerveuses qui se sont organisées pour évaluer l'importance relative de l'information afférente, pour l'intégrer, pour la distribuer là où elle est la plus efficace, et que toutes ces opérations ont favorisé l'adaptabilité grâce à laquelle les espèces sont capables d'interagir avec leur environnement, et par là même de survivre.

La substance nerveuse et l'évolution du cerveau

Si l'on admet le principe évolutionniste selon lequel les organismes modifient leurs structures anatomiques et fonctionnelles du fait d'un long processus d'adaptation au milieu, si l'on tient pour une évidence qu'à travers l'évolution phylogénétique se dessine une continuité anatomo-physiologique, alors il devient clair que c'est bien la fonction de communication propre au tissu nerveux qui a joué le rôle de moteur et de catalyseur dans l'évolution de tous les êtres vivants. Ce sont les *messages* — entendons par là l'information circulant entre les diverses parties du corps — et non la substance physique qui génèrent des *fonctions* appelées à survivre.

En réalité, deux catégories d'évidence plaident fortement en faveur de cette hypothèse. De l'étude comparative du tissu nerveux tel qu'il se présente chez les êtres organisés — des protozoaires à l'homme en passant par des organismes dont la complexité va croissant — il apparaît que, si le développement des neurones s'est réalisé de façon ordonnée, tant en *nombre* qu'en agencement et en structure, peu de changements sont intervenus dans leurs fonctions. Depuis ces fibrilles intracellulaires de tissus différenciés, les neurèmes, que l'on discerne à peine chez un unicellulaire tel que la paramécie et dont le rôle est de transmettre les messages d'un côté à l'autre de la cellule, jusqu'aux neurones d'un mètre de long qui s'enchaînent à répétition chez les vertébrés, la fonction essentielle de la cellule nerveuse est de communiquer des informations indispensables à la survie de l'organisme. La *morphologie* de ces cellules s'est progressivement adaptée selon les divers besoins des organismes et des espèces en développant des récepteurs spéciaux capables de capter différents types de messages, en se ramifiant pour distribuer l'information et pour la recevoir de multiples sources et en se dotant de voies de transmission à sens unique pour l'acheminer en bon ordre vers les cellules et les tissus, afin que ceux-ci réagissent conformément à la sauvegarde de l'organisme tout entier. Mais il reste que tous les nerfs, chez toutes les espèces, transmettent l'information exactement de la même façon.

Cette transmission de l'information par les neurones s'effectue par le plus simple des codes. C'est la variation en nombre des pulsations nerveuses qui transmet le degré de signifiance de n'importe quelle information spécifique (chaleur, pression); c'est le type de récepteur nerveux stimulé qui détermine la nature de l'information. Il appartient aux neurones du système nerveux central de distribuer et de regrouper l'information. Ce qu'on ignore, c'est comment s'opère la communication d'agrégats composites de données regroupées en un bloc. Bien que la recherche n'ait pas été en mesure de saisir sur le vif le transfert de ce type d'information complexe, tout indique fortement que ces blocs de données sont communiqués après transit cérébral sous forme de patterns d'activité neuronale. Les implications d'un tel concept sont immenses, car, pour qu'un pattern d'impulsions nerveuses soit généré, acheminé et intercepté en tant qu'unité d'information significative, il faut bien qu'il existe une faculté quelconque de transfert de l'information conforme à ce schéma. Et du fait que les éléments contenant ces patterns sont transmis en même temps que les patterns eux-mêmes, la faculté de communiquer ces derniers doit inclure aussi celle de communiquer simultanément des éléments séparés d'information. Récuser les théories du système nerveux et du cerveau revient donc à expliquer comment est communiquée la signification sommée, intégrée, d'un modèle et comment se communique l'information essentielle relative aux éléments individuels de ce modèle.

Une étape tout aussi remarquable dans l'évolution du tissu nerveux est représentée par l'élargissement de la communication entre les nerfs eux-mêmes. Étant donné que le "besoin" de réseaux nerveux plus fournis s'est fait de plus en plus sentir, les neurones ont continué à se spécialiser, à élaborer de nouvelles synapses et à se structurer en ensembles organisés, c'est-à-dire en ces faisceaux de cellules semblables que nous appelons les nerfs et le cerveau, adaptation grâce à laquelle les neurones ont pu exercer désormais des actions synergiques, ce qui a augmenté leur efficacité et élargi leur champ d'influence. Parfois aussi, en même temps que se sont affirmées de nouvelles formes de vie adaptatives, des formes plus anciennes se sont contractées au lieu de se développer, soit en devenant plus efficaces, soit en ne subsistant plus qu'à l'état "vestigial".

Un phénomène devait encore considérablement accroître l'efficacité, favoriser l'économie d'énergie et faciliter la survie: le développement des réflexes et des systèmes autorégulateurs. L'extraordinaire réponse apportée par les organismes en voie d'évolution aux conditions environnementales, couplée à la faculté, acquise par leur système nerveux, de coordonner des activités ayant pour vocation de préserver la vie, a conduit au développement de deux types distincts de réflexes. D'une part, le réseau nerveux amorphe du système autonome s'est différencié en mécanisme de survie capable d'assurer le fonctionnement harmonieux des organes et des systèmes vitaux. Et, d'autre part, s'est dévelopé un second type de réflexes, dont la vocation est d'interpréter les données perçues de l'environnement et de stimuler les activités favorables à la survie, comme cela se produit par exemple dans les réactions de branle-bas de combat/sauve-qui-peut.

Même dans les états évolutifs les plus archaïques, ce sont les neurones qui ont doté les êtres vivants d'intelligence: sans eux la communication entre organismes et environnement ne se serait jamais établie. En même temps qu'ils ont continué à s'adapter aux changements du milieu, l'élargissement de leur champ de communication et le développement de leurs facultés de stockage de l'information ont permis aux organismes d'opérer des choix parmi divers types de réponses.

Tout au long de l'évolution ultérieure des formes de vie organisées, c'est la substance nerveuse des êtres vivants qui s'est *d'elle-même* développée (et parfois contractée, quand ce mode évolutif s'avérait plus efficace), au fur et à mesure que les formes animales se perfectionnaient. C'est donc le tissu nerveux lui-même qui a inventé de nouvelles activités, de nouvelles morphologies grâce auxquelles les organismes ont pu se maintenir en vie. Finalement, en donnant naissance à l'esprit humain, la prodigieuse aptitude de la substance nerveuse à prodiguer une multitude de moyens de perpétuer la vie (car certains échouent) a peut-être accompli le plus grand des miracles: celui de conférer à l'esprit la faculté de réfléchir sur lui-même et de se donner les moyens de modeler son propre destin.

L'apprentissage et l'évolution du comportement

Une des caractéristiques les plus remarquables — encore que primitive — du tissu nerveux, consiste en sa faculté d'"apprentissage". Le rudimentaire tube nerveux du ver de terre contient par exemple en mémoire suffisamment d'information pour que l'animal puisse "apprendre" à distinguer d'un autre un signal artificiel. Et il est aisé de démontrer que les cellules à peine différenciées des animalcules marins de taille infinitésimale sont capables d'"apprentissage", au sens primitif du terme, quand par exemple ils cessent de réagir comme ils le font d'ordinaire à un stimulus de pression — c'est-à-dire par des contractions — à partir du moment où le stimulus est répété à intervalles fréquents. Ce qu'il est convenu d'appeler l'inhibition d'accoutumance, c'est-à-dire ce bizarre processus par lequel un organisme atténue provisoirement une réponse innée à partir du moment où le stimulus qui la provoque se répète pendant un certain temps, est bien la preuve la plus élémentaire que les cellules — et plus particulièrement encore le tissu nerveux — sont capables d'"apprendre" à s'adapter à leur environnement. Curieusement, c'est à un niveau d'évolution plus avancé qu'on voit apparaître un type inverse de "comportement acquis", par lequel les organismes amplifient au contraire (en nombre ou en intensité) leurs réactions instinctives innées aux modifications de leur environnement.

La prédominance de ces formes d'apprentissage simples et primitives dans des formes de vie de plus en plus perfectionnées illustre aussi bien l'imprévisibilité des mécanismes comportementaux des formes évolutives que la diversité d'évolution remarquable du comportement qui, pour favoriser l'adaptation et promouvoir d'autres comportements plus efficaces encore, est capable de perpétuer des amalgames phylogénétiques archaïques. L'inhibition d'accoutumance — par exemple cette aptitude primitive à refréner temporairement des réactions innées face à des stimuli qui ne menacent pas la survie — a été maintenue et s'observe tout au long de l'histoire de l'évolution. Quant à la sensibilisation qui, elle, consiste au contraire à intensifier les réactions à un stimulus répétitif, elle disparaît en grande partie au fur et à mesure qu'apparaissent des formes d'organisation plus évoluées, chez lesquelles elle fait place à des réactions comportementales plus efficientes.

Ces ébauches d'apprentissage qu'on observe chez les formes de vie élémentaires ne sont en fait que des réactions locales des tissus périphériques de l'organisme, autrement dit des réactions circonscrites survenant entre des récepteurs et des effecteurs, les uns enregistrant les changements de l'écosystème, les autres modifiant par voie réflexe l'activité des tissus périphériques. Alors que le tissu nerveux améliorait ses capacités de mémorisation (c'est-à-dire de stockage de l'information) et que les réseaux nerveux perfectionnaient leurs fonctions d'association des éléments d'expériences vécues, de comparaison de patterns d'expériences et de pensée permettant d'utiliser l'information pour changer le comportement, le tissu nerveux cérébral se dotait d'une fonction nouvelle: l'adjonction d'une signification ontologique aux événements physiques qu'il devait affronter.

Les preuves scientifiques d'une évolution anatomique et physiologique des êtres organisés sont en elles-mêmes convaincantes. Mais là où le bât blesse avec la théorie évolutionniste, c'est quand on veut rendre compte de l'évolution des comportements. Deux phénomènes résument fort bien le problème à cet égard. Le premier, c'est qu'il est universellement admis que la fonction crée l'organe. Autrement dit, pour que les diverses formes de vie puissent survivre, il faut que leurs fonctions soient adaptées aux conditions de l'environnement. Ce sont donc les fonctions (nutrition, locomotion) qui déterminent les architectures organiques (bouche, intestin, nageoires, pattes). Le second, et probablement le plus décisif par son influence sur le cours de l'évolution, c'est le développement du grégarisme et de la vie en société, développement qui implique non seulement la coopération des individus pour la survie d'une même espèce, mais encore une vie sociorelationnelle qui stimule la survie de l'individu dans l'espèce.

Ainsi que je l'ai déjà fait observer, certaines espèces ont développé des moyens de protection qui leur ont permis d'échapper à l'extinction. Cette technique de survie contraste singulièrement avec le processus d'adaptation des fonctions physiologiques grâce auquel une espèce peut survivre dans un environnement donné. Ainsi, les activités sociales des fourmis et des abeilles sont en fait des dispositifs hautement spécialisés de réponse aux exigences de l'environnement, dispositifs qui protègent ces espèces de l'extinction. On voit bien que des mécanismes de survie de ce type sont totalement différents de ceux qu'ont adoptés des espèces plus "évoluées" pour préserver activement le jeune *individu*, en s'organisant par exemple pour mener des actions offensives contre les éléments de l'environnement potentiellement dangereux. Les grands singes, qui sont les plus proches parents de l'homme par leur anatomie et leur comportement, ont développé un nouveau système de survie très remarquable, résultant d'un amalgame de dispositifs comportementaux, système qu'ont adopté les groupes aussi bien dans leur propre intérêt communautaire que dans celui des individus qui les composent, mais peut-être pas nécessairement dans l'intérêt bien compris de l'espèce.

En effet, ce qui différencie principalement les grands singes des animaux qui leur sont les plus proches, ce sont leurs activités sociales, communautaires, et surtout familiales. Il semble raisonnable d'admettre qu'à une étape donnée de l'évolution, le facteur déterminant qui est intervenu pour augmenter les chances de survie de toute l'espèce a été l'activité communautaire interindividuelle. Les fourmis, les abeilles, les lions, les éléphants et bien d'autres espèces encore, maintiennent des activités de colonies, de groupes ou de familles, mais c'est presque exclusivement chez l'homme et chez ses cousins anthropoïdes (ainsi que chez les préhominiens) que l'activité sociale est davantage orientée vers la survie de l'individu que vers celle du groupe, de la horde, de la colonie ou de l'espèce. En somme, tout se passe comme si les membres du groupe ou de l'espèce étaient à un moment donné devenus des individus, chacun se dotant de caractéristiques aisément identifiables.

On suppose donc, si la théorie évolutionniste est exacte, que les interactions nouvelles qui se sont exercées entre l'environnement et les structures anatomo-fonctionnelles transitoires des grands singes et des préhominiens — interactions auxquelles sont venues soudain se superposer des activités communautaires et sociales — ont abouti au dévelopement chez l'homme de dispositifs fonctionnels totalement inédits. Ces nouveaux dispositifs (déjà décelables à l'état fragmentaire chez ses cousins les grands singes) incluent différents remaniements nerveux ainsi qu'un processus de céphalisation capable de donner naissance à des systèmes sociaux fonctionnels et conceptuels fort éloignés des états d'organisation où prédomine la nécessité de composer avec l'environnement physique immédiat.

En même temps que les activités sociales prenaient de plus en plus d'importance dans la maîtrise de l'environnement physique, l'activité relationnelle en elle-même a dû se faire de plus en plus raffinée pour mieux jouer son rôle de dispositif de survie. L'apparition de la vie familiale s'est accompagnée d'innovations endocriniennes spectaculaires, comme l'allongement des cycles sexuels et peut-être même l'augmentation du prix attaché à la vie individuelle. Très certainement aussi, au fur et à mesure que les fonctions endocriniennes se sont modifiées et qu'il a fallu de plus en plus de temps à la progéniture pour devenir adulte, le besoin d'instruire et d'éduquer les jeunes s'est fait sentir, puis s'est affirmé bientôt comme une nécessité environnementale et sociale.

Avec ce perfectionnement de l'organisation sociale chez les grands singes, le besoin d'améliorer la communication s'est accru; différents types de signaux sont ainsi apparus. Si l'exhibitionnisme des simiens — qui sans raison apparente les pousse à se frapper le thorax, à émettre des cris perçants ou à entrer en érection — semble être principalement un signe d'affirmation de domination par rapport aux congénères, il arrive fréquemment aussi que ce type de comportement ne soit pas orienté vers une finalité quelconque, mais ne représente qu'un simple défoulement social. Ajoutons que les singes disposent aussi de multiples signaux informationnels, si l'on songe à la richesse de leur répertoire en mimiques faciales et en intonations vocales.

Les témoignages de ce genre, que nous fournissent les conduites des animaux supérieurs, m'inciteraient plutôt à contester les conclusions que la science a vulgarisées, selon lesquelles l'homme serait seul à détenir la faculté de transmettre de génération en génération les connaissances acquises, les comportements et les habitudes culturelles qui ne relèvent plus de la simple perception sensorielle. On tient généralement pour certain que l'homme seul est capable de communiquer aux générations qui succèdent à la sienne l'information symbolique, mais il est bien certain que les cris et les gestes de beaucoup d'espèces sauvages sont provoqués par des phénomènes étrangers à l'environnement immédiat. Même si, la plupart du temps, ces cris et gestes sont appris quand l'objet qui en est la cause appartient à l'environnement physique, nombre d'espèces ont également le pouvoir de faire circuler une information relative aux nouvelles données qui surviennent dans l'environnement. Cela relève, bien sûr, d'un mode de communication très général, mais il n'en reste pas moins qu'il s'agit là d'un échange de concepts.

L'évolution de la mentalité sociale

L'influence exercée par les activités sociorelationnelles sur le cours de l'évolution entraîne des conséquences plus secrètes encore. Tout au long de leur longue phase d'immaturité, les jeunes individus manifestent de la confiance non seulement à leurs géniteurs, mais aussi aux autres membres de la communauté; c'est une confiance du même ordre qu'on observe chez les individus d'une même bande ou d'une même horde quand celle-ci semble implicitement s'en remettre à la sagesse des plus anciens pour pressentir un danger ou bien se procurer nourriture et abri.

Ce qu'on connaît généralement de l'évolution et de la place occupée par l'homme dans le règne animal repose pour une bonne part sur la conviction qu'il est mû par des déterminismes strictement biologiques, ce qui réduit ses comportements aux plus primitives des conduites animales. S. A. Barnett, un biologiste du comportement, écrit que "l'évolution du cerveau humain et des conduites humaines s'est accomplie dans la barbarie". L'idée selon laquelle les prédécesseurs biologiques de l'homme avaient pour caractéristique principale d'être de féroces sauvages est sans doute très répandue. Mais il n'en reste pas moins que cette idée archaïque n'est que le produit d'une vision très partielle des choses ou, si l'on veut, une tentative hystérique d'immunisation contre les témoignages contraires que nous apporte l'histoire du comportement.

Car les signes démontrant l'existence de qualités humaines chez l'animal sont cent fois plus nombreux que les signes démontrant chez l'homme la présence de caractéristiques animales. Ce qui laisse donc supposer que ces qualités qui ont permis le développement évolutif ont bien davantage favorisé la survie des espèces que les caractéristiques animales qu'on interprète comme des instincts. Car des traits de comportement tels que l'agression, la défense du territoire, la nidation, etc., sont presque toujours spécifiques de telle ou telle espèce, et leur distribution à travers le monde animal n'est certainement pas universelle. Alors qu'au contraire la protection de la famille ou de la communauté, l'éducation des jeunes individus, le partage de la nourriture, la communication par des moyens perfectionnés, la confiance réciproque, la contrainte volontairement acceptée, la prévision et bien d'autres activités "intelligentes", sont des qualités propres aux espèces de plus en plus évoluées. Ce qui semblerait indiquer que, dans le déterminisme évolutif des espèces supérieures, la tendance croissante à développer des comportements tournés vers la maîtrise de l'environnement social a représenté un mécanisme adaptatif beaucoup plus puissant que les conduites animales primitives de réponse aux contraintes de l'environnement physique.

Il aura suffi d'un accident survenu au cours d'une expérimentation sur le comportement des singes macaques, qui comme chacun sait abhorrent l'eau, pour que ces animaux découvrent non seulement que le sel améliore le goût de la nourriture quand celle-ci est trempée dans l'eau de mer, mais aussi que les graines éparpillées pouvaient être récupérées après trempage et flottation. Ces deux découvertes connexes ont entraîné de profonds changements dans la culture de ces singes, puisque le fait de se servir de l'eau devait leur faire adopter la natation et que plus tard les jeunes devaient découvrir eux aussi que l'eau constitue un magnifique terrain de jeu.

Tant que nos théoriciens continueront de se demander si ce type d'apprentissage se fait par imitation ou bien résulte d'un accident, je crois qu'ils passeront à côté de la question. Dans le cas qui nous occupe ici, le véritable moteur du changement comportemental — et donc en l'occurrence du changement de mode de vie — tient à ce que pour l'occasion l'homme a *interagi* avec les singes et ne s'est pas contenté de les étudier ou de se servir d'eux comme objets d'expérimentation.

La raison pour laquelle l'esprit des singes n'a pas évolué de façon plus perfectionnée semble uniquement due à leur environnement social. Mais dès qu'ils accèdent à un environnement supérieur, celui du concept et de la pensée, les singes développent de nouvelles fonctions de l'esprit, vraisemblablement en réorganisant leurs processus mentaux. Ce qui est corroboré de façon frappante par certaines études récentes sur l'intelligence des chimpanzés. On a en effet découvert que les chimpanzés — et cela sans que se produise aucun changement dans la structure du cerveau, mais du seul fait *d'inter-actions* nouvelles avec des êtres humains — sont capables d'intégrer des informations abstraites, mais uniquement quand celles-ci leur sont fournies par la communication directe (et non pas par l'exemple, l'apprentissage ou l'imitation), et sont capables aussi de modifier leur langage, de traduire d'autres langages, de transférer sur certains objets des concepts permettant l'activité descriptive ou encore de transmettre à leurs congénères "ignorants" les dons de communication qu'ils ont eux-mêmes acquis.

Quand, en effet, un chimpanzé apprend à distinguer et à exprimer, parmi des centaines de signes gestuels, ceux du "cri" et de la "douleur", et que par la suite il exprime "cri-douleur-nourriture" en mordant un radis, il ne fait rien d'autre qu'inventer de nouveaux symboles. Et quand encore on lui donne pour la première fois une pastèque et qu'il exprime "bonbon-fruit-boire", non seulement il développe de nouveaux concepts, mais il communique également avec toute l'efficacité et toute la pertinence dont son éducation le rende capable. Or, ce sont là des aptitudes intellectuelles qu'on ne prête qu'à l'homme.

La preuve existe aussi que des environnements "enrichis" (mise à disposition de certains objets, facilitation de certaines tâches) accroissent la taille du cerveau chez le rat, ce qui semble indiquer que le comportement symbolique peut en fait modifier la structure organique. Il est donc tout aussi fondé (et logique) de conclure que la matière vivante s'accorde aux phénomènes évolutifs de nature non matérielle, comme dans le cas du rat, que de croire l'inverse, c'est-à-dire qu'un changement dans l'environnement physique appelle un perfectionnement de l'activité intellectuelle, comme dans le cas du chimpanzé.

Toute la question est de savoir si les fonctions du tissu nerveux peuvent être modifiées à partir du substrat cérébral préexistant. Étant donné que la fonction du cerveau se ramène à l'activité mentale, il existe de fortes raisons de penser que l'esprit gouverne le cerveau.

Quand on récapitule l'histoire de l'évolution, il est fascinant de spéculer sur les changements structurels et fonctionnels qui ont pu survenir dans le règne animal du fait de l'intensification des activités sociales. Depuis bien longtemps, par exemple, les spécialistes de l'évolution considèrent que c'est la chasse qui a stimulé les activités des premiers hominiens. Il est parfaitement évident qu'en bien des occasions la survie n'a dépendu que de la coopération des chasseurs. Mais, sur des millénaires, l'*effet* exercé par la chassse en groupe sur la survie a été potentialisé par des changements dans le comportement. Car qui dit chasse dit aussi division du travail, donc partage de la nourriture; ce qui par voie de conséquence signifie prévision de l'activité cynégétique et attribution à chaque individu d'un rôle hiérarchique à tout le moins temporaire.

C'est probablement dans les conséquences d'activités communautaires très primitives qu'il faut rechercher la grande cassure du processus évolutif grâce à laquelle sont apparues des formes animales de plus en plus complexes, et aussi les ébauches de ce qui devait un jour devenir l'esprit de l'homme. À partir du moment où une véritable activité sociale s'est développée, la vie animale a cessé de se modeler exclusivement sur les exigences de l'environnement physique. Un "hasard" de l'évolution a probablement voulu qu'un jour l'environnement physique qui, jusqu'à l'apparition de l'homme avait dicté au changement évolutif la direction dans laquelle il devait s'engager, ait commencé à perdre progressivement de son pouvoir pour passer sous contrôle humain.

Si tant est qu'une conviction puisse jamais être fondée dans l'absolu, il est certain que les pouvoirs de l'esprit sont déterminés par des transformations physico-chimiques s'effectuant dans l'intimité du cerveau et des nerfs qui en sont les tributaires. Nous sommes aujourd'hui capables de suivre l'évolution *physique* de l'encéphale d'une forme animale à l'autre, depuis les espèces élémentaires jusqu'aux plus évoluées (et par là même d'évaluer la quantité de connaissance dont disposent les êtres vivants); par ailleurs, la science avance des arguments de poids pour démontrer que l'accroissement du savoir et le perfectionnement fonctionnel sont très précisément liés au changement comportemental. Mais ce que la science ne peut démontrer, ce qu'elle ne peut étayer sur le moindre début de preuve, c'est l'existence d'un mécanisme physique qui expliquerait pourquoi les êtres humains ont la faculté de transmettre des informations symboliques conceptuelles, pas plus qu'elle ne peut résoudre l'ultime énigme de l'esprit: l'unité-dualité d'un cerveau apte à s'analyser en se distanciant de lui-même. "Je sais que je sais". Cette appréciation subjective résume à la fois toute l'expérience et toute la connaissance de l'individu capable de dépassement, et aussi toute la culture immatérielle d'êtres doués de deux niveaux d'existence qui font d'eux des hommes: le biologique et l'intellectuel.

L'état de nos connaissances actuelles ne nous permet pas de répondre à la question de savoir si l'esprit est une création nouvelle jaillie du monde matériel ou s'il s'agit simplement d'une conséquence inévitable résultant de l'évolution réussie de certaines espèces capables de vivre et de survivre de plus en plus harmonieusement dans un univers circonscrit. Certains hommes de science ne semblent pas comprendre à quel point la théorie de l'identité esprit-cerveau pèche par défaut. Mais d'autres, mieux informés, admettent pourtant du bout des lèvres que l'esprit échappe à tout ce qu'on sait du cerveau. S'il en est effectivement ainsi, c'est que nous avons négligé de prêter attention aux antécédents de l'esprit et de la conscience pour polariser notre attention sur des preuves plus immédiates de l'évolution physique.

L'attitude d'intolérance des tenants de la théorie mécaniste freine grandement et la compréhension de l'esprit, et l'étude des pouvoirs supérieurs dont celui-ci dispose indubitablement. Si les chimpanzés sont capables d'augmenter leurs facultés mentales pour les porter à un degré très supérieur à celui qui a été atteint jusqu'ici — cela tout simplement parce qu'on les place dans une culture différente et qu'on les fait bénéficier d'un héritage culturel que par la suite ils peuvent transmettre comme le font les humains —, alors ces derniers, dotés de capacités bien supérieures à celles des chimpanzés doivent *a fortiori* pouvoir eux aussi développer leur intelligence et leur psychisme pour accéder à une nouvelle forme d'existence procédant d'une synthèse de leur intellect.

Que penser de la théorie des plus aptes?

Ce qui paralyse grandement les sciences qui se penchent sur les origines de l'homme, c'est l'absence d'une véritable concertation entre les diverses disciplines auxquelles nous devons nos connaissances en matières d'évolution des espèces. Que nous ayons affaire aux zoologistes, aux anthropologues, aux paléontologistes, aux psychologues, aux physiologistes, aux sociologues, que sais-je encore, tous fondent en général leurs théories explicatives sur les connaissances que leur fournit leur propre spécialité. En passant en revue les données scientifiques, les théories et les idées multiples qui circulent à propos de l'origine et de la nature humaines, j'ai été frappée de l'esprit de clocher qui caractérise les opinions émises par les spécialistes sur l'émergence de l'homme. Les généticiens ne s'attachent qu'aux transformations moléculaires des substrats de la mémoire génétique; les biologistes du comportement ne nous parlent que du mode de réponse à l'environnement manifesté par les espèces; les anthropologues et les ethnologues ne prennent en considération que les caractéristiques physiques ou culturelles de l'être humain. Et ainsi des autres spécialistes. De temps à autre, il arrive bien que l'un d'eux essaie de jeter un pont entre deux corps de connaissances, mais dans la majorité des cas cette tentative a pour but d'amener de l'eau à son propre moulin.

S'il existe un thème qui fasse l'unanimité parmi ce monceau d'opinions tout aussi autorisées les unes que les autres, c'est bien celui de la sélection naturelle et de la transmission héréditaire des caractéristiques physiques. Pourtant, en dépit de l'opinion qui prévaut, l'origine de l'homme appelle davantage de questions que de réponses, fait apparaître davantage d'exceptions à la règle que de cas vérifiés, et aussi davantage de lacunes que de preuves dans la théorie. Il ne s'ensuit pas pour autant que celle-ci soit globalement erronée; il s'en faut même de beaucoup. Mais ces omissions et ces contradictions indiquent fortement que nous devons prendre en considération une autre interprétation d'ensemble, une autre logique, et aussi privilégier une coopération plus étroite entre des corps de connaissances qui nous semblent confus, faute d'avoir jamais fait l'objet d'une mise en perspective concertée. Pourtant, des centaines de systèmes vivants coopèrent, et cette coopération exerce de profonds effets sur l'évolution. De tels systèmes participent d'une organisation à la fois communautaire et intercommunautaire. Ce sont eux — qu'il s'agisse d'organismes en tant que tels, d'espèces dans leur ensemble ou de systèmes internes — qui modifient la morphologie et la fonction des parties et aboutissent à des résultats fonctionnels différents de ceux qu'on pourrait attendre de la somme de ces parties. Ce sont eux qui sont à l'origine de l'individualisation et de la personnalisation des membres d'une même espèce, eux qui stimulent l'attitude exploratoire de dépassement, et eux encore qui assument le "contrôle" génétique en rassemblant des milliers de molécules d'ADN pour reproduire l'homme dans son intégrité.

Nous confondons trop souvent théorie et fait établi. Aussi l'individu moyen, qui emprunte à la science des idées toutes faites sur la nature de l'existence, se laisse-t-il volontiers abuser par des erreurs souvent grossières. La plupart des hommes ont tendance eux aussi à fonder leurs jugements sur l'argumentation des autres et à généraliser plus que de raison certaines théories sans même faire preuve d'esprit critique. Les psychologues, par exemple, tirent leurs concepts sur l'origine du comportement des affirmations formulées par les éthologistes qui, à leur tour, subissent l'influence des sociologues et des neurophysiologistes, dont les conceptions sont elles-mêmes calquées sur celles des anthropologues, des neuro-anatomistes ou des microbiologistes. Si bien qu'à partir du moment où un scientifique commence à élaborer un concept quelconque sur la nature du vivant ou l'origine du comportement, il court le risque de fonder ce concept sur des données incomplètes, sur une logique approximative ou sur des idées limitées.

Ceux qui nous dictent ce qu'il convient de savoir de la vie et des êtres vivants sont à ce point captivés par la merveilleuse harmonie qui unit entre elles des entités chimiques ou biologiques infinitésimales qu'ils en viennent à passer complètement sous silence d'autres entités chimiques ou biologiques infinitésimales qui, elles, seraient plutôt discordantes; ils préfèrent ignorer délibérément les gigantesques vides de la théorie et de la logique.

Les théoriciens de l'origine et de la nature humaine ne se tiennent plus d'aise chaque fois qu'ils mettent en évidence des analogies entre l'homme et l'animal, comme les conduites d'agressivité, les parades sexuelles, les "instincts" parentaux, la chasse ou l'activité ludique. Alors ils s'empressent de monter en épingle ces caractéristiques, comme si l'homme était dépourvu d'esprit et n'agissait que sous l'empire de ses hormones et des substances chimiques contenues dans son corps et dans son encéphale. L'argument selon lequel l'évolution, puisqu'elle s'est accompagnée d'une continuité biologique, devrait nécessairement s'accompagner aussi d'une continuité comportementale est un argument simplifié à l'extrême. Il est bien sûr valide, et de toute évidence. Mais en partie seulement. Un aspect de l'histoire passe généralement inaperçu de ceux qui étudient le comportement humain; cet aspect représente pourtant le trait le plus fondamental de toute l'évolution; à savoir que, quand de nouvelles formes et de nouveaux systèmes vivants se développent à partir de structures plus anciennes, les éléments qui caractérisent ces nouvelles formes et ces nouveaux systèmes sont non seulement des innovations, mais des innovations qu'il aurait été impossible de prévoir de façon satisfaisante en extrapolant les caractéristiques des structures préexistantes.

Certes, quand un nouveau système évolue, on observe souvent que sa forme évolutive procède d'un remaniement des parties constitutives d'un système plus ancien. Si, dans l'évolution des êtres organisés, il s'agit là d'une fonction indispensable à la survie, alors il ne faut guère nous attendre à voir apparaître des changements de structure très spectaculaires. Dans ce processus complexe qu'a été la céphalisation, il semble bien certain que nombre de changements fonctionnels ne se sont pas accompagnés d'une modification visible de la morphologie cérébrale, mais ont résulté d'un remaniement discret des structures et des fonctions existantes. C'est seulement quand les espèces ont développé des dispositifs hautement spécialisés pour survivre dans leurs environnements respectifs que sont survenus dans les structures cérébrales des changements majeurs.

Au cours de l'évolution des espèces, le nouveau dispositif appelé un jour à devenir esprit semble avoir tout d'abord résulté d'un remaniement des liaisons nerveuses avec le cerveau, avant de développer des fonctions que rien ne pouvait laisser prévoir dans les caractéristiques des différents systèmes nerveux dont les interactions se sont conjuguées pour en générer de nouvelles. C'est ce caractère d'imprévisibilité propre aux fonctions des nouveaux systèmes apparus dans l'histoire biologique que Konrad Lorenz appelle "l'éclair créatif". Du jour où s'est créé, fût-ce par une réorganisation cérébrale interne, ce nouveau système d'activité nerveuse capable de faire naître la conscience et la faculté de réfléchir sur soi, le cours de l'évolution en a été changé pour toujours.

Car avec l'avènement de l'homme doué d'esprit, la nature même de l'existence s'est modifiée. Avec son aptitude nouvelle à percevoir les significations abstraites, à penser en symboles et à imposer un nouvel ordre aux éléments de son environnement, l'homme a acquis en grande partie la maîtrise de son milieu physique. L'espèce humaine a alors cessé d'avoir besoin de s'adapter à l'environnement naturel, ainsi d'ailleurs que les autres espèces, puisque c'est l'homme qui désormais s'est révélé capable de modifier l'environnement, non seulement pour lui-même, mais aussi pour l'ensemble du règne animal.

La survie de l'homme, elle, dépend de la forme qu'il donne à l'environnement social qu'il s'est lui-même créé. Car, d'une part, survivre consiste pour lui à assurer sa domination sur les éléments naturels; et, d'autre part, survivre signifie créer une société mieux adaptée à l'exercice et au bon usage de facultés mentales qui ont évolué et qui peut-être vont évoluer encore par un simple remaniement ultérieur des capacités nerveuses existantes.

Une partie essentielle du processus évolutif semble avoir échappé aux spéculations qui entourent l'avenir de l'homme: c'est le rôle déterminant que joue son appareillage mental dans l'évolution de son propre esprit. La grande question qui se pose est donc de savoir si la prochaine étape de l'évolution humaine sera une étape de progrès caractérisée par l'émergence d'une mentalité supérieure. La logique l'indique fortement. D'abord a existé un ordre naturel de tous les événements qui se déroulaient dans l'univers. Ensuite est venu un changement concomitant des aptitudes fonctionnelles, au fur et à mesure que l'environnement s'est modifié. Puis, l'homme a développé la faculté de changer son propre environnement et, dans celui dont il s'est doté, les facteurs socio-relationels l'ont emporté sur les facteurs physiques. Plus une société humaine est complexe, plus le comportement de l'homme et aussi son avenir sont déterminés par des facteurs intellectuels. L'homme a commué son milieu en un environnement éminemment mental. C'est à cet environnement immatériel qu'il devra désormais s'adapter pour survivre; cette adaptation continuelle au monde qu'il a créé s'accompagnera nécessairement d'une nouvelle évolution de ses aptitudes et de ses fonctions mentales.

Quatrième partie

•

L'intégration
de l'inconscient

•

Chapitre 9

Les voies de l'inconscient

La texture invisible de l'esprit

Les spécialistes du cerveau et du comportement éludent depuis si longtemps l'idée qu'il puisse exister une quelconque activité intellectuelle derrière la conscientisation qu'ils n'utilisent que bien rarement des mots tels que inconscient ou subconscient. Quant aux psychothérapeutes et aux psychiatres qui, eux, les emploient, ce n'est pas sans quelque flottement, puisque dans leur discours ces mots sont volontiers interchangeables, comme si la structure et la nature des composantes subconscientes et inconscientes de l'esprit étaient en elles-mêmes sans importance, sauf peut-être quand il s'agit — nous l'avons noté à bien des reprises — d'attribuer tel ou tel dérèglement émotionnel ou psychosomatique à des défenses ou des conflits réputés alors inconscients, ou à des soucis que pour l'occasion on qualifie de subconscients. Bien que la langue anglaise n'use exclusivement du mot subconscient qu'en tant qu'adjectif (contenu subconscient, désirs subconscients), les dictionnaires le considèrent également comme un substantif qui désigne "cette fraction de l'activité mentale dont l'individu n'a pas ou n'a que très peu de perception consciente". Pas très assurés de son existence, les spécialistes du comportement, eux, ne font guère allusion au subconscient que par d'épisodiques et vagues références à ses activités. Quant aux sciences psychologiques, elles dénient généralement au subconscient-inconscient toute possibilité sérieuse d'intellection, du fait même que c'est précisément à l'oeuvre de l'inconscient qu'elles attribuent toute activité mentale tant soit peu simpliste ou pernicieuse. Mais étant donné que dans le langage courant c'est le mot inconscient qui revient le plus souvent, mieux vaut donc sacrifier à l'usage nous aussi.

Psychologues et psychiatres centrent bien davantage leurs recherches sur les répercussions comportementales de l'activité mentale anormale, sur les luttes et les conflits inconscients qui perturbent l'émotion, que sur les divers aspects et sur le mode de fonctionnement de l'inconscient *normal*. De la même manière, et tout aussi inexplicablement, les sciences qui étudient la nature de l'homme ne témoignent pas le moindre intérêt pour les innombrables exemples tirés aussi bien de la recherche que de la vie de tous les jours, exemples qui viennent nous confirmer ce qu'a d'extraordinaire l'efficacité des opérations de l'inconscient.

Puisque, par exemple, il est largement admis que les conflits inconscients sont à l'origine de désordres de la personnalité, on peut donc raisonnablement en déduire que c'est là où ces désordres n'existent pas que l'inconscient opère le plus harmonieusement. Pourtant, en dépit de l'unanimité qui s'est faite à propos du rôle joué par l'inconscient dans les désordres émotionnels, les publications scientifiques consacrées aux névroses définissent très minutieusement les caractéristiques des réactions névrotiques, les classent par catégories, énumèrent les facteurs d'angoisse, mais ne mentionnent pour ainsi dire jamais l'inconscient en tant que tel. Même en psychothérapie, domaine fort éloigné de la spéculation scientifique et où s'impose le contact avec la réalité pratique, moins d'une technique de cure sur huit table sur le présupposé qu'il existe des mécanismes inconscients discrets et identifiables.

Prenons l'exemple — rendu encore plus significatif de nos jours, où il est admis qu'on peut apprendre à diriger le contenu des rêves — de ces solutions que l'activité onirique de l'inconscient est capable d'apporter à bien des problèmes que l'activité consciente est impuissante à résoudre. Le rêve et l'imaginaire représentent des expériences mentales qui, littéralement, illuminent l'extraordinaire activité de l'inconscient. L'un comme l'autre ont le pouvoir d'inventer des scénarios étranges, magnifiques, introspectifs, par la seule intervention de l'inconscient. Ou prenons encore l'exemple de ces performances de l'esprit ou du corps parfaitement réussies, par lesquelles se révèle une étonnante aptitude à intégrer et à développer toutes les activités requises, mentales ou physiques, pour que soient remplies les conditions qui, au regard de l'esprit, font que ces performances sont parfaites et achevées.

Puis, il faudrait citer aussi ces transformations organiques qui s'accomplissent dans le corps du fait de l'activité mentale et que la science, si elle voulait s'en donner la peine, pourrait aisément mesurer. Dans les exemples de ce genre, les effets de l'imagination sont si évidents qu'il est tout de même surprenant qu'on ne leur ait pas prêté davantage d'attention scientifique. Considérons ce qui se produit si vous vous imaginez en train de sucer un citron vert. Vous sécrétez de la salive, et parfois même vous ressentez une modification du péristaltisme intestinal. Autrement dit, vous ressentez les mêmes effets que si vous suciez véritablement un citron vert. Imaginez encore qu'une bestiole rampante et visqueuse vous atterrit sur le bras. À la simple évocation de cette image, tout votre corps accuse un mouvement de recul et de crispation, votre coeur s'affole, votre souffle s'éteint, vous faites une grimace de dégoût, et vous esquissez un geste du bras pour vous débarrasser de la répugnante bestiole, exactement comme si vous aviez été concrètement agressé.

C'est l'image mentale évoquée par votre esprit qui a excité vos glandes salivaires, vous a fait ressentir des frissons dans l'échine ou bien a éveillé en vous d'autres activités organiques. Une pensée consciente peut donc rameuter des centaines de souvenirs divers stockés dans l'inconscient pour reconstruire l'image requise. Et c'est cette image recrutée dans le réceptacle de l'inconscient qui dirige le mode de réponse du cerveau et de l'organisme.

Bien que la psychologie admette que la faculté, grâce à laquelle l'esprit élabore des concepts abstraits, génère et projette des images, et attribue un ordre aux événements de notre vie, représente pour l'homme une fonction de première importance, la recherche n'a pas encore découvert de moyens fiables pour authentifier et corroborer ces mécanismes obscurs et cachés qui s'accomplissent en nous, et qui sont autant d'actes intelligents que ceux que la partie inconsciente de notre esprit exécute, sans participation ou presque de notre conscience lucide. Pourtant, les fonctions mentales de l'inconscient sont d'une telle délicatesse qu'il faut bien se demander pourquoi si peu d'effort a été entrepris pour essayer de comprendre comment elles opèrent et d'où elles procèdent.

La réalité inconsciente

Je n'oublierai jamais le jour où, pour la première fois, je pris conscience du pouvoir de l'activité inconsciente, tant ce pouvoir me fut révélé de façon spectaculaire. C'était le dernier jour de ma première année d'études médicales. Ma mère avait fait huit cents kilomètres en voiture pour venir me chercher et me ramener à la maison avec toutes mes affaires; il ne me restait plus avant le retour que de menus détails à régler. En compagnie d'autre étudiants, je faisais la queue à la cafétéria, alléchée par la perspective de savourer en ce jour de canicule des sandwiches au cresson et aux crevettes accompagnés d'une portion de potage froid. Ma mère s'était jointe à notre groupe. Une fois à table, je commençai donc mon repas, quand soudain je fus prise d'une violente nausée. Je m'excusai auprès des autres et, pliée en deux, me précipitai vers les toilettes. L'estomac révulsé et la bouche envahie d'un flot acide, je vomis dans le lavabo le plus proche. Un peu plus tard, blême et chancelante, je rejoignis le groupe et glissai à l'oreille de ma mère ce qui venait de m'arriver. "Est-ce parce que les résultats vont bientôt être affichés?" me chuchota-t-elle.

Dans l'euphorie du moment, j'avais complètement oublié le fatidique rituel qui consiste à afficher publiquement les résultats des examens du second semestre. Des résultats déterminants, en l'occurrence, pour mon propre avenir. Mais mon inconscient, lui, n'avait rien oublié et, sans le moindre signe de connivence avec mon activité consciente, avait fait le bilan des difficultés rencontrées au cours de ce second semestre.

Je venais de passer une année très éprouvante. Après avoir ressenti une certaine désillusion philosophique pour la médecine, j'avais été assaillie en permanence par des migraines répétitives et, bien entendu, je n'étais pas très sûre des notes que j'allais obtenir. Je ne savais pas trop non plus si j'allais poursuivre dans cette voie socialement considérée comme prestigieuse, même si mes notes me le permettaient, et je me demandais avec anxiété comment ma famille allait le prendre. N'importe qui, dans des circonstances semblables, en eût éprouvé du malaise. Mais j'avais consciemment refusé d'en tirer les conclusions qui s'imposaient, même une fois confrontée à mes défaillances organiques. Il fallut donc que ma mère me parle comme elle le fit ce jour-là pour que je comprenne qu'elle avait raison et pour que je prenne pleinement conscience que ma détresse physique aiguë provenait de l'inquiétude qui mijotait à l'arrière-plan de l'analyse lucide des faits.

Alors que ma mère, elle, avait compris que c'était dans mon esprit que naissaient essentiellement des angoisses, rien n'avait le moins du monde fait affleurer celles-ci à ma conscience claire. Or j'étais stupéfaite de constater à quel point des préoccupations si importantes pour une fraction de mon esprit avaient pu rester ignorées de l'autre fraction, celle qui selon moi aurait dû lucidement m'éclairer sur moi-même. Stupéfaite, je l'étais aussi de me rendre compte que l'inquiétude inconsciente avait atteint à une intensité telle qu'elle avait plongé mon organisme dans des spasmes incontrôlables. Ce jour-là, la fraction occultée de mon esprit exerça encore un autre effet énigmatique: dès que ma mère me fit prendre conscience des réalités, ce qui me nouait les entrailles se dénoua, et cela bien avant de savoir que j'étais reçue.

Presque tout le monde a connu des expériences semblables. Telle jeune femme a beau savoir que ses insomnies persistantes sont dues aux soucis qu'elle se fait pour elle-même quand bientôt sera prononcé son divorce, il n'empêche qu'elle ne comprend pas pourquoi elle ne peut trouver le sommeil alors qu'elle vient de passer une soirée agréable qui lui a remonté le moral. Tel enfant de dix ans est pris d'un sévère mal de ventre la veille de la rentrée des classes, tout simplement parce que d'obscures images de discipline scolaire lui viennent en tête sans qu'il les perçoive clairement et que ces images affectent son intestin et non pas sa conscience lucide.

Les psychologues interprètent habituellement les épisodes de ce genre comme des signes d'anxiété inconsciente. Mais il ne s'agit pourtant pas de réactions purement émotionnelles. Car ce qui se produit alors dans l'inconscient s'apparente bien davantage à un débat mental qui met en jeu des données d'observation précises et une logique rigoureuse. Ce n'est pas tant l'émotion résultant de l'angoisse que la lutte livrée par l'esprit pour résoudre un problème épineux et bien réel qui fait peser véritablement une menace sur le bien-être affectif et sociorelationnel.

Selon moi, il ne suffit pas d'affirmer que l'angoisse inconsciente a le pouvoir, quand elle survient, de perturber l'organisme. Encore faut-il essayer de comprendre la nature même de cet inconscient capable d'opposer une barrière à l'interprétation consciente et d'élaborer une pensée intelligente et logique. Un examen même superficiel des expériences de ce genre révèle que certaines opérations rationnelles sont le fait d'un esprit actif, capable de percevoir et d'évaluer l'information, de chercher des réponses, de créer des images et de les projeter dans le passé comme dans le futur, de formuler des jugements, et cela, en dehors de toute conscientisation lucide.

Si l'inquiétude inconsciemment ressentie a le pouvoir d'affliger l'esprit et le corps, n'est-il pas possible aussi que l'inconscient exerce des effets inverses, c'est-à-dire déploie activement ses activités au bénéfice du bien-être? Alors que la plupart des théoriciens consacrent l'essentiel de leurs spéculations aux dérèglements de la personnalité dus aux mécanismes de l'inconscient, je crois pour ma part qu'on peut identifier dans les opérations d'un inconscient perturbé certaines propriétés et certaines aptitudes nous permettant de mieux comprendre comment fonctionne l'inconscient normal.

L'anecdote personnelle que je viens de décrire illustre un certain nombre de caractéristiques extraordinaires et pourtant fréquentes dans les expériences que chacun peut faire de l'activité mentale inconsciente. À bien des égards, pareilles expériences sont fort différentes des épisodes graves de stress émotionnel et physique, en ce sens qu'elles se fondent bien davantage sur des informations pertinentes qu'elles ne procèdent d'un défaut d'information, et qu'en règle générale il s'agit d'épisodes aigus et passagers. C'est sans doute la raison pour laquelle ces activités inconscientes, intenses, accèdent plus facilement et plus rapidement à l'attention consciente, et pour laquelle aussi le contenu des pensées inconscientes et leur association avec des réactions physiologiques sont plus aisément identifiés et accrédités par la conscience lucide. De telles expériences démontrent clairement que l'inconscient est capable de porter des appréciations et des jugements logiques et complexes sur certaines idées et certaines circonstances, et aussi de prendre les décisions qui s'imposent en l'occurrence. Elles démontrent aussi que bien souvent l'activité consciente est incapable d'apprécier clairement une menace bien réelle et imminente pesant sur le bien-être, même quand l'activité inconsciente atteint à une intensité telle qu'elle met le corps en état d'alerte et cela, chose surprenante, sans perturber en rien l'intelligence qui assume la direction du comportement social.

J'ai décrit au chapitre 6 les opérations mentales qui aboutissent à un dérèglement fonctionnel de l'esprit et du corps et, dans la seconde partie de cet ouvrage, j'ai avancé pour hypothèse que la cognition, la conscientisation et les opérations de l'inconscient représentent de nouveaux systèmes dans l'évolution des êtres vivants. Mais nous n'avons pas encore discuté des caractéristiques et des capacités de l'inconscient.

Il nous reste donc à explorer ce que nous pouvons légitimement présupposer à propos du mode d'acquisition par l'inconscient de sa remarquable aptitude à élaborer des pensées d'une grande complexité (à nous demander, par exemple, si cognition et intelligence sont tout entières comprises dans l'inconscient). Existe-t-il dans notre tradition scientifique des indices, passés inaperçus, qui nous révèlent l'émergence d'un nouveau palier dans le changement évolutif? D'un palier où les puissantes ressources de l'intellection inconsciente s'affirment et promettent d'exercer un jour une influence dominante sur la nature humaine?

Il est d'autant moins facile de répondre à ces questions que dans bien des domaines pourtant essentiels l'interprétation scientifique des faits, les théories et les opinions affichent des divergences profondes. En outre, aucun effort significatif n'a été fait à ma connaissance pour tenter une synthèse exhaustive des données psychologiques et biologiques dont on dispose en faveur de cette notion d'émergence d'une conscience nouvelle.

Avant d'entreprendre l'exploration de la nature même de l'inconscient, il importe d'abord de bien comprendre l'interprétation qu'en donnent les disciplines scientifiques qui se consacrent à ce domaine. Je me propose donc de résumer succinctement par quelles étapes historiques s'est affirmé l'intérêt porté à l'inconscient et de faire un rapide bilan des connaissances actuelles qui s'y rapportent. Cet historique des étapes exploratoires de l'inconscient nous révélera toute l'étendue de ce qu'il nous reste encore à en découvrir et nous donnera l'occasion de confronter toute une série d'observations sur ses origines, sa structure et ses capacités.

Il est bien entendu impossible de passer ici en revue l'ensemble des opinions critiques émises sur les origines de nos facultés mentales, ni d'examiner en détail si l'intellection inconsciente a fait l'objet de changements évolutifs comparables à ceux qui ont influencé le développement des caractères physiques. Mais en soulevant certaines questions neuves, j'espère promouvoir une prise en considération de la nature même de l'inconscient qui soit plus systématique que celle qu'on observe aujourd'hui.

Je tiens également à préciser que mon intention n'est nullement de tenter de fortifier mes hypothèses en faisant appel à des points de vue autorisés qui les corroborent ou en me recommandant d'innombrables références. Il y faudrait probablement toute une existence, et ce serait là une entreprise fastidieuse qui, de par sa nature même, ne nous avancerait guère plus que le rabâchage d'idées anciennes. Mon propos est avant tout de stimuler chez mes lecteurs une nouvelle mise en perspective de la nature humaine.

Historique de l'inconscient

Longtemps après l'expérience que je viens de relater, je m'efforçai un jour de démontrer à ma mère l'existence d'un monde compliqué de pensées bien réelles baptisé inconscient, et occulté par nos jugements conscients. En bonne représentante de sa génération, elle rejeta violemment cette idée, se raccrochant au contraire à la conviction que, si certaines pensées n'affleurent pas à la conscience claire, c'est uniquement parce que cette dernière juge plus opportun de les écarter pour mieux se consacrer à des opérations qui en valent davantage la peine. C'est tout juste si ma mère avait entendu parler de Freud, mais elle n'en partageait pas moins l'idée freudienne que "derrière" la conscience lucide existe une sorte de réceptacle préconscient dans lequel l'esprit humain peut aisément puiser l'information qui lui fait défaut, et qu'à l'arrière-plan de ce réceptacle n'existe plus rien qu'un sombre abîme de néant, l'inconscient.

Pareille croyance n'a pas existé de tout temps. Vers la fin des années 1880, époque où la psychiatrie dynamique a commencé à se structurer, la profondeur et l'importance de l'activité inconsciente (ou subconsciente), ainsi d'ailleurs que les troubles de l'activité consciente consécutifs à un dérèglement des opérations mentales inconscientes, ont suscité un enthousiasme énorme. Ensuite, aux alentours de 1890 un neurologue, J. M. Charcot, fascina les cercles médicaux par ses exploits cliniques obtenus sous hypnose et mit ingénieusement en évidence les puissantes causes "inconscientes" responsables de certaines anomalies du comportement. Lui et plusieurs de ses confrères reconnaissaient donc l'existence dans l'inconscient d'idées autonomes parfaitement développées. L'hypnotisme était alors devenu "la voie royale de l'inconscient", l'outil mental permettant de comprendre l'esprit secret et inconnu, ainsi que de circonvenir les interdits de la conscience lucide. On découvrit aussi que l'inconscient détenait le pouvoir de gouverner les fonctions physiologiques du corps par simple action mentale. Henry Ellenberger écrit dans son volumineux ouvrage* qu'"il semble bien que Récamier ait été le premier à pratiquer en 1821 une intervention chirurgicale sous anesthésie magnétique (hypnose). Et il est surprenant, ajoute-t-il, qu'on ait accordé si peu d'attention à des découvertes qui eussent pu éviter tant de souffrances."

Mais en dépit de ce remarquable pouvoir grâce auquel l'hypnose dévoilait l'intimité de l'esprit et se révélait capable, par l'intercession d'une volonté ne relevant que de la pensée, de diriger les activités mentales et physiques, ses possibilités pourtant exceptionnelles se sont dissoutes dans les archives de la psychiatrie, du fait que l'intérêt scientifique de l'époque se portait ailleurs. C'est qu'entre-temps était venu l'âge de la technologie et que l'attention des hommes de science et des praticiens, tant médecins que psychologues, s'était détournée des vagues promesses d'un inconscient bien ténu et inaccessible, pour ne plus considérer qu'une autre perspective, plus

---

* *Discovery of the Unconscious*, Basic Books, New York, 1970. Traduit en français sous le titre: *À la découverte de l'inconscient*. SIMEP, 1974.

sûre et plus immédiate celle-là, selon laquelle comprendre la nature physique de l'homme, c'est comprendre ses malheurs les plus criants et se donner les moyens de leur porter remède. La psychiatrie dynamique prit alors le temps de raffiner ses méthodes de sondage de l'inconscient *perturbé*, tandis que de leur côté médecine et psychologie se ralliaient de plus en plus aux apparentes certitudes apportées par des chimiothérapies ou des psychothérapies plus capables de s'attaquer aux problèmes émotionnels immédiats que d'agir sur le long processus par lequel des souvenirs solidement retranchés dans l'inconscient peuvent en être extraits pour être soumis à l'analyse consciente.

À une seule exception près, les extraordinaires révélations des pionniers de la psychodynamique ne se donnèrent donc jamais pour objet de comprendre l'esprit normal, *à moins* que celui-ci ne fût perturbé par des bouleversements intérieurs. Ces hommes de science, médecins pour la plupart, avaient pour ambition essentielle de guérir les maladies de l'esprit. Et ce qui leur semblait indispensable pour guérir, c'était non pas de découvrir comment fonctionne normalement l'inconscient, mais de comprendre les "erreurs" commises par l'esprit.

Ce fut principalement Pierre Janet, un médecin français, qui au tournant du siècle centra l'intérêt sur l'inconscient normal. Il s'attacha essentiellement aux conduites et aux forces relevant de l'activité mentale inconsciente et fut le premier, voire le seul, à proposer une véritable synthèse des fonctions de l'inconscient. Ce fut Janet qui forgea le mot "subconscient"; d'ailleurs, l'idée de Jung, selon laquelle l'esprit recoupe plusieurs sous-personnalités distinctes, est empruntée à un concept de Janet, pour qui l'esprit contient "des existences psychologiques simultanées". Il ne fait aucun doute que c'est l'éclectisme de ce précurseur — il était tout à la fois philosophe, praticien de clientèle, fondateur d'une revue de psychologie et psychologue lui-même — qui l'a retenu de tourner exclusivement sa réflexion et ses efforts vers les caractères pathologiques de l'esprit. Or c'est probablement aux influences exercées sur sa pensée par cet éclectisme que Janet doit d'avoir virtuellement disparu du grand courant de la psychiatrie dynamique qu'il n'avait pas peu contribué à faire naître.

Le Dr Ellenberger conclut en ces termes son étude très détaillée sur la vie de Janet et sur sa contribution à la psychologie: "On peut donc en quelque sorte comparer son oeuvre, écrit-il, à une vaste cité enfouie sous les cendres, comme Pompéi,... peut-être restera-t-elle à jamais enfouie, bien à l'abri des convoitises des pillards... peut-être aussi sera-t-elle un jour exhumée et ramenée à la vie." Nous sommes, me semble-t-il, à la veille de redécouvrir ce que Janet a découvert il y a fort longtemps.

Freud, en typique représentant d'une école de pensée qui croyait fermement que "seules des forces physico-chimiques banales agissent à l'intérieur de l'organisme", devait conférer une respectabilité sans précédent aux sources intérieures de l'esprit humain, en usant d'une méthodologie scientifique rigoureuse pour décrire, systématiser et mettre à l'épreuve ses propres conceptions des troubles mentaux. Nul mieux que lui n'aura plaidé en faveur du rôle actif joué par l'inconscient. Mais les démonstrations spectaculaires de Freud s'attachent essentiellement à mettre en évidence les effets destructeurs exercés sur la personnalité par l'inconscient et laissent tout à fait de côté les opérations mentales et les phénomènes conscients non pathologiques. En somme, l'esprit vu par Freud est loin d'être une merveille d'agencement et de finesse. Il nous en a "décrit" trois aspects: le contenu conscient (l'attention que vous portez présentement à ce que j'écris, par exemple); le contenu préconscient, c'est-à-dire l'ensemble des événements *absents* de la conscience en ce moment précis, mais que l'on peut conscientiser sans difficulté, ou qui peuvent encore fournir à la conscience claire des souvenirs appropriés (ainsi, on peut lire un texte et brusquement se souvenir qu'il est l'heure de téléphoner à quelqu'un); enfin, l'inconscient, c'est-à-dire ce dont nous n'avons jamais la moindre conscience lucide, même quand nous tentons de conscientiser.

Depuis Freud, la psychiatrie s'est consacrée presque exclusivement au traitement des maladies mentales et s'est efforcée d'expliquer théoriquement pourquoi et comment l'inconscient rompt parfois ses amarres pour perturber l'activité consciente (à moins que ce ne soit le contraire). C'est donc à une science toute nouvelle, la psychologie, qu'échut l'exploration systématique de l'esprit.

La démarche psychologique

La plupart des psychologues contemporains de Freud avaient été formés dans des laboratoires de physiologie où tout l'esprit de la recherche était dominé par la rigueur scientifique. Il n'est donc pas étonnant que la pression du consensus de l'époque ait poussé ces chercheurs à fonder leurs théories du comportement humain sur des observations aisément vérifiables. Bien peu de place était donc laissée à l'étude des activités de l'esprit et de la conscience mises en évidence par les travaux de Freud.

Une brève recrudescence de l'intérêt manifesté pour l'esprit par l'autorité scientifique s'était pourtant manifestée dans les années 1880, quand William Wundt, un psychophysiologiste, avait proposé qu'on définît la psychologie comme l'étude de "l'expérience consciente". Wundt avait donc entrepris de disséquer l'expérience vécue, afin d'en identifier et d'en caractériser les propriétés élémentaires, et ensuite de rassembler systématiquement ces propriétés pour chercher à découvrir comment l'expérience est synthétisée. Réaliste, Wundt savait parfaitement que l'introspection et l'interprétation subjective représentent les seuls modes d'investigation scientifiques de l'expérience consciente.

Mais, pour le reste de l'univers de la psychologie expérimentale, l'idée de projeter d'elle-même l'image d'une discipline fondée sur des données aussi peu fiables que les comptes rendus d'expériences subjectives, semblait infiniment trop risquée pour une jeune science avide d'être authentifiée en tant que telle. Le discrédit dans lequel la psychologie devait par la suite tenir tout ce qui se rapporte à la subjectivité en dit long sur la direction prise par cette discipline depuis un siècle, c'est-à-dire depuis l'époque où Wundt insistait sur la nécessité d'une étude exhaustive de la conscience. Jusqu'à une date très récente, on a considéré comme non scientifiques les comptes rendus d'expériences subjectives, et par là même on s'est privé de la voie d'accès la plus directe à l'étude de l'esprit. Persuadés que seule la méthode scientifique était recommandable, les psychologues ont considéré que l'intros-pection, d'une part, et l'étude quantitative de l'expérience sub-jective et du comportement humain de l'autre, s'excluaient mutuellement. Il n'existe donc aucun moyen, leur sembla-t-il, de valider l'expérience subjective, puisque celle-ci ne s'accom-pagne d'aucun changement physique mesurable.

On décida donc que ce qui importait en psychologie, c'était de savoir comment l'homme fonctionnait en tant qu'or-ganisme, et non point de savoir ce qu'il *ressentait* en fonc-tionnant. Aussi admit-on aisément que l'objet même de la psychologie était d'étudier les fonctions mises en oeuvre dans les conduites humaines, et non point les sentiments et les pensées de l'homme. La psychologie devint donc pour une large part une science dans laquelle des fonctions telles que les sensations, la mémoire, l'apprentissage, la perception et le comportement étaient caractérisées selon le mode de réponse apporté par les organismes aux changements de l'environ-nement, changements que les expérimentateurs pouvaient isoler, mesurer, et qu'ils qualifièrent de stimuli.

Cela ne veut pas dire qu'il n'existe pas d'autres écoles de pensée qui, elles, s'attachent beaucoup moins à relier le com-portement à des déterminismes physiques. L'interprétation gestaltiste des conduites humaines, par exemple, met l'accent sur l'organisation du champ perceptuel considéré dans la glo-balité et tient tout autant compte des événements survenant dans l'environnement que du retentissement de ces évé-nements sur les organes qui réagissent à eux. Il s'agit là en quelque sorte de l'équivalent de ce que représente pour la phy-sique la théorie des champs, laquelle prend en considération aussi bien la dynamique de tous les éléments constitutifs d'un ensemble interagissant avec tous ses autres éléments, que les propriétés de cet ensemble considéré comme un tout. Mais étudier selon quel processus l'esprit organise et réorganise ce qu'il perçoit est pour le moins difficile; ainsi, la plupart des tentatives faites en ce sens ont fini par s'effacer devant des techniques plus expéditives, capables de mesurer objectivement différents aspects du comportement. Si bien que de nos jours, alors que nombre d'hypothèses ont été émises par les adeptes de la psychologie expérimentale à propos de l'esprit et de l'activité consciente, aucune n'a encore reçu de la part de Sa Majesté la Méthode Scientifique un brevet d'authenticité. Il se pourrait fort heureusement que cet ogre, qui impose à la recherche sa loi, perde de sa vitalité au fur et à mesure que se développeront de nouveaux modes de communication de l'expérience vécue et des états de conscience subjectivement ressentis. Mais il reste que, jusqu'à ce jour, la psychologie aura bien peu contribué à la compréhension de l'esprit.

Tout comme dans les débuts de la psychologie, il nous est encore aujourd'hui impossible de décrire les pensées, les états de conscience et la plupart des activités mentales à partir des effets qu'ils exercent sur l'organisme. Nous ne connaissons pas encore de changement biologique s'accomplissant dans le cerveau qui soit physiquement définissable et qu'on puisse directement relier à l'idéation, à la conceptualisation, à la décision volontaire ou aux opérations de l'inconscient. L'activité mentale, tout comme le lieu où siège la conscience, demeure bien vague et se dérobe à nos tentatives d'appréhension. Et cette impuissance à mesurer, soupeser et faire jouer nos rouages internes, n'est pas un moindre défaut en cette époque dominée par la science.

Les racines de la conscience

Il est désormais classique, quand on veut expliquer le comportement humain, de comparer ses données à celles que nous fournissent différentes espèces animales. Pour ce faire, on met en parallèle des éléments d'activité physiologique enregistrés sur des animaux isolés de leur contexte, puis anesthésiés ou immobilisés, avec des traits de comportement humain, plus spécialement après que ce comportement a été perturbé d'une façon ou d'une autre. Les réactions manifestées par certains tissus cérébraux, chez des sujets suffisamment perturbés (mentalement ou affectivement) pour être justiciables d'une intervention chirurgicale, semblent présenter certaines similitudes avec les résultats expérimentaux obtenus sur des animaux dont les réactions cérébrales sont comparables. Ce fait paraît suffisant pour justifier la conclusion selon laquelle le cerveau humain normal fonctionne exactement comme celui de l'animal et remplit les mêmes tâches que lui.

C'est un raisonnement du même genre qui se profile derrière notre conviction que le comportement de l'homme ne diffère de celui de l'animal que par sa complexité. En essayant de mettre en évidence les origines des conduites humaines, la recherche a consacré une partie disproportionnée de son attention au comportement animal, s'efforçant d'y déceler des éléments et des données comparables à ce qu'on peut observer chez l'homme. Ce type de démarche se heurte bien sûr à d'évidentes difficultés, surtout quand les éléments et les données d'observation sont puisés dans l'écosystème de l'animal étudié et qu'on en infère que tout se passe de façon identique dans le cas pourtant différent d'un environnement humain. Les convictions, en quelque sorte antiévolutives, qui n'accordent à l'homme pour seule supériorité que de représenter un modèle plus élaboré de développement animal, auront eu pour résultat de multiplier les études sur les comportements humains primitifs et manifestement animaux. Mais en même temps, bon nombre de conduites animales auront été négligées ou sous-évaluées. L'intelligence animale a presque invariablement été ramenée à de grossiers ensembles de comportements stéréotypés. Alléguant qu'il est impossible d'obtenir la moindre preuve du contraire, les spécialistes du comportement rejettent jusqu'à l'idée qu'un esprit animal puisse conceptualiser dans l'abstrait et projeter dans le futur à l'aide d'images mentales.

Je me souviens encore des remous causés par les thèses de Konrad Lorenz dans la communauté scientifique, ou plus exactement par l'interprétation qu'on donna alors de ses thèses, à savoir que "l'agression" est un instinct inné chez toute créature animale, et une caractéristique primaire tout aussi innée chez l'homme. Il n'en fallut pas davantage pour que se créent des cercles scientifiques d'"agressologie". On crut alors, et nombre de scientifiques croient encore, que l'agression est nécessaire à la survie des espèces, sans distinction. On rendit l'instinct d'agression responsable d'une quantité de conduites humaines, depuis les jeux de l'enfance jusqu'aux émeutes, en passant par le football. Il fallut un certain temps par la suite pour que certains hommes de science fassent valoir et démontrent en toute logique que le plus clair de l'agression, y compris chez l'animal, provient de la frustration éprouvée faute de pouvoir assouvir des ambitions comportementales. Plus tard, Lorenz et d'autres chercheurs vinrent nous démontrer que les animaux étaient également dotés d'instincts d'antiviolence et d'antiagression tout aussi innés. Peut-être est-ce là l'origine de certaines conduites animales "non violentes", comme celle qui pousse par exemple l'opossum à faire le mort, ce qui en un certain sens annihile la menace que pourrait faire peser autour de lui cet animal dont la vaste gueule est pourvue de dents acérées.

On observe parfois, quand deux chiens étrangers l'un à l'autre se rencontrent, quelque chose qu'on pourrait aisément interpréter comme un instinct d'antiagression. Selon les individus et les circonstances, il arrive qu'un des chiens s'agenouille, au sens littéral du terme, retourne la tête et ploie les pattes arrière, autrement dit se soumet *avant* même de se battre, tout en adoptant une posture qui lui facilite aussi bien l'attaque que la fuite s'il advient que l'autre chien n'accepte pas sa soumission.

L'interprétation qu'on donne généralement des conduites d'agression ou de non-agression font partie de ces explications comportementales tellement simplistes qu'elles aboutissent à des erreurs flagrantes. Je me souviens encore d'un fort bel exemple de ce genre. Un jour où je rendais visite à un ami qui possédait un chien ayant pour habitude de se jeter sur ses congénères et de les blesser grièvement, mon propre chien qui, lui, s'empressait de fuir avant la moindre alerte s'échappa de ma voiture et se précipita directement vers l'irascible animal. Celui-ci, en un rien de temps, s'étendit sur le dos pour laisser le poltron le dominer en signe de victoire.

C'est l'instinct, expliquent les spécialistes (encore qu'aujourd'hui on préfère substituer à ce mot l'expression "comportement spécifique" de telle ou telle espèce). L'instinct sans doute, mais je me demande si un type de conduite de ce genre peut s'expliquer par une conception des choses aussi simple que celle de nos biologistes du comportement. Ils nous expliquent en effet les conduites du chien en se référant au dogme qui veut que chaque espèce manifeste des attitudes stéréotypées (des comportements qui leur sont spécifiques) et que ces attitudes résultent d'un apprentissage par essais et erreurs, lequel s'est opéré en diverses circonstances. Or, dans ce cas particulier — celui de *mon* chien —, aucune de ces explications ne peut être valablement retenue; la seule interprétation possible est que, si les deux animaux ont adopté pour l'occasion une conduite inverse de celle qu'ils adoptaient d'ordinaire, c'est parce que des perceptions et des communications inaccessibles à la compréhension humaine se sont établies entre eux. Mais ce qu'en revanche nous pouvons comprendre, c'est précisément la question qui se pose aux spécialistes du comportement: qu'est-ce qui fait que, dans une situation qui à tous égards devrait invariablement provoquer des conduites d'agression-soumission (un chien poltron empiète sur le territoire d'un chien féroce), existent des éléments imperceptibles si rapidement significatifs que les comportements distinctifs des deux animaux s'en trouvent soudain inversés?

Devons-nous en venir à la conclusion que beaucoup d'animaux "pensent"? Et quand, entre eux, s'établit une communication comportementale suscitant des réactions appropriées à des circonstances jusque-là inconnues, cela ne laisse-t-il pas supposer chez ces animaux l'existence d'images et de concepts, ainsi que celle de facultés prévisionnelles et décisionnelles?

Une conduite "primitive" témoigne-t-elle
d'un esprit "primitif"?

Modelé de diverses façons par les apports et les contraintes du milieu physique, le besoin de survivre en dépit des embûches de l'environnement a essentiellement été satisfait chez les animaux par leur cerveau, lequel a élaboré tout au long de l'évolution des réseaux nerveux de coordination de plus en plus perfectionnés. La vie animale s'est ainsi dotée de la faculté d'anticiper le danger (probablement grâce à quelque propriété du tissu nerveux qui aura évolué simultanément), c'est-à-dire dotée de la capacité d'acquérir — en associant des informations provenant des expériences passées, de l'enseignement parental ou d'une réception sensorielle sensibilisée à détecter les changements du milieu — l'ensemble des prédispositions génétiques et biologiques permettant l'adaptation. La faculté *d'anticiper* représente sans nul doute une des étapes les plus importantes dans le développement du cerveau. Elle signifie en effet non seulement qu'une information en provenance de diverses sources, et composée de divers signaux, est détectée et appréciée, mais aussi que la décision prise est fonction de la différence relative qui sépare la gravité et l'imminence du danger de l'aptitude de l'organisme physique à éviter ou fuir ce danger.

À cet égard, l'observation du mode de réaction au danger manifesté par les animaux sauvages est riche d'enseignements. La gazelle, par exemple, peut fort bien déceler à l'odeur un lion qui se rapproche. On la voit alors lever la tête, tous les sens en éveil et, au bout de quelques secondes, choisir entre trois types de conduite: ou bien bondir pour se mettre à couvert, ou bien se lancer dans une fuite désespérée, ou bien sembler se désintéresser du cours des événements et se remettre à brouter. Dans la majorité des cas, les comptes rendus d'observations nous présentent ces conduites animales comme instinctives et stéréotypées. Il est bien certain pourtant que, lorsque l'animal réagit à un danger imminent, sa conduite traduit en fait une réaction de l'intellect (aussi "primitif" l'intellect puisse-t-il être) et démontre l'existence d'une construction intellectuelle qui s'exerce au bénéfice de l'évolution future de l'espèce. Si, comme on l'affirme, l'intellect est un système de comparaison purement mécanique (un ensemble de dangers connus est par exemple comparé à un ensemble de réponses possibles), il s'agit en fait d'un système beaucoup plus perfectionné qu'on ne le croit d'ordinaire. Car l'animal évalue la proximité du danger, sa gravité, et possède la faculté de se livrer littéralement à l'estimation du produit mathématique des facteurs spatio-temporels de l'imminente menace, *et aussi* de son propre potentiel spatio-temporel, c'est-à-dire de juger à quelle distance se trouve le danger, à quelle vitesse et dans combien de temps il va surgir et menacer, et de juger également à quelle vitesse, dans combien de temps et sur quelle distance il doit lui-même courir pour se mettre à l'abri.

Il s'agit déjà en substance d'une stupéfiante intégration de données. Mais l'animal ne s'en tient pas là et prend aussi en considération d'autres éléments de la situation, qui vont eux aussi modifier son comportement. Il semble par exemple que la gazelle soit capable de sentir que le lion est repu et se promène indolemment, comme il arrive fréquemment aux lions de le faire, ou encore de percevoir qu'à proximité se trouve quelque anfractuosité offrant un abri sûr, ce qui rend la fuite moins périlleuse que si l'animal se trouvait à découvert au milieu d'une plaine. En d'autres circonstances, celui-ci peut tenir compte encore de la nécessité de protéger les individus les plus jeunes, et pour cette raison réagir plus vite qu'il ne le ferait s'il était seul. Les analogies qu'on établit généralement entre l'activité perceptuelle, décisionnelle, et l'ordinateur oublient de considérer une chose, à savoir que le comportement extérieur est limité par les possibilités anatomiques et ne donne peut-être pas l'exacte mesure de l'activité subjective.

Les explications que la science fournit de ce type de conduites animales sont plutôt indigentes et lacunaires. Car l'étude scientifique dissèque le comportement bien plus qu'il ne tente d'en faire la synthèse. Et bien peu d'expérimentateurs sont assez familiers des confrontations interdisciplinaires pour mettre en corrélation des données recueillies en laboratoire avec des faits résultant de l'observation des espèces animales dans leur milieu naturel. Ainsi, dans le cas de la gazelle réagissant à un danger par exemple, l'interprétation orthodoxe considère la conduite adoptée comme un simple produit de caractéristiques génétiques et d'expériences à partir desquelles les modèles de comportement ont été façonnés et organisés en répertoires de réactions quasiment automatisées. Il s'ensuit que, selon la façon de ressentir différents modèles d'information sur une situation environnementale particulière, il existerait des modèles d'excitation nerveuse spécifiquement liés à la situation et capables de mettre en oeuvre l'une ou l'autre des possibilités de réponse. Et c'est probablement vrai. Mais cela n'explique certainement pas pourquoi une gazelle malade, qui jamais auparavant n'a fait l'expérience de la maladie, réagit au danger en se laissant choir sur le sol et en se laissant tuer. Bien sûr, on peut imaginer que la gazelle malade a eu l'occasion d'être témoin du sort d'autres gazelles malades. Mais établir ainsi une corrélation entre l'expérience vécue par d'autres individus et des sensations exclusivement internes est un processus de pensée des plus complexes. Les données de la biologie n'expliquent pas davantage pourquoi une femelle de rhinocéros, dont le petit a été tué et dépecé sous ses yeux par un lion, manifeste de la rage et est capable de poursuivre obstinément le lion pour tenter de se venger de lui. J'ai personnellement été témoin d'une situation de ce genre et j'ai été fort impressionnée par l'étonnant changement qui s'est opéré dans les traits et dans les yeux de la femelle de rhinocéros. Au risque de faire une comparaison entachée d'anthropomorphisme, je dirai que l'animal exprimait à la fois de la douleur, de la colère, et aussi une intention affirmée de représailles. Quelle que soit la nature de l'agitation qui ébranlait son cerveau primitif, le comportement que cette femelle de rhinocéros choisit ensuite d'adopter, pour instinctif qu'il me parût (en l'occurrence, elle chargea le lion), n'était pas en fait si instinctif qu'il y pouvait paraître du fait que, sachant fort bien que le lion repu refuserait le combat, elle choisit ce moment pour le charger. Une telle décision semblait donc lui être dictée bien davantage par une évaluation intelligente de la situation que par le désir et l'instinct à l'état brut. Je doute fortement que cette femelle de rhinocéros ait jamais eu l'occasion auparavant de voir un de ses petits déchiqueté par un lion ou que ses gènes lui aient dicté un "modèle de comportement" de ce type, dû à quelque configuration hormonale que la science qualifie d'instinct maternel.

Ce que les scientifiques oublient d'expliquer, c'est à mon avis que les animaux doivent eux aussi, et bien souvent, faire face à des situations nouvelles tout à fait étrangères à leur répertoire comportemental habituel et que ces situations provoquent dans leur cerveau le développement de nouvelles connexions nerveuses. On aura beau nous parler dans ce cas d'expérience vécue: ni les animaux ni les neurophysiologistes ne nous ont encore dévoilé ce qui se produit dans le cerveau quand celui-ci *établit* ces connexions nouvelles, ni quels types de conduites peuvent ainsi se développer, ni pourquoi telle situation passée est mise en mémoire selon telle modalité ou que telle autre est mémorisée tout à fait différemment, alors qu'il existe entre ces deux types d'expériences des associations capables de synthétiser ou de promouvoir effectivement une innovation comportementale quand se présente une situation nouvelle.

Quiconque possède un chien sait combien cet animal est sensible à des ensembles de circonstances qu'il est pratiquement impossible de décrire. La personne qui de temps à autre voyage est fort bien au courant avant chaque départ que son chien *sait* qu'elle va partir et qu'elle ne va pas faire un simple aller-retour au supermarché. L'animal sent venir l'événement bien longtemps avant que son maître ne commence à faire sa valise. Dans des occasions semblables, il m'est arrivé (pour satisfaire ma curiosité scientifique) de faire sortir mes chiens de la maison. Mais rien n'y faisait, et ils commençaient invariablement à se morfondre dès qu'ils sentaient que j'allais bientôt m'absenter. Ils se blottissaient sur mon lit ou me collaient aux talons, dans la maison ou le jardin, activités très différentes de leurs conduites habituelles, qui consistaient essentiellement à somnoler sous les arbres et à écouter les bruits en provenance de la route. Ces activités contrastaient fortement aussi avec leur façon de réagir quand j'étais sur le point de m'absenter pour aller faire des emplettes qui m'éloigneraient de la maison pour une heure ou une journée. Car alors ils frétillaient de la queue et faisaient des bonds autour de moi, espérant que je les ferais monter dans la voiture.

Comme tous les maîtres, je sais pertinemment que le chien que je possède actuellement pressent fort bien mes projets. Il sait pour le moins distinguer à l'avance entre une absence de courte durée et une absence qui va se prolonger. Comme n'importe quel autre chien, il est capable de discriminer dans mon comportement les caractéristiques particulières qui sont associées à ma proche "absence de la maison". Et, bien que je connaisse parfaitement la plupart des interprétations scientifiques qui nous sont proposées du comportement animal — de John Paul Scott à Robert Ardrey, Tinbergen et les autres — , aucune d'entre elles ne peut rendre compte de cette faculté très ordinaire des animaux domestiques.

Ces miracles inexpliqués, dédaignés et pourtant quotidiens que nous révèlent bien des conduites animales, sont aussi le reflet d'un univers intérieur subjectif qui nous est inconnu et que nous nions du fait que l'étude scientifique des comportements refuse d'admettre que les animaux puissent être dotés d'un intellect créatif. Pourtant, ça et là se dessinent des attitudes d'esprit plus ouvertes. Certains chercheurs, par exemple, ont récemment découvert que les marsouins possèdent la faculté de communiquer entre eux et que, si cette communication est aussi perfectionnée qu'on le croit, c'est que seul un cerveau lui aussi très perfectionné peut permettre un langage complexe. Une autre découverte assez récente, à savoir l'aptitude des chimpanzés à se servir des signes du langage humain — et même à se servir de ces signes pour inventer de nouvelles expressions — vient elle aussi nous apporter sur les racines de la conscience des révélations qui devraient nous faire reconsidérer notre arrogance quand nous dénions à ces animaux toute activité mentale complexe, sous prétexte que nous sommes incapables de comprendre leur langage.

Que les animaux développent leur intellection pour répondre aux exigences nouvelles et intangibles de leur environnement, voilà qui est évident chez les espèces domestiques. Plus leur association avec l'homme est étroite et ancienne, plus l'évolution de leur intellect apparaît clairement.

Il arrive parfois que des animaux domestiqués apportent la preuve qu'ils sont capables de processus intellectuels d'une étonnante finesse. Souvent même, on observe chez eux une aptitude certaine à élaborer des concepts et aussi des symboles qui leur permettent d'exprimer ces concepts, lesquels sont communiqués selon certains modes que les êtres humains peuvent comprendre. Je fis l'acquisition voici quelques années d'un splendide berger allemand fauve du nom de Geiry. Quatre ans plus tard environ, une chatte siamoise élut domicile dans la maison; le chien dut probablement se rendre compte que de temps à autre une certaine complicité s'était établie entre moi et cette chatte qui chassait continuellement. Chaque jour, et parfois même deux fois par jour, elle rapportait une proie devant une porte pour que je sois témoin de sa prouesse. Il s'agissait le plus souvent d'un serpent encore vivant, ce qui lui valait une réprimande assortie de protestations de peur et de dégoût. De temps à autre, elle rapportait aussi un mulot ou une taupe; et alors je l'en félicitais, en dépit de la contrariété que j'éprouvais en la voyant dévorer ces chétives créatures encore palpitantes.

Un jour, c'était au crépuscule, j'entendis Geiry faire bruisser le lierre et les broussailles en contrebas de la maison et peu après je le vis accourir et grimper les marches du perron en tenant dans sa gueule quelque chose de volumineux. Il s'approcha lentement de moi, comme si je lui avais commandé de s'asseoir, et déposa précautionneusement sa prise à mes pieds. C'était un gros opossum. Je l'examinai de plus près. Il portait d'abondantes traces de salive sur le cou, mais n'était pas blessé. Entre-temps, Geiry s'était nonchalamment éloigné, se désintéressant totalement de sa capture, comme il se désintéressait d'ailleurs de toute autre forme de gibier. Un peu plus tard l'opossum, cessant de faire le mort, sortit de son état catatonique et s'éloigna. Geiry en était venu à ses fins. Il avait prouvé qu'il était lui aussi capable de chasser et de rapporter sa proie. Peu lui importait qu'on le félicitât. L'essentiel, semble-t-il, avait été de me convaincre de ses talents de prédateur.

Je doute fort qu'une quelconque théorie due à la biologie ou aux sciences du comportement puisse rendre compte de cette conduite, ou de n'importe quelle autre attitude intellectuelle de ce genre, que ceux qui aiment les animaux peuvent observer à tout bout de champ et que le plus souvent les spécialistes du comportement assimilent à une vulgaire séquence de réponses à des stimuli. Dans le cas de Geiry, si tant est qu'on le crédite de la faculté de détecter et d'abstraire de l'environnement une information passablement complexe, puis de l'associer à quelque chose de particulièrement significatif pour lui comme pour moi, il nous faut bien conclure qu'il s'est en l'occurrence révélé capable de formuler un concept (la chasse vaut au chasseur une récompense), un symbole (une proie adéquate), puis de projeter ce concept dans l'avenir (en élaborant une stratégie) et de convertir ce symbole en une activité hautement sélective, grâce à laquelle a pu être communiquée l'essence de l'idée et grâce à laquelle aussi a pu être provoquée *l'occasion propice* à la communication. Ce fut donc de sa part un geste symbolique, exigeant de lui un mode de comportement très particulier et propre à lui valoir ma sympathie.

Cet exploit intellectuel de Geiry ou encore cette compréhension floue qui s'est développée à travers les âges chez le rhinocéros nous en disent long sur le mode de formation des pré-concepts et des pré-symboles dans l'esprit et, phénomène de plus grande importance encore, sur la façon dont les systèmes supérieurs d'intellection se dégagent des aptitudes animales elles-mêmes.

Selon moi, l'étude du comportement animal n'a pas vu que l'expression de la pensée et de l'émotion se limite à ce que permettent d'extérioriser les structures anatomiques (remuer la queue, tourner la tête, adopter une posture de soumission, fuir, aboyer, se battre, etc.). Mais ces limitations ne peuvent en aucun cas être interprétées comme la preuve que les animaux sont dépourvus de toute activité cérébrale "intelligente". Il est certain que, si je n'avais pas eu connaissance de cette histoire survenue à mon chien Geiry et si je n'avais pas compris la nature de ma relation à ma chatte, je n'aurais rien pu percevoir ni observer de ce que mon chien pouvait bien exprimer.

Les spécialistes nous affirment que les animaux enrichissent leurs répertoires de comportements grâce à l'expérience vécue et que ces répertoires contiennent la totalité des choix dont ils disposent pour exprimer leurs besoins et leurs désirs. C'est là une affirmation bien sûr toute théorique, mais que ne confirment pas les faits. Le chien qui s'épuise à couvrir des distances considérables à travers toute une région pour retrouver le maître qui l'a abandonné ou perdu en cours de route ne s'aide d'aucune expérience préalable pour se conduire de la sorte. Et pourtant, il faut bien qu'il soit animé d'un concept passablement clair de la "famille", qu'il ressente le besoin de présence des êtres qui lui sont familiers et, plus curieusement encore, qu'il ait une vague idée de l'endroit où il va les retrouver. Il faut bien qu'il sache aussi qu'il se trouve aux prises avec une recherche difficile et que le voyage sera plein d'embûches. Exactement comme chez les humains, c'est donc un objectif immatériel qu'il s'assigne, puisqu'il est mû par le désir de retrouver une présence sociale.

Je n'ignore pas qu'il n'est guère facile aux expérimentateurs d'observer chez l'animal des manifestations d'intelligence de ce genre, surtout dans les conditions de rigueur que la science impose à l'étude, à la recherche et à l'analyse. C'est toujours et invariablement dans des situations artificiellement créées au laboratoire que ces expérimentateurs ont disséqué le comportement animal, puis ont interprété leurs données d'observation pour que ces données corroborent les explications fondées sur le mode de réaction des animaux à ces circonstances très particulières et le plus souvent artificielles. Aussi incroyable que cela puisse paraître, il aura fallu un bon siècle de recherche intensive pour qu'on réalise enfin que le comportement des animaux dépend en grande partie de leur environnement *social*. On a par exemple fini par se rendre compte que le comportement des pensionnaires des zoos — et Dieu sait de quoi la théorie leur est redevable! — diffère foncièrement de celui qui est le leur quand ils vivent dans leur milieu naturel. Il n'en aura cependant pas fallu moins pour faire admettre que les conduites des animaux domestiques n'ont rien de commun avec celles des bêtes "sauvages".

Les modèles de communication spatio-temporels

En réalité, je crois qu'une bonne part du comportement animal nous aide à comprendre comment les antécédents identifiables de cette extraordinaire activité mentale que nous appelons subconscient ou inconscient se sont développés. En raison de la nature même de la démarche scientifique, ce que nous savons des conduites et de la cognition animales est exclusivement fondé sur ce que les animaux, compte tenu de leurs possibilités de communication limitées, peuvent transmettre à l'homme, ou encore sur ce que l'homme interprète comme une communication entre animaux quand il observe ces derniers de l'extérieur. Ce que les humains ont pour leur part accompli résulte d'une amélioration de leurs aptitudes animales à communiquer, grâce au langage d'abord, grâce aux voyages et à l'activité commerciale ensuite, grâce à l'électronique enfin. Cette merveilleuse faculté de communication ne peut cependant transmettre qu'une infime fraction de ce que les humains ressentent véritablement et ne nous renseigne en rien sur la nature de ce qui est transmis. Selon moi, la probité scientifique commanderait aussi d'admettre que tout n'est pas nécessairement communicable dans l'activité cognitive animale. Cela étant, la science n'a pourtant aucune raison de tenir pour certain que les animaux sont incapables de conscientiser, de conceptualiser et de projeter des images dans le futur.

Je me souviens encore d'une émission de radio au cours de laquelle un évêque, Mgr Fulton Sheen, comparait les difficultés éprouvées par le Christ, quand il voulait répandre autour de lui l'essentiel de sa connaissance, à l'impuissance d'un chien qui souhaite exprimer à ses maîtres sollicitude et compréhension.

Un abîme insondable sépare ce qu'observe du comportement animal Monsieur Tout-le-Monde et ce qu'en observent les hommes de science. Et cet abîme s'est creusé du fait que ces derniers ont considéré qu'il était prioritaire de ramener toute conduite à des données objectives, alors que celui-là relie les conduites qu'il observe à des sentiments et des expériences subjectives, c'est-à-dire *identifie* certaines sensations ou perceptions animales qu'il est impossible d'exprimer, de communiquer objectivement et d'interpréter tant qu'on ne les examine pas dans le contexte spatio-temporel qui est propre à l'animal considéré. Ce sont là des traits de comportement subjectifs qui ne nous permettent pas de mesurer les outils grossiers qui sont les nôtres.

Il existe de bonnes raisons de penser que les observateurs non scientifiques pourraient fort bien être dans le vrai, pour la simple raison que l'idée qu'ils se font du comportement animal tient compte de ces dimensions d'espace et de temps. Il est bien connu que les paysans chinois, par exemple, savent relever les subtils changements qui se produisent dans l'attitude de leurs animaux domestiques à l'approche d'un tremblement de terre. Les scientifiques occidentaux rejettent catégoriquement des conclusions de ce genre et n'admettent pas qu'il puisse exister une relation entre certains traits, "idiosyncrasiques" et indifférenciés, de comportement animal et une rupture imminente de l'écorce tellurique. L'essentiel de la démarche scientifique se résume en effet à mettre en évidence entre différents phénomènes des liens de causalité assez précis pour permettre presque à coup sûr la prévision. Dans le cas des secousses sismiques et des "prémonitions" animales, ces dernières peuvent difficilement faire l'objet d'observations et de mesures précises, puisqu'il s'agit la plupart du temps de légères modifications des conduites habituelles — un discret changement d'allure ou de posture, un désintérêt manifeste pour certaines activités ordinairement accaparantes — mais qui révèlent que l'attention de l'animal est ailleurs. Celui-ci a beau se comporter "normalement" en apparence, il suffit de l'observer un peu attentivement pour se rendre compte qu'en fait ses habitudes sont perturbées de façon presque imperceptible. Ces perturbations de surface pourraient fort bien ne traduire qu'un mal de ventre ou un épisode d'abattement si le *modèle* même du comportement, autrement dit l'ensemble des traits de conduite observé dans un cadre spatio-temporel donné, ne contenait pas l'information significative.

L'impression d'ensemble ainsi communiquée se résume en une gestalt, dont l'interception résulte d'un processus hautement intégré, grâce auquel le comportement global est perçu comme distinct des éléments qui le composent et grâce auquel aussi la signification de ce comportement est transmise comme un tout. Quand nous sommes les témoins de phénomènes de ce genre, tout ce que nous, les humains, sommes capables d'exprimer, se ramène à peu près à ceci: "Il se passe quelque chose de pas normal. Je ne sais pas trop de quoi il s'agit au juste. On dirait que cette bête regarde la terre d'une drôle de façon, alors que d'habitude elle dort tranquillement dans un coin à l'écart."

Ces modèles, ou si l'on préfère ces patterns de comportement, sont trop complexes pour être perçus par un seul sens. Et pourtant, l'information qu'ils contiennent n'en est pas moins communiquée, interceptée et comprise. C'est donc que les processus cognitifs ont intégré d'infimes éléments d'information en provenance de diverses sources après les avoir perçus grâce à divers récepteurs sensoriels, puis ont comparé le tableau d'ensemble avec les souvenirs mémorisés de modèles antérieurs. Ensuite, d'autres processus cognitifs ont identifié les légères différences qui font que le nouveau modèle requérait une attention particulière, en ce sens qu'il se présentait comme une question appelant d'urgence une réponse: qu'est-ce qu'il se passe? D'autres processus cognitifs ont encore été mis en oeuvre, pour associer les modèles de compréhension collective et abstraite avant que la gestalt perçue soit amalgamée au produit de l'activité cognitive interne qui confère pertinence et signification à la perception.

Si, étant donné que nous commençons à savoir observer les conduites des animaux dans leur habitat naturel, nous sommes également capables de percevoir le sens de ces modèles de comportement, cela signifie que l'animal exprime un *modèle d'activité cérébro-mentale* qui assure la cohérence et la pertinence desdits modèles. Par activité cérébro-mentale (celle de l'esprit-cerveau), il faut entendre aussi bien l'appréciation subjective que la conscientisation, ce qui implique par voie de conséquence que ces deux antécédents de toute conduite objectivement affirmée font partie du modèle de comportement dont il est question ici.

Il semble opportun de se demander si certaines, ou si de nombreuses qualités et aptitudes de l'inconscient ont évolué avec le temps selon les espèces et si la relation intime qui unit une bonne part de l'activité mentale aux mécanismes physiques de la survie rendent les individus conscients de cette activité — peu importe son niveau de complexité — ou bien si celle-ci demeure hors de portée de leur conscience lucide. Et de se demander à l'inverse si les différents modes de conscientisation ontologique (introspection, perception des menaces qui pèsent sur le bien-être sociorelationnel) sont des mécanismes d'apparition récente ou bien s'ils se sont développés en cours d'évolution. En quel cas il s'agirait là d'un état exigeant une participation active de l'attention, autrement dit d'une opération de conscientisation.

L'évolution de la conscientisation

J'ai déjà fait référence dans ce livre aux conceptions de plusieurs neurophysiologistes de réputation mondiale pour qui, en généralisant quelque peu, l'esprit est bien sûr quelque chose de plus que la somme d'activités cérébrales, mais dont on doit pouvoir donner une interprétation cohérente si on lui applique des lois bien connues de la physique, de la chimie ou de la neurophysiologie. Les conclusions de ces hommes de science sont fondées presque exclusivement sur des données fournies par la chirurgie ou l'enregistrement de réactions provoquées par des stimuli électriques, interventions qui ne favorisent en rien l'activité fonctionnelle normale, mais au contraire la faussent et la perturbent. Il n'empêche que c'est sur des données de ce genre que tablent la plupart des théories et qu'il est bien rare qu'on prenne en considération les travaux consacrés au comportement normal.

Chose surprenante — sauf peut-être pour ceux qui sont familiers des sciences naturelles — , c'est à un homme dont le nom restera éminemment attaché à la comparaison des comportements humains et animaux, Konrad Lorenz, qu'on doit un ouvrage* dans lequel il résume ses conclusions sur l'évolution complexe de l'encéphale et des comportements à travers les différents systèmes phylogénétiques.

Cet auteur, dont toute la vie aura été consacrée à l'observation des conduites animales, a mis en évidence des caractéristiques comportementales qui prouvent clairement l'existence d'activités intellectuelles cognitives chez de nombreuses espèces, mais qui démontrent aussi que plusieurs de ces activités résultent de propriétés innées de l'esprit-cerveau. Prenons pour exemple la curiosité qui détermine les conduites exploratoires. Il s'agit là de comportements dictés de l'intérieur, apparemment sans relation avec le patrimoine génétique, l'expérience ou l'apprentissage. En effet, les conduites exploratoires représentent en elles-mêmes des démarches spontanées d'apprentissage et ne sont pas, comme on le croit communément, motivées par des nécessités telles que la faim. Ce sont ces conduites qui *engendrent* d'elles-mêmes la motivation. Comme le fait remarquer Lorenz, il est donc question en l'occurrence d'un processus cognitif. À un processus, ajoute-t-il, qui par divers aspects peut se comparer à l'élan intérieur qui pousse certains chercheurs à poursuivre leurs recherches.

À un autre stade de l'évolution, certaines espèces sont même devenue *auto*-exploratrices, ce qui marque une nouvelle

---

* *L'envers du miroir*, Flammarion, Paris, 1975.

étape évolutive de la cognition et de la conscientisation, grâce à laquelle l'animal acquiert la conscience de la relation qui relie son individualité à l'univers. Le chaton qui fait sa toilette a très certainement conscience d'exister en tant qu'individu. Et quand des singes s'épouillent mutuellement sous les yeux de leurs congénères, ils témoignent eux aussi du même phénomène de conscientisation.

C'est de milliers d'observations de cet ordre que Lorenz s'autorise pour conclure que l'esprit est aussi différent du cerveau que l'est la matière inerte de la vie organisée. Cette analogie me semble parfaitement frappante, puisque la vie organisée est faite des mêmes éléments inorganiques que la matière inerte, mais qu'à la différence de cette dernière les êtres vivants détiennent la propriété particulière d'assurer l'autorégulation de leur métabolisme et la capacité de se renouveler par autoreproduction. L'esprit procède des fonctions vitales du cerveau, certes, mais il représente aussi un type d'organisation des fonctions cérébrales différent de celui qui n'a pour rôle que de maintenir en vie l'organisme en lui fournissant les moyens d'élaborer des réactions physiques. Car, si les fonctions cérébrales permettent la détection, la transmission et la traduction, en termes physiques, de l'information, l'esprit, lui, est caractérisé par la faculté d'appréhender subjectivement des événements, des idées et des connaissances communicables, immatérielles et de nature purement abstraite.

Pour Lorenz, l'intellect est une innovation relativement récente dans l'évolution de la vie organisée. Pour le démontrer, il avance des arguments semblables à ceux que j'ai moi-même développés au chapitre 3 de ce livre, à savoir que de nouveaux systèmes, que rien ne laissait prévoir, dotés de fonctions et de caractéristiques nouvelles, peuvent naître des interactions de deux ou de plusieurs systèmes préexistants. Ainsi, à partir de ces interactions, les structures physiques des êtres vivants ont donné naissance à des modifications successives et réussies, et, au fur et à mesure que les structures sont devenues de plus en plus compexes, les éléments des systèmes physiques antérieurs, plus particulièrement le faisceau de cellules nerveuses destiné à constituer le cerveau, ont eux aussi développé de nouveaux systèmes, de nouvelles structures et, parallèlement, de nouvelles caractéristiques et de nouvelles fonctions. Selon Lorenz, les anciens systèmes physiques et physiologiques du cerveau, pour une bonne part fonctionnellement indépendants, auraient à un certain stade du développement évolutif interagi, se renvoyant l'un à l'autre leurs propres informations, ce qui aurait abouti à la création de ce système interactif pourvu de caractéristiques nouvelles que nous appelons esprit cognitif. Ce nouveau système destiné à devenir l'esprit se serait ensuite doté de facultés totalement inconnues jusque-là: l'introspection, l'intellection et *l'instauration d'une suprématie* sur les structures qui l'ont précédé, autrement dit sur les différents systèmes physiques de l'organisme.

C'est de mon propre chef que j'ajoute ici cette dernière caractéristique de l'esprit, qui me semble évidente et de toute première importance, d'autant qu'elle s'inscrit pleinement dans la démarche générale de ce livre. Mais pour considérer l'esprit comme une nouvelle forme évolutive, encore faut-il démontrer que sa nature est totalement différente de celle du cerveau qui l'a engendrée, démontrer qu'il se démarque nettement par ses propriétés des multiples systèmes desquels il participe (systèmes qui maintiennent d'autres systèmes en activité, systèmes médiateurs de l'émotion, systèmes de traitement de l'information sensorielle, etc.).

Lorenz est absolument persuadé que ce que nous qualifions chez l'homme d'esprit diffère totalement par ses caractéristiques de ce que nous appelons chez l'animal activité mentale ou intellectuelle. Cela ne signifie nullement que l'homme se différencie des animaux inférieurs par la nature de son équipement physique ou par l'utilisation qu'il fait de son cerveau et de son système nerveux. Il ne s'ensuit pas non plus que les caractéristiques comportementales de l'animal soient inexistantes chez l'homme. Lorenz veut simplement dire par là que, en évoluant, l'homme a acquis un nouveau mode de traitement de l'information en provenance de son environnement. C'est en ce sens qu'il parle d'"éclair créatif", pour affirmer que l'homme a intégré en une nouvelle entité les systèmes biologiques qui préexistaient en lui, entendant par "éclair" cette surprenante conjonction, due au hasard ou à la nécessité, par laquelle différents systèmes ont réciproquement interagi, d'abord pour faire surgir la vie de la matière inanimée, ensuite pour provoquer l'émergence de l'esprit humain. "La deuxième grande coupure, écrit Lorenz, celle qui a séparé l'homme des formes animales les plus évoluées, a été produite par cet autre "éclair créatif" qui, comme le premier, a donné naissance à un nouvel appareil cognitif."

L'argumentation de Lorenz ne permet pas d'établir clairement si le nouveau système global que représente cet appareil cognitif propre à l'homme n'en opère pas moins, et *exclusivement* par le biais de mécanismes physiques, ou si au contraire cet appareil, dans l'esprit de cet auteur, est assimilable à la conscientisation émergente que décrit Sperry. À dire vrai, si nul d'entre nous ne se risque à attribuer à l'esprit un milieu fonctionnel qui soit purement immatériel, cette éventualité n'en est pas à exclure pour autant. Tout au plus peut-on avancer selon moi que l'ensemble des charges électriques du cerveau qui transmettent une information complexe peuvent — en tant que modèle global — exister pendant de brefs instants à l'état d'entités autonomes. Donc, logiquement, si un modèle global d'information est susceptible de revêtir une signification ou de se prêter à une application concrète, il peut alors exercer des effets sur le tissu nerveux, seul médiateur dont l'homme dispose pour porter un jugement sur le monde, sur lui-même et sur ses pensées.

En exposant ici mes propres conceptions sur les sources ignorées de l'intellection dans le règne animal, mon propos a été de mettre l'accent sur une influence essentielle, déterminante dans le processus évolutif. Sur une influence que nous commençons tout juste à comprendre, qui se ramène à ceci: avec les nouveaux systèmes qui naissent de l'interaction de systèmes préexistants, il est peut-être question d'*innovations créatives*, dont le mode d'action et les propriétés n'ont plus rien à voir avec ceux des systèmes desquels ils procèdent. Il ne s'ensuit pas pour autant que ces innovations s'accompagnent de la disparition des systèmes antérieurs (encore que dans certains cas ces derniers disparaissent). Cela signifie simplement que ces systèmes entièrement neufs et surajoutés se développent à partir de ceux qui les ont précédés. Un "vieux" système tel que l'olfactif, par exemple, peut fort bien persister partiellement dans sa structure, cependant que son activité nerveuse se réorganise pour assumer des fonctions plus complexes.

Si les systèmes physiques sont capables d'évoluer, pourquoi les systèmes mentaux ne le pourraient-ils pas? Si les fonctions cérébrales qui permettent la pensée, la mémoire, les perceptions et l'imagination peuvent se remanier et évoluer, il n'est certainement pas déraisonnable de considérer que les aptitudes à concevoir dans l'abstrait l'information, à créer des symboles, à projeter des images, à former des concepts, peuvent aussi, en se perfectionnant, interagir et se réorganiser pour donner naissance à de nouveaux systèmes permettant des opérations intellectuelles encore plus évoluées.

À propos de l'esprit humain, Lorenz écrit que "l'autonomie de l'expérience personnelle, pas plus que les déterminismes qui lui sont propres, ne peut s'expliquer par des lois chimiques et physiques ou par une structure neurophysiologique, aussi complexes soient-elles". Et je tombe bien d'accord avec lui. Les opérations de l'expérience subjective qui procèdent de l'esprit et de l'intellect sont d'un tout autre ordre que ce qu'on peut prédire en se fondant sur la nature biologique et comportementale des animaux. Mais j'irai encore plus loin, en avançant que l'appareil cognitif, qui est le propre de l'homme, évolue lui aussi.

Chapitre 10

•

Les états d'esprit exceptionnels

Dissociation de la conscience et facultés mentales inexplorées

Les phénomènes mentaux les plus déroutants sont ceux qui révèlent des traits de conscience hors du commun et habituellement insoupçonnables. Quand une fraction d'activité mentale s'isole de la réalité sociale et devient inexploitable pour cette dernière, l'état d'esprit qui l'accompagne est généralement assimilé à une maladie mentale. Ce n'est que lorsque cette fraction d'activité dissociée de la réalité sociale est assortie de révélations illuminant les désirs de l'homme que l'état d'esprit concomitant est taxé d'expérience mystique ou de clairvoyance.

Or, un des miracles de notre esprit en voie d'évolution tient peut-être précisément à la faculté qu'il possède de se dissocier en traits de conscience unitaires complexes, logiques, et de toute évidence autonomes.

C'est toujours dans l'esprit qu'ont résidé les aptitudes, comme nous le révèlent les énigmatiques questions que pose la maladie mentale. Mais il existe aussi d'autres états modifiés de la conscience, plus bénins, plus aisément acceptés par la société, et dont nous commençons tout juste à reconnaître la véritable nature. Je veux parler par exemple de l'étonnant dédoublement du champ de conscience qui se produit dans la méditation, et aussi de la révélation religieuse, des états seconds provoqués en thérapeutique par les hallucinogènes ou par l'hypnose, des rêves et des épisodes de dépersonnalisation, voire des accès névrotiques. L'appellation générique d'"états modifiés de la conscience" qu'on donne à ces phénomènes indique bien qu'on les distingue nettement de la "dissociation de conscience" qui, elle, fait référence à des facteurs pathologiques. À l'époque où je me suis livrée à l'étude des caractéristiques propres aux états d'esprit exceptionnels et où j'ai cherché à comprendre quelles opérations mentales intervenaient dans divers états modifiés de la conscience, il m'est apparu que nous étions à la veille de faire de nouvelles découvertes sur les processus mentaux extraordinaires échappant à notre conscience lucide. Je crois aussi que si notre intellection se perfectionne de plus en plus, il en va de même de notre aptitude mentale à nous inventer des états d'esprit dont la complexité va croissant.

En même temps qu'une "prise de conscience" de plus en plus affirmée ou, si l'on préfère, en même temps qu'une "conscientisation en voie d'expansion" vient nous confirmer la validité des états d'esprits exceptionnels que chacun éprouve, le pouvoir dont dispose l'homme de modeler sa conscience devient lui aussi de plus en plus évident. À mon avis d'ailleurs, il se pourrait bien que tous les états de conscience, qu'ils soient bénéfiques ou pernicieux, procèdent au départ d'un processus mental unique. Au cours de ce chapitre, j'examinerai donc quelques aspects caractérisant les états de conscience modifiés (ou dissociés) et tenterai de découvrir ce qu'on peut en déduire pour étayer plus substantiellement la compréhension et l'exploitation effective de nos aptitudes à modeler notre conscience en vue d'un meilleur accomplissement du potentiel humain.

Les états seconds

C'est à l'époque où fut popularisé l'usage du LSD que le grand public découvrit le phénomène que représentent les états *non pathologiques* de conscience dissociée. Depuis cette époque, de plus en plus d'états d'esprit que l'on pourrait qualifier d'inhabituels nous sont devenus familiers. Nous avons découvert non seulement qu'une bonne douzaine de drogues pouvaient provoquer autant d'états modifiés de la conscience, mais aussi que différentes techniques de méditation, d'auto-conscientisation, d'auto-actualisation, pouvaient elles aussi produire différents types de transposition de l'activité consciente. Et nous commençons aujourd'hui à nous rendre compte que l'esprit peut être tout aussi bien contorsionniste que caméléon, autrement dit qu'il peut revêtir bien des formes et accuser bien des nuances fonctionnelles.

Cette aptitude de l'esprit à adopter divers modes opératoires laisse entendre qu'une telle dissociation des unités d'activité consciente est beaucoup plus fréquente que nous ne l'avions cru. Bien plus, je soupçonne fort pour ma part que nous sommes encore loin d'avoir fait l'inventaire complet des conduites mentales que nous appelons états seconds, étant donné que nous en qualifions certains de pathologiques et que nous en attribuons d'autres à l'inspiration ou à l'expérience mystique.

Nous analysons traditionnellement le comportement humain en termes d'apprentissage ou d'émotions et n'accordons que très peu d'attention aux processus de l'intellect qui sous-tendent ce comportement. En effet, les notions que nous avons du rôle joué par l'intellect dans les conduites et les activités mentales se bornent généralement à des considérations de quotient intellectuel, d'apprentissage, d'expérience vécue, d'attention, de motivation et à d'autres influences aisément identifiables. Quant à moi, je prétends qu'il existe aussi divers processus complexes relevant de l'intellection inconsciente et que, si nous n'avons pas identifié ces déterminismes essentiels du comportement, c'est tout simplement parce qu'ils opèrent clandestinement, se dérobant ainsi à toute perception et à toute mesure.

Je commencerai donc par considérer quelques exemples d'états d'esprit inhabituels et non pathologiques, depuis les conduites inusuelles de la vie de tous les jours jusqu'aux aspects les plus occultes de l'expérience humaine, afin d'essayer de découvrir si oui ou non une partie, voire la quasi-totalité du comportement humain, peut s'expliquer par des opérations "intellectuelles" de l'esprit.

Certains états modifiés de la conscience suscitent de nos jours une sorte d'effroi, et bien des gens sont pris de panique quand par exemple ils apprennent que des sectes comme celle du révérend Moon, ou que tel ou tel pandit indien, font tant d'adeptes. Il semble que, dans les cas de ce genre, on assiste à la récession de certains agglomérats d'éléments vitaux essentiels aux processus mentaux, qui jusque-là n'opéraient qu'en étroite cohésion et conformément aux rites de pensée imposés par la coutume et le consensus social. Autrement dit, si nous percevons tous nos univers de façon à peu près identique, c'est parce qu'on nous a appris que certains objets relèvent de telle ou telle catégorie, que par exemple le rouge est rouge, qu'un rayon de lumière est un rayon de lumière. Mais à partir du moment où nous prêtons individuellement des qualités supplémentaires au rouge ou au rayon de lumière, voilà qui fait de nous des poètes ou des fous. Notre tranquillité et notre sécurité d'esprit reposent donc sur le fait que nos perceptions s'accordent au consensus.

Quand les facultés opératoires de l'esprit tourbillonnent autour d'un micro-univers de pensées et de perceptions liées les unes aux autres et quand nous nous embossons selon un cap que le consensus tient pour illusoire, alors on dit de notre esprit qu'il déraisonne. La sécession d'une vaste unité de conscience globale qui pousse un individu à se convertir à telle ou telle secte et à se couper de l'univers parental montre bien à quel point l'autonomie de cette unité est complète et jusqu'où peut aller l'impénétrabilité de la citadelle mentale construite autour d'une croyance spécifique.

Ce sont des coupures et des remparts du même genre qu'on observe aussi dans l'hypnose, dans l'hystérie, dans le prosélytisme, dans le dévouement total à une cause et dans de multiples états d'esprit tout aussi déroutants.

La vie quotidienne nous fournit plus d'un exemple d'états seconds, en général moins dérangeants (mais cependant irritants) pour le consensus social. Ces états surviennent quand les interactions complexes de la croyance, de l'émotion et de la personnalité qui caractérisent un individu se conjuguent pour provoquer des dissidences bien marquées, mais néanmoins socialement tolérables par rapport au déroulement des conduites habituelles.

Je participais récemment à un symposium sur le stress et, décochant la flèche du Parthe, je fis remarquer que l'idée de se servir de l'esprit comme d'un outil thérapeutique faisait peu à peu son chemin (après tout, le rôle que jouent dans la guérison les placebos et la foi n'est un secret pour personne). C'est alors qu'un participant dont les idées sont opposées aux miennes, et qui de surcroît est médecin de clientèle, exaspéré par mon intervention, prit la parole pour vociférer à l'adresse de l'assistance: "Tenir compte de l'esprit, c'est faire reculer la médecine d'un demi-siècle!"

Son émotion violente me semble illustrer parfaitement le fait qu'un amalgame de convictions, d'expériences, de pensées et d'émotions peut fort bien se désolidariser et se retrancher de l'ensemble des autres activités mentales intelligentes. La sécurité intellectuelle et économique de mon antagoniste était en effet totalement tributaire de la conscience consensuelle de la communauté scientifique, pour qui les mystères insondables de l'esprit sont assimilés à des menaces. Mais son éclat public traduisait selon moi la sécession d'une unité de conscience, par laquelle une fraction fonctionnelle de l'intellect et de l'émotion se séparait de cette conscience globale que représente la réalité du savoir et de l'expérience.

Alors que les psychologues interprètent essentiellement les traits comportementaux de ce genre comme des émotions incontrôlables, je crois personnellement qu'on a tort de ne pas considérer que l'émotion peut fort bien s'être développée à

partir d'une intégration intellectuelle de l'information cognitive et expérimentale et que ses manifestations extérieures
irrépressibles proviennent des abysses de nos opérations mentales inconscientes. En effet, il s'agit là de la dissidence
caractérisée d'une unité de conscience fonctionnelle réfrénée.

Je crois que les émotions violentes et l'engagement total
des fanatiques ne sont guère différents, dans leur mode opératoire et leur causalité, des états modifiés de l'esprit que nous
appelons névrotiques ou psychotiques, ni de ce que nous qualifions de clairvoyance ou d'illumination. Alors que nous
réprouvons les modifications de conscience provoquées par les
drogues, ou celles qui aboutissent aux actes terroristes, à
l'aliénation partisane ou à la névrose, nous considérons le
plus souvent certaines autres modifications de l'activité mentale comme bénéfiques. L'état d'hypnose, l'éclair créateur,
l'extase de la méditation, voire certaines hallucinations
"opportunément" provoquées, sont autant d'exemples d'états
seconds que bien des gens approuvent, souhaitent connaître ou
renouveler. Bien sûr, il existe des différences entre les types de
modification mentale que nous rejetons et ceux que nous
acceptions, mais ces différences tiennent essentiellement aux
valeurs que la société attache aux modes d'expression de ces
états d'esprits particuliers. La société admet parfaitement la
dévotion religieuse tant que celle-ci repose sur une orthodoxie
(prêtres, pandits, ayatollahs), mais elle la réprouve à partir
du moment où la foi du dévôt s'écarte des dogmes tradi-
tionnels. Il en va de même de l'orthodoxie et de l'extrémisme
politiques. Mais il reste que l'intensité de la conviction, la
fixité d'esprit que celle-ci implique, le comportement qu'elle
suscite, sont de même nature, qu'il soit question d'une
croyance acceptée ou d'une croyance rejetée par la société
dans son ensemble.

De nombreux états modifiés de la conscience sont en fait
aussi bénéfiques à l'individu qu'à la société, à partir du
moment où ils ne sont pas ressentis comme une menace par
le consensus, mais au contraire lèvent le voile sur des ressources mentales ordinairement inexploitées.

Tel est le cas, par exemple, de la dissociation du comportement intelligent (dissociation pas toujours pertinente, d'ailleurs) qu'on observe dans l'hypnose ou encore de celle qui génère la logique interne de l'imaginaire (comme dans l'onirique), quand des unités d'inconscient se dissocient et que l'une d'entre elles tisse un conte de fées alors qu'une autre garde ses distances pour observer, interpréter et parfois commenter le déroulement du processus onirique. Tel est le cas aussi du rêve éveillé, quand la conscientisation de l'esprit se sépare de la conscience d'appartenir au monde environnant. Tel est encore le cas lorsque l'idéation consciente se dissocie des sensations organiques (comme dans la dépersonnalisation) ou lorsque l'activité mentale inconsciente se sépare de l'activité consciente (comme dans la perception des images infraliminaires et de la pensée créative); tel est le cas aussi lorsqu'une dissociation de la conscience permet la méditation ou la contemplation. Dans tous les cas, un remarquable ensemble d'opérations mentales intelligentes se libère de l'emprise de la conscience lucide, cessant ainsi de se conformer au consensus social qui définit les règles de conduite recommandables pour l'esprit.

La nature des états seconds

Si ces dernières années les "états modifiés de la conscience", la méditation, le fantasmatique, l'onirique et l'hypnose ont fait couler beaucoup d'encre, personne, autant que je sache, n'a encore cherché à découvrir si ces diverses dispositions d'esprit et de conscience avaient en commun certains mécanismes. Personne non plus n'a encore tenté de systématiser les observations faites sur les états seconds pour en proposer une classification et une analyse. À première vue, je suppose pourtant que ces états, dont nous savons aujourd'hui qu'ils sont fort différents les uns des autres, peuvent être répartis en diverses catégories qu'on peut identifier d'après leurs caractéristiques. Je suppose aussi qu'une systématisation de nos connaissances relatives aux états d'esprit exceptionnels nous fournirait des stratégies capables de reproduire à volonté ceux d'entre eux qui s'avèrent bénéfiques au genre humain et qui aussi nous permettraient d'élaborer de nouvelles techniques, grâce auxquelles nous pourrions diriger l'intellection inconsciente à la façon dont nous dirigeons le contenu des rêves.

Un problème se pose, et depuis longtemps, quand on veut observer et analyser des états d'esprit ou de conscience inhabituels. C'est la tendance, caractéristique de ces états, à se démarquer du cours normal de la conscience, alors que c'est en nous référant à ce dernier que nous décrivons et analysons les phénomènes mentaux exceptionnels. Quand il s'agit de transmettre aux autres des informations sur ces phénomènes, l'indigence de notre vocabulaire usuel justifie pleinement la circonspection avec laquelle les scientifiques considèrent la pertinence et la validité des comptes rendus subjectifs de ces expériences vécues. La plupart des hommes de science tombent d'accord, par exemple, pour estimer que les distorsions perceptuelles et sensitives causées par les hallucinogènes ne peuvent être convenablement interprétées à partir des déclarations d'un autre, ce qui incite presque toujours les chercheurs consciencieux à essayer sur eux-mêmes l'une de ces drogues, procédé qui leur semble indispensable à la compréhension intime d'un état second.

Le même obstacle se présente quand il s'agit de communiquer n'importe quel autre état modifié de la conscience. Ma formation scientifique m'a toujours fait ressentir combien le discours de ceux qui parlent de leurs états seconds est lacunaire, au point même que parfois je me refuse à en risquer une interprétation, tant celle-ci me semble hasardeuse. Fort heureusement, mon penchant pour l'analyse a bien des occasions de se satisfaire ailleurs; et mon propre esprit a connu pour son compte bien des aventures, comme si d'une certaine façon quelque chose l'avait poussé à explorer ses propres ressources sans avoir à en demander la permission à ma conscience lucide. C'est précisément la découverte de ces dimensions insoupçonnées de la conscience qui réfrigère et effraie le scientifique orthodoxe. C'est sans doute parce que l'esprit se risque de lui-même dans l'aventure, rompant ainsi les amarres qui le retiennent à la conscience consensuelle pour découvrir en lui des capacités inhabituelles, que la science sent parfaitement qu'elle perd pied et se détache de toute réalité physique. Sans ancrage physique solide, elle hésite à se lancer dans l'inconnu, voire à considérer qu'une telle démarche puisse comporter quoi que ce soit de fructueux et de visionnaire. Mais à partir du moment où c'est *vous* qui vivez cette aventure mentale, vous êtes à même de percevoir intimement son retentissement sur votre être global, c'est-à-dire sur votre corps comme sur votre esprit. Et c'est ainsi que je vis mes propres expériences.

L'exploitation des ressources de l'inconscient

Voici quelques années, alors que j'étais la principale conférencière d'un symposium sur le biofeedback et les ondes cérébrales alpha organisé par l'université de Californie à Los Angeles, il m'est arrivé de vivre le plus extraordinaire état modifié de la conscience que j'aie jamais connu. Du fait que je possédais à fond mon sujet, j'avais attendu jusqu'à la veille de ma conférence pour préparer mon exposé. Malheureusement, il se trouva que ce jour-là débuta une dépression orageuse, sévère. Étant "allergique" aux basses pressions atmosphériques (les fameuse migraines barométriques), mon mal de tête devint si intense qu'il me fut impossible de travailler. J'espérais pouvoir m'y mettre dès le lendemain matin, mais ce jour-là encore l'orage persista... et mes céphalées aussi. Quand j'entrai dans l'amphithéâtre, la névralgie était insupportable, mais j'étais bien décidée à faire coûte que coûte ma conférence.

Dès que je commençai à parler, ma conscience fut l'objet d'une totale partition. Une fraction de mon activité mentale et aussi mes perceptions et l'ensemble de mes sensations conscientes furent accaparées par les images d'un paysage champêtre: je me vis me reposant sous un arbre, allongée sur une pelouse. Je m'identifiais totalement à la nature du lieu et me sentais merveilleusement calme et détendue. De temps à autre, je prenais vaguement conscience d'être sur une tribune et d'exprimer des mots et des idées qu'il me semblait qu'on m'inspirait. Mais mon "moi" dissident n'avait pas la moindre idée de ce que mon autre "moi" pouvait bien raconter. C'était comme si j'entendais quelqu'un parler dans le lointain, et je me sentais trop bien pour me soucier d'écouter. À la fin de mes quatre-vingt-dix minutes d'exposé, les deux fractions disjointes de ma conscience se réunirent. Je quittai la tribune alors que les applaudissements crépitaient dans la salle et, presque instantanément, la céphalée revint à l'attaque, au point qu'il me fut impossible de déclarer quoi que ce soit aux quelques journalistes venus me questionner. De retour chez moi, je fus terrassée par cette douleur qui, miraculeusement, s'était dissipée pendant ma conférence. Plus tard, en écoutant l'enregistrement de mon exposé, je fus stupéfaite de la rigueur avec laquelle j'avais enchaîné mes idées et mes phrases. Je venais très probablement de faire la conférence la plus brillante de ma vie.

Chose étonnante, il ne s'agit pas là d'une expérience exceptionnelle, et ce qu'elle contient de remarquable n'est dû qu'aux circonstances. Des acteurs, des peintres, des enseignants, des commerçants, des pères et des mères de famille ont souvent l'occasion eux aussi de se transporter mentalement et émotionnellement à des niveaux qui leur semblent d'ordinaire hors de portée. Les effets de ce dédoublement de conscience spectaculaire sont assez faciles à reconnaître dans le jeu d'un acteur ou dans les chefs-d'oeuvre de l'art et la littérature. D'ailleurs, on attend en quelque sorte de n'importe quel artiste qu'il mobilise ses ressources intérieures pour exprimer l'inexprimable.

Mais il est bien rare que des expériences semblables, quand elles sont vécues par le commun des mortels, soient considérées comme résultant d'états d'esprit exceptionnels. Le jour où ma voisine, par exemple, qui s'évanouit au spectacle de la moindre tache de sang, entendant dans la rue un crissement de pneus et se précipitant à l'extérieur, découvrit son énorme chien en proie à une grave hémorragie, il n'empêche qu'en un rien de temps elle réagit avec une détermination mentale et une force d'esprit considérables, hissa l'animal dans sa voiture et se rua chez le vétérinaire. Là encore, il s'agissait donc bien d'une victoire de l'esprit tant sur lui-même que sur le corps. Ce que nous révèlent ces expériences vécues, c'est la remarquable aptitude à mener des activités purement intellectuelles qui caractérise les unités mentales devenues autonomes, aptitude grâce à laquelle — et en dehors de toute opération de conscience lucide — sont générés des comportements qui satisfont au bien-être individuel comme au jugement conscient d'autrui.

En prenant pour référence l'expérience personnelle que je viens de rapporter, on peut formuler ces quelques observations générales sur les états de conscience exceptionnels de ce genre: (1) l'intellection est mise à contribution de façon beaucoup plus efficace qu'elle ne l'est généralement dans des circonstances identiques; (2) quand le mode opératoire procède de l'inconscient, toute appréciation consciente d'une sensation de douleur est inhibée; (3) la dissociation de la conscience remplit au moins deux fonctions sociales: elle satisfait à une obligation relationnelle et aussi à la demande sociale résultant de la situation considérée. Une quatrième observation peut également s'appliquer à certains cas particuliers tels que le mien: les processus mentaux inconscients semblent opérer à deux niveaux, d'une part en organisant et en verbalisant l'information conceptuelle, de l'autre en créant des images qui fournissent à cette activité mentale un répit lui permettant de s'exercer sereinement.

L'intellect caché et ses visions

Je doute fort que sur cette planète existent des gens qui n'aient jamais connu la moindre bizarrerie dans le cours de leur activité mentale. Le problème, pour une majorité de ces gens, c'est de ne pouvoir avancer aucune explication pleinement satisfaisante des extraordinaires prouesses de l'esprit ou des remarquables aventures de la conscience. Certains, bien sûr, se contentent de tout interpréter par la spiritualité. Mais la plupart d'entre nous sommes probablement hantés par l'idée que l'esprit pourrait accomplir des miracles inimaginables, pour peu que nous sachions exploiter ses possibilités. L'expérience personnelle que je viens de rapporter mettait fort bien en évidence l'aptitude de l'inconscient à opérer de façon appropriée dans une situation difficile. L'épisode que je vais à présent relater illustre une autre faculté inconsciente, celle de résoudre des problèmes et d'apporter des éléments de compréhension totalement neufs.

Ce remarquable périple mental se produisit alors que je tentais de rédiger un article scientifique. Depuis deux ans je multipliais mes efforts pour décrire l'action pharmacologique d'une nouvelle substance chimique de synthèse. Administrée aux animaux, cette substance affectait de toute évidence leur activité cérébrale, mais les changements de comportement qu'elle provoquait chez eux étaient subtils et malaisés à définir de façon précise. Et quand j'eus épuisé la gamme des expérimentations critiques, je me trouvai donc dans l'obligation de satisfaire à une exigence inhérente à toute recherche: la rédaction d'un compte rendu expérimental destiné à la publication et assorti d'une interprétation théorique qui le rende scientifiquement acceptable. En l'occurrence, il s'agissait donc pour moi d'expliquer le mode d'action de cette nouvelle substance chimique. Or depuis six mois je m'acharnais en vain à en discuter par écrit les effets sur le système nerveux central, essayant d'en proposer une explication théorique cohérente. Mais je n'en voyais aucune qui fût satisfaisante. Aucun mécanisme connu ne semblait rendre compte des effets très particuliers de la drogue en question. Ce jour-là, je m'assis donc devant ma machine pour faire une nouvelle tentative.

Je me mis à écrire et, soudain, les mots affluèrent d'eux-mêmes sur les feuillets. J'avais à peine conscience de quoi que ce soit, si ce n'était de taper aussi vite que possible. J'étais incapable d'identifier consciemment la moindre phrase ou la moindre idée que je formulais. Quand je mis le point final à mon texte, je me rendis compte que celui-ci consacrait plus de vingt pages à la seule discussion théorique. Or, cette rédaction n'avait pas duré plus de trois heures. C'est dire que j'avais tapé avec une vitesse de frappe dépassant de très loin mes capacités dactylographiques normales. Je lus mon compte rendu. Il était irréprochable, d'une logique rigoureuse, et les mots coulaient d'eux-mêmes pour proposer, dans ce langage très particulier qui caractérise la pharmacologie (c'était à l'époque ma profession), une explication théorique des effets de la nouvelle substance. J'étais stupéfaite et transportée, mais surtout abasourdie par l'intensité de l'expérience mentale que je venais de vivre.

Même plus tard, quand je relus mot à mot mon article, publié dans une revue spécialisée considérée comme la plus sérieuse, je m'émerveillais encore de ce que mon "inconscient" avait accompli. Ce qui m'étonna le plus, c'était l'articulation quasiment parfaite de la pensée exprimée, ainsi que le caractère exhaustif de la discussion. Or, même si des centaines de fois auparavant j'avais tenté en vain d'organiser mes données, rien dans mon texte ne procédait d'une mise en forme consciente et réfléchie. À chacune de mes tentatives précédentes, il m'avait été impossible d'agencer logiquement les faits et les idées, ni d'avancer la moindre interprétation théorique qui pût rendre compte de l'action pharmacodynamique de cette drogue. Alors que dans mon texte, rédigé en dehors de toute participation consciente, rien ne manquait et tout s'enchaînait irréprochablement.

Énumérons à présent les traits les plus caractéristiques de cette bouffée "inconsciente" de créativité analytique et rédactionnelle: (1) il s'agit d'un épisode d'activité mentale productif, logique, et qui s'est déroulé spontanément, "accidentellement", sous la direction de l'inconscient; (2) la performance à la fois physique et mentale est réalisée en dehors de toute participation consciente; (3) cette performance témoigne d'une pensée très élaborée, c'est-à-dire de processus mentaux supérieurement organisés; (4) il est question d'un acte intelligent, circonstancié, dont le résultat est de conforter le bien-être sociorelationnel, donc de favoriser la survie; enfin (5), cette expérience vécue ne laisse pas la moindre trace dans la mémoire, si ce n'est dans mon cas le vague souvenir d'avoir tapé à la machine.

Les expériences de ce genre sont beaucoup plus communes qu'on ne le pense. Seulement, peu nombreux sont les gens qui se trouvent dans la nécessité de résoudre des problèmes si complexes et si décisifs dans un but bien déterminé, ou bien qui ont en tête tant de données virtuellement cohérentes à mettre en ordre, comme ce fut le cas pour moi au moment où je fis cette expérience. Mais il n'empêche que beaucoup de gens savent fort bien que leur inconscient est capable de résoudre certains problèmes, qu'ils peuvent penser avec une clarté remarquable même si leur activité consciente est dirigée ailleurs: nombreux sont ceux qui prennent volontairement l'habitude de faciliter ce procédé. Ce qui explique sans doute pourquoi certaines mères de famille, affligées par les conflits qui les opposent à leur progéniture, renoncent à une confrontation directe pour s'absorber dans le train-train monotone des travaux domestiques.

Bien des gens savent d'expérience qu'ils pensent plus aisément et plus logiquement quand ils se consacrent à une tâche routinière, mais n'en craignent pas moins de renoncer à la réflexion concertée et à la concentration d'esprit, étant donné qu'ils ont été élevés dans la conviction que toute pensée cohérente doit résulter d'un effort conscient. Alors que pourtant il n'en est rien. Quantité de personnes apprécient grandement le temps qu'ils passent au volant de leur voiture pour aller au travail, car le fait d'avoir l'esprit occupé par les impératifs routiniers de la conduite sur un itinéraire familier et la nécessité de rester attentif aux incidents de parcours toujours possibles semblent créer un équilibre des activités mentales, lesquelles sont alors partagées entre un curieux état de vigilance paisible et un autre état dans lequel l'esprit-corps roule pour ainsi dire en pilotage semi-automatique. Quand je conduis seule, je dépose un bloc-notes sur le siège passager, à portée de ma main, du fait que cet équilibre que je viens d'évoquer entre relaxation de conscience et vigilance du subconscient est bien souvent pour moi une mine de pensées neuves et créatives. Je ne sais combien de gens aiment travailler quand ils se déplacent en avion ou en chemin de fer, vu qu'alors ils se sentent libérés par le peu d'attention qu'exige de leur activité consciente le fait de voyager. Il y a, dans cet état très particulier d'équilibre entre le corps et l'esprit — état qui décharge le subconscient surmené de ses soucis et de ses craintes — quelque chose qui mérite attention. À diverses reprises dans la suite de ce livre, nous aurons l'occasion de revenir sur ces phénomènes de partition ou de dissociation des activités conscientes et subconscientes.

La sollicitude de l'inconscient

Je me demande parfois si mon inconscient, curieux et obstiné de nature, n'a pas influencé d'une façon ou d'une autre mes activités conscientes et le déroulement de mon existence. L'expérience que j'ai acquise des états modifiés de la conscience me semble suffisante pour illustrer bien des types de comportements inconscients. L'histoire que je vais à présent relater met encore en évidence d'autres facultés fort perfectionnées de l'activité mentale inconsciente, comme celle de manifester de la sollicitude pour autrui, de faire preuve d'imagination ou de provoquer des sensations kinesthésiques paradoxales alors que toute activité physique est impossible.

Alors que j'étais en seconde année de médecine, je fus atteinte d'une crise prolongée de migraines dont l'intensité fut telle que mon état me valut l'attention de certains professeurs cliniciens. Me pliant au verdict de l'autorité médicale, je me fis donc hospitaliser et, conséquence d'un diagnostic catégorique, mais incertain, on me ponctionna une partie du liquide cérébro-spinal pour le remplacer par de l'oxygène, le tout associé à des séances de roentgenthérapie. À la suite de je ne sais quelle faute de procédure, je perdis conscience pendant trois jours au cours desquels mes parents, alertés, vinrent me rendre visite, ce qui leur fit faire huit cents kilomètres en voiture.

Or, j'étais consciente de la peur et de l'inquiétude qu'ils éprouvaient à l'idée de retrouver leur fille unique dans un hôpital inconnu, soumise à des examens rigoureux dans le but de découvrir si elle avait ou non une tumeur au cerveau. En les attendant, je me promis de faire bonne figure, de ne rien leur montrer de mes malaises et de ma souffrance. Je décidai donc de me comporter comme s'il s'agissait d'une affaire bénigne, afin de ne pas les inquiéter outre mesure. Mais quand ils entrèrent dans ma chambre, j'étais incapable de relever la tête. Je les pris cependant l'un après l'autre dans mes bras, leur souris de mon mieux, leur demandai s'ils avaient fait bon voyage, comment se portait le chien, et leur racontai même une histoire cocasse à propos d'une amie qui, un peu plus tôt, était venue me voir et avait englouti tout le repas qu'on m'avait servi. Après leur départ, je me félicitai de mes talents d'actrice, ne me sentant pas peu fière de n'avoir rien laissé paraître de mon piteux état. Je me souviens même d'avoir ri toute seule dans mon lit.

À la fin de la même semaine, mes parents me firent une autre visite. Sur le visage de ma mère, déjà âgée à cette époque, toute trace d'inquiétude disparut quand elle me vit. Bien qu'il me fût encore impossible de me relever, j'affichais un large sourire, mes traits étaient détendus et mon oeil avait repris de son éclat.

"Dieu soit loué, me dit ma mère. Tu n'imagines pas quel souci nous nous sommes fait pour toi toute cette semaine. Nous ne savions même pas si tu allais t'en tirer."

"Tu exagères, fis-je. Tu as bien dû te rendre compte dimanche dernier que j'allais déjà mieux, non?"

"Mieux! Mais, ma chérie, tu étais incapable de faire le moindre mouvement! Le Dr Mako (l'interne) stationnait en permanence dans le couloir, deux infirmières ne te quittaient pas d'un pouce, et tout le monde se faisait un souci d'encre. Tu avais perdu conscience depuis si longtemps!"

Mes parents m'affirmèrent alors que je n'avais repris connaissance que trente-six heures après leur première visite. J'eus le plus grand mal à les croire. Car, non seulement j'avais été parfaitement consciente de leur venue le dimanche précédent, mais j'avais su à l'avance qu'ils allaient venir. Quant à la visite de l'amie qui avait mangé mon repas ce jour-là, il fut simple de vérifier que je ne l'avais pas inventée et que j'en avais eu pleinement conscience.

J'avais donc imaginé des fantasmes qui comblaient les voeux d'autrui mais, chose curieuse, j'avais cependant pris clairement conscience de deux éléments bien réels: la présence de mes parents et le repas consommé par mon amie. Ce qui est plus troublant, c'est que j'avais conservé un souvenir précis de ma conduite du dimanche précédent. Je me souvenais parfaitement de ce que j'avais dit (ou croyais avoir dit) et de ce qu'avaient été les réactions de mes parents (ou de ce que je croyais qu'elles avaient été). Je me souvenais même d'avoir après coup (in)consciemment perçu combien j'étais satisfaite d'avoir dupé mon monde en feignant de me sentir bien. Tout s'était donc passé comme si une fraction de mon inconscient avait observé ce que faisait l'autre et applaudi à son exploit.

L'interprétation scientifique que donnent les médecins de ces états de conscience exceptionnels est qu'il s'agit probablement de bizarreries relevant de la biochimie cérébrale, autrement dit que dans ce cas particulier une quelconque médication, administrée alors que j'étais hospitalisée, avait fort bien pu inhiber chez moi toute activité musculaire et me priver de la parole. Mais il semble évident que, s'il en avait été ainsi, le fait de garder toute ma lucidité et de me sentir incapable d'exprimer le moindre mot et le moindre geste à un moment pareil n'aurait certainement pas manqué de me traumatiser et de laisser des traces profondes dans ma mémoire. Il n'empêche que, dès qu'un malade perd conscience, ce sont toujours des arguments biologiques qu'on invoque pour expliquer des phénomènes de ce genre, même s'il est douteux qu'on lui ait administré une médication susceptible d'affecter sa motilité ou d'inhiber son système nerveux central. (Comme quoi, des études de pharmacologie vous donnent parfois réponse à tout!)

La seule explication rationnelle de cette expérience personnelle me semble donc la suivante: une unité intrinsèque d'activité mentale complexe et intelligente s'est vraisemblablement séparée du spectre global de mon activité consciente. Devenue autonome, cette unité n'en a pas moins conservé ses facultés de perception intelligente (conscientisation de la présence de mon amie, puis de celle de mes parents) et aussi, ce qui est également surprenant, conservé la faculté de projeter des images fantasmatiques capables de faire naître l'illusion. Pareille "modification de la conscience" s'accompagnait aussi chez moi d'une sensibilisation consciente et altruiste aux inquiétudes d'autrui; cette sollicitude faisait intervenir la capacité d'analyser et de porter des jugements valides tenant compte des liens interpersonnels. Ajoutons encore au tableau l'aptitude à synthétiser, à élaborer et à exécuter (tout au moins mentalement) un projet de conduite pertinent et circonstancié et aussi, compte tenu de l'état d'inconscience propre à ce cas particulier, une surprenante faculté d'auto-analyse. Tout comme dans l'onirique, la conscience dissociée ne semble pas perdre tout contact avec le contenu de la mémoire, dans lequel puise la conscience lucide pour sustenter ses opérations mentales.

Cette anecdote révèle encore bien d'autres traits relevant de l'idéation. Durant mon épisode fantasmatique, par exemple, les émotions dont je me prévalais étaient exclusivement de nature altruiste. Car même si je me livrais à une analyse intelligente des diverses émotions alors mises en jeu, je n'éprouvais aucune sensation subjective se rapportant à mon état, à mon stress ou à mon malaise. Toute mon activité mentale, et par conséquent l'illusion qu'elle créait, était entièrement tournée vers ce que ressentaient les autres et vers leurs propres réactions. En outre, si dans mon état existait une conscientisation du "moi", il ne s'agissait pas de mon "moi" personnel, mais d'un "moi" intellectuellement objectif, totalement étranger aux notions que nous avons acquises sur cette entité individuelle que nous appelons l'ego. Ce type de sollicitude pour autrui dérive en grande partie de préoccupations d'ordre intellectuel, qui elles-mêmes résultent d'une attention toute spéciale portée aux nombreuses influences qui affectent le comportement humain. La présence de cette compréhension poussée des relations interpersonnelles et l'appréciation intellectualisée de l'ego en dehors de toute émotion et de toute conscientisation indiquent très certainement que les activités mentales de l'inconscient sont capables d'effectuer des opérations intellectuelles supérieures. Je mentionnerai bientôt d'autres exemples de ce phénomène en abordant les distorsions perceptuelles.

Un autre trait de cette expérience personnelle revêt une signification toute particulière au regard de la théorie clinique et psychologique. Au cours de cet épisode, alors que je me projetais un scénario très au point et parfaitement adapté à la situation critique et évolutive qui était la mienne, je projetais mentalement aussi l'ensemble des gestes et des expressions faciales qu'il convient généralement d'adopter dans une conversation semblable. Pourtant, la dissociation entre mon corps et mon esprit était totale. Mais il reste que je vivais l'illusion de percevoir que mon corps exécutait automatiquement les directives que lui donnait mon esprit, comme cela se passe ordinairement, alors qu'en fait, même si l'un pourvoyait l'autre de tous les ingrédients nécessaires à l'action, il va de soi qu'aucun influx nerveux n'était dirigé par le cerveau vers les masses musculaires de mon organisme.

Certains théoriciens allégueraient sans doute qu'en pareilles circonstances les opérations cérébrales "inhibent" l'émission de l'influx nerveux, comme cela se passe apparemment quand nous décidons de rester immobiles ou encore quand nous sommes sous hypnose et que les instructions transmises nous retiennent de réagir à quelque chose qui, ordinairement, provoquerait de notre part une réponse innée ou normale. Mais je doute fort que cette interprétation théorique soit applicable à mon propre cas, pour la raison évidente que, sur le moment, j'étais mue par une grande énergie et que j'avais la volonté bien arrêtée d'accomplir tous les gestes propres à véhiculer une impression spécifique.

La faculté de se souvenir d'événements liés de façon précise à des personnes et des situations bien réelles alors que ces événements sont purement imaginaires, comme dans l'anecdote personnelle que je cite, n'est pas sans faire penser à la capacité de mémoire de certains paranoïaques ou schizophrènes, chez qui il ne semble exister aucun rapport entre le monde imaginaire, le monde "réel" et les réactions concrètes.

Dans ces derniers exemples, il arrive qu'on observe aussi une étonnante coupure entre les émotions et l'intellection. J'ai un jour fait appel aux services d'un technicien qui avait été atteint, au cours du second conflit mondial, d'une névrose de guerre particulièrement pernicieuse. Il avait contracté un grave syndrome parano-schizophrénique qui lui avait valu deux années d'hospitalisation, au cours desquelles il n'avait pratiquement jamais recouvré sa lucidité. Pourtant, il se souvenait de tous les événements survenus autour de lui pendant sa maladie. Un des aspects les plus étonnants de son histoire, c'était la façon dont ses émotions s'étaient alors disjointes. La totalité de ses sentiments, de ses sensations, de ses impressions ne relevait plus que de l'illusion. Alors qu'il était resté parfaitement conscient des réactions des autres malades, des infirmières, des médecins et des membres du personnel hospitalier, tout s'était passé comme si les agissements de ces gens étaient dépourvus pour lui de toute signification.

Encore que le type d'activité fantasmatique manifesté par cet homme soit passablement différent de celui que je rapporte en évoquant mon expérience personnelle, je suppose que les mécanismes mentaux mis en jeu étaient identiques dans les deux cas. Il semble donc que la faculté de créer et de construire l'illusion — que celle-ci soit appropriée ou non à la situation — procède d'une telle détermination, d'une telle intentionnalité, que l'activité mentale possède la capacité de diriger les mécanismes cérébraux sous-jacents aux sentiments et aux émotions. Si cette conclusion est la bonne, il s'ensuit que cette aptitude mentale, cette aptitude inconsciente, est parfaitement capable de contrôler seule et l'activité du cerveau et celle de l'organisme.

Le somnambulisme

Pour illustrer la complexité et la détermination de l'intellection non consciente, point n'est besoin de faire appel à des exemples d'états d'esprit extrêmement rares ou pathologiques. Le somnambulisme est un phénomène qui se caractérise par une absence totale de conscientisation, alors que pourtant le somnambule formule et projette une intention bien précise; à moins d'être interrompu, il mène de bout en bout son entreprise.

Il s'agit là encore d'une curieuse forme de dissociation des états de conscience. Il est très rare qu'un somnambule se souvienne après coup de ses actes ou bien se souvienne d'avoir eu l'intention de s'y livrer. En revanche, il est évident que non seulement ses agissements répondent à une intention bien agencée, mais encore qu'il éprouve la solide conviction que ces agissements sont nécessaires, et qu'à cette fin il coordonne une stupéfiante mobilisation générale de toutes les fonctions organiques requises pour passer à l'action. Le plus intéressant peut-être, quand on laisse le somnambule accomplir sa déambulation, c'est qu'ensuite il regagne généralement son lit. Ce qui laisse supposer qu'il a conscience — inconsciemment conscience — d'avoir satisfait son intention, donc de pouvoir très exactement en revenir à l'état dans lequel il se trouvait antérieurement.

Des travaux sur le sommeil ont montré que le somnambulisme n'est pas nécessairement lié à un trouble quelconque de la personnalité ou du comportement, bien que certaines de ses manifestations soient exacerbées par des névroses graves. Mais il reste, et c'est bien dommage, que les sciences comportementales ont tendance à s'intéresser de préférence aux êtres dont les conduites sont anormales. À la suite d'une étude sur les névroses d'angoisse sévères, on a cru pendant un certain temps que le somnambulisme n'était qu'un "défoulement" consécutif à une répression ou une frustration affective, étant donné que certains malades affligés d'angoisse chronique manifestent au cours de leurs épisodes de somnambulisme des crises spectaculaires et parfois violentes d'anxiété aiguë. Mais des travaux postérieurs sont venus démontrer — ce que la plupart d'entre nous savions de longue date — que des gens parfaitement normaux, ou davantage sensibilisés que la majorité des autres au stress du quotidien, connaissaient eux aussi des épisodes de somnambulisme. Mais, comme par hasard, il semble que les expérimentateurs n'aient jamais eu l'occasion de rencontrer, ou de compter parmi leurs relations, des gens tout à fait normaux et cependant somnambules.

C'est généralement au plus profond du sommeil que se produit le somnambulisme: c'est bien là la preuve qu'une fonction mentale relativement complexe peut s'exercer quand l'activité de la conscience est à son niveau le plus bas. D'ailleurs, une autre observation le confirme: certaines études sur le sommeil révèlent en effet que, lorsqu'on réveille un individu au moment où il dort le plus profondément, il est parfaitement capable d'évoquer et de décrire des pensées complexes.

Ceux qui parlent en dormant diffèrent des somnambules en ce sens qu'ils s'expriment au moment où leur sommeil est le plus léger, ce qui explique que l'on puisse "dialoguer" avec eux. Ce qui s'explique moins bien, c'est qu'en dépit de cette caractéristique — c'est-à-dire en dépit du fait que le parler ne s'exerce que lorsque le dormeur est à la frontière de l'éveil — l'individu ne garde que très rarement le souvenir de sa conduite. Logiquement, il semblerait donc que le phénomène mette en jeu une activité mentale relativement complexe (imaginer une situation, y participer, interpréter la conduite d'un autre, réfléchir à des réponses, et autres opérations mentales connexes), sans pourtant, quand le sommeil est superficiel, qu'aucun élément de l'expérience soit mis en mémoire ou sans pour le moins que la mémorisation dont il fait l'objet permette l'évocation ultérieure.

Telles sont les relations paradoxales qui relient les opérations conscientes, l'expérience vécue, l'imaginaire, l'idéation, l'activité physique, et qui d'autre part occultent les capacités illimitées de l'esprit.

Quelques considérations
sur les "voyages hors du corps"

L'étonnante faculté que possède l'intellect inconscient de se dissocier de la conscience lucide tout en conservant nombre d'aptitudes mentales essentielles m'a amenée à me demander si certains phénomènes inexpliqués ne résultent pas de cette propriété de dissociation qui, à la manière des hologrammes, permet à certains esprits de se diviser en univers séparés, chacun constituant une entité complète.

Pour la plupart des gens qui ignorent tout du spiritualisme contemporain, les "voyages hors du corps" ou "projection astrales" signifient simplement que l'esprit d'un individu peut se séparer de son corps pour se transporter n'importe où. Par n'importe où, il faut entendre aussi bien la pièce d'à côté, le pays voisin, la planète la plus proche qu'un quelconque monde inconnu. On considère généralement que cette aptitude à voyager dans l'espace "astral" ne se révèle que durant le sommeil ou le demi-sommeil, alors qu'en réalité ce phénomène peut être provoqué à volonté par les individus qui en ont parfaitement maîtrisé la technique, et cela quel que soit leur état de conscience du moment.

Dans son livre, Robert Monroe* rapporte une expérience tout à fait extraordinaire de voyage hors du corps. Non seulement cet auteur décrit les allées et venues de son esprit de façon si réaliste que le lecteur en éprouve des frissons dans l'épine dorsale, mais il raconte aussi combien ces expériences l'ont effrayé et comment il en vint à acquérir une telle compréhension du phénomène qu'après un certain temps il en était arrivé à parfaitement maîtriser celui-ci par contrôle volontaire. Mais en dépit des précisions extrêmement détaillées qu'il donne dans son récit, bien peu d'indications permettent au non-initié d'acquérir le même pouvoir.

À dire vrai, mes propres fantasmes sont ceux de M. et de Mme Tout-le-Monde. Je serais personnellement ravie de pouvoir me délivrer de mes attaches charnelles et, devenue invisible, de m'élancer d'un trait vers quelque riche harem de l'ancienne Perse ou la salle des délibérations secrètes du KGB à Moscou. Je me suis souvent demandée pourquoi ceux qui avaient la faculté de faire ce genre de voyage avaient une prédilection marquée pour des lieux très ordinaires ou pour

---

* *Journeys Out of the Body*, Doubleday, New York, 1971.

des galaxies aux noms invraisemblables, plutôt que d'excursionner vers des lieux inconnus dont les secrets sont bien gardés. À cela, les habitués des voyages "hors du corps" répondent d'ordinaire qu'ils n'ont guère le choix, bien que certains familiers des projections dans l'espace "astral" affirment qu'ils peuvent parfaitement décider de leur site de villégiature spirituelle. Il ne m'est arrivé qu'une seule fois d'entrer dans les détails d'un voyage de ce genre. Encore s'agissait-il d'un récit de seconde main, comme on va le voir.

C'est en rendant un jour visite à une amie de longue date, devenue psychiatre, que j'entendis pour la première fois parler de projection dans l'espace "astral". Cette amie avait été mon directeur de thèse du temps de l'université. C'était une femme extraordinaire. Non seulement elle avait fait de brillantes études de psychologie sanctionnées par un doctorat, mais par la suite elle était également devenue docteur en médecine, puis neurologue et psychiatre. Les années passant, j'avais découvert qu'elle avait également des connaissances fort poussées en théosophie, en spiritualisme et en transmission médiumnique.

Pour je ne sais quelle raison, mon amie aux deux doctorats avait invité ce jour-là un représentant à partager le déjeuner qu'elle avait préparé pour moi. Or, avant même que j'aie pu échanger avec cet homme quelques propos de pure forme sur son métier, notre hôtesse m'annonça d'entrée de jeu que notre invité revenait tout juste de Darjeeling, au Bengale. Moi qui rêvais depuis trois ans de connaître cette partie du nord de l'Inde, voilà qui m'intriguait fort. Je demandai donc au voyageur combien de temps il y avait passé. Ma question le fit rire. Quelques heures, m'affirma-t-il, je suis parti hier matin et j'en suis revenu l'après-midi même, vers trois heures.

Prenant sur moi de ne pas le traiter tout bonnement de cinglé, j'adoptai le parti de lui poser des questions sur le pays, le vêtement traditionnel et les coutumes locales. On le devine, j'aurais été tout à fait incapable de dire à quoi Darjeeling et ses habitants pouvaient bien ressembler. Mais mon interlocuteur répondit pourtant à mes questions en me décrivant principalement la couleur locale du Bengale et, à présent que le temps a passé et qu'à maintes reprises je suis allée moi-même à Darjeeling, je sais que les réponses qu'il me fit ce jour-là relevaient purement et simplement du rêve éveillé. Mais j'en ai appris beaucoup ce jour-là sur ce qu'à l'époque, il y a bien longtemps, on appelait voyage "hors du corps", et aujourd'hui projection dans l'espace "astral".

Il y a un peu plus d'une dizaine d'années, Charles Tart, un fervent de psychologie expérimentale, fut le premier à entreprendre sur ce sujet des travaux qui, par la suite, devaient servir de référence chaque fois qu'on voulut conforter l'hypothèse de ces voyages hors du corps. Au cours d'une conférence à laquelle j'assistai, je me souviens d'avoir entendu Tart décrire ses expérimentations, lesquelles consistaient à soigneusement cacher certains éléments d'information à ses sujets au moment où ils étaient sur le point de s'endormir (c'est-à-dire à placer ces éléments — généralement des objets — dans un lieu inaccessible), puis à relier ceux-ci par des électrodes à des appareils de mesure, et plus particulièrement à un électro-encéphalographe, ce qui lui permettait d'enregistrer pendant toute la nuit l'activité électrique des dormeurs. Dans quelques cas — un ou deux —, les sujets rapportèrent par la suite qu'ils s'étaient séparés de leur corps pendant leur sommeil et donnèrent des précisions convaincantes sur les éléments d'information qui leur avaient été cachés par l'expérimentateur. En outre, l'enregistrement de leurs activités physiologiques semblait accuser des variations inhabituelles correspondant au moment où, selon eux, s'était effectué leur voyage hors du corps.

Étant moi-même rompue à l'interprétation des électro-encéphalogrammes, j'avoue ne pas avoir été impressionnée le moins du monde par cet enregistrement d'ondes cérébrales, qui me semblait traduire des phénomènes parfaitement normaux, même s'ils survenaient pendant le commeil. D'ailleurs, autant que je m'en souvienne, les preuves selon lesquelles l'ego astral du sujet aurait réellement pris connaissance de l'information cachée me semblaient plutôt minces.

Pourtant, cette conférence de Charles Tart me permit de considérer sous un éclairage nouveau quelques-unes des expériences inhabituelles que j'avais personnellement vécues. Quand j'étais enfant, il m'arrivait souvent, dans mon premier sommeil, d'avoir conscience d'être un point minuscule flottant dans le recoin le plus reculé de ma chambre, d'où je pouvais contempler le lit sur lequel reposait mon corps ensommeillé, et parfois de voir ma mère entrer pour m'embrasser et me souhaiter bonne nuit. Certaines fois aussi, ma "vision" s'élargissait jusqu'à embrasser la maison tout entière, d'un point de vue aérien, ou encore l'ensemble du quartier où nous habitions et même, à une ou deux reprises, de survoler nos sites de pique-nique favoris ou bien la ferme d'un de nos parents éloignés.

L'évocation de ces expériences n'avait pour moi rien d'effrayant, bien au contraire, même à l'époque où je faillis mourir d'une rubéole et où ma grand-mère, qui me veillait nuit après nuit, me ramenait à la vie chaque fois que mon souffle semblait s'interrompre. J'observais toute la scène d'en haut, telle une spectatrice impartiale, avec un remarquable détachement. Ce dédoublement de l'observation neutre et de la participation affective se reproduisit également la nuit où ma tante, que j'affectionnais énormément, mourut dans la pièce voisine. Du promontoire de ma propre chambre, je vis tout de ce qui se passait à côté; je fus témoin du chagrin muet que provoquait cette mort. Je "redescendis" au moment où ma mère vint me réveiller pour dire un dernier adieu à tante Ruth, et "regagnai" mon observatoire après m'être remise au lit. J'avais sept ans au moment où, impassible, je me livrai à cette observation pour ainsi dire clinique. Ce ne fut que le lendemain à l'éveil que je fus envahie par le chagrin d'avoir perdu tante Ruth, qui était mon amie la plus chère.

J'ai découvert depuis que les expériences de ce genre sont loin d'être exceptionnelles au cours de l'enfance et que certains scientifiques qui s'intéressent aux tours que nous joue la conscience les considèrent comme des états particuliers de conscientisation-cognition, états qui se produisent quand les processus mentaux actifs de l'inconscient génèrent des perceptions complètes et cohérentes qui mobilisent la participation directe, puis projettent ces perceptions hors de l'ego.

Cette interprétation est peut-être accréditée par la coupure inhabituelle qui sépare l'observation de l'interprétation. C'est en effet l'interprète seul qui, dans ce phénomène, ressent des émotions, à tout le moins quand il s'agit d'un sujet affectivement normal. La plupart des comptes rendus de transports "hors du corps" que j'ai entendus ou lus ne font en effet référence à aucune des émotions qui d'ordinaire accompagnent une expérience vécue. Et quand une émotion se rattache au phénomène, il semble bien que le sujet prenne ses désirs pour des réalités ou qu'il soit question d'appréciations subjectives formulées après coup, et non pas d'une interprétation ou d'une analyse objective des faits.

Il est regrettable que le rôle joué dans ces états par divers processus mentaux n'aient pas fait l'objet d'une étude plus approfondie. Il suffit pourtant de décrire les caractéristiques les plus remarquables de ces "voyages" hors du corps pour se rendre compte des différences impressionnantes qui les séparent des activités mentales telles qu'on les décrit ordinairement. D'abord et surtout, c'est de façon objective que l'observateur-participant (le "moi") examine la situation. Tout se passe alors comme s'il était dépourvu de sentiments, n'adoptait aucune attitude plutôt qu'une autre et n'avait aucune conviction particulière. Aucune trace non plus d'association au phénomène du moindre sentiment objectif. Puis, aucune interprétation de l'expérience n'intervient tandis que celle-ci se déroule.

Tant dans mon propre cas que dans les nombreux autres dont j'ai eu connaissance, la perception individuelle de l'événement (quand elle est par la suite évoquée) est celle d'un observateur neutre, détaché, et que l'affaire en somme ne concerne pas directement. Autrement dit, si les scènes et l'action sont parfaitement observées, elles ne sont généralement pas interprétées en relation avec l'ego et surtout ne s'accompagnent d'aucune réaction affective *pendant* l'expérience. Car c'est, bien sûr, de l'interprétation que naît l'émotion.

Considérées de ce point de vue, les projections hors du corps — ou, si l'on préfère, astrales — sont totalement différentes des rêves. Dans l'activité onirique en effet, où le rêveur joue le rôle de protagoniste ou de témoin, il est très rare qu'il soit affectivement "indifférent" à son rêve. Quand un individu se voit lui-même en rêve, presque invariablement il interprète ce rêve, et presque invariablement il a plus tard souvenance des émotions éprouvées tandis qu'il rêvait. Même quand ces émotions sont très peu intenses, le rêveur ressent presque toujours une impression subjective, preuve qu'il interprète d'une façon ou d'une autre les scènes et l'action oniriques en relation avec lui-même.

Il apparaît donc que, durant les états de conscience qui caractérisent les voyages hors du corps, la perception se limite à une observation objective et *se dissocie totalement de la perception individuelle.* Cette particularité fait immédiatement penser à la coupure fondamentale séparant l'expérience subjective des événements physiologiques, coupure spécifiquement humaine et qu'il est radicalement impossible d'expliquer, car cela reviendrait à comprendre comment les opérations physiques se déroulant dans le cerveau se métamorphosent en opérations mentales intangibles. Le fait qu'une dissociation entre le subjectif et l'objectif se produise dans ces expériences vécues "hors du corps" semble indiquer qu'on assiste à un blocage total des processus mentaux "supérieurs", grâce auxquels le "moi" est mis en relation avec l'univers objectal. (Cette façon de percevoir le monde extérieur a d'ailleurs des caractéristiques communes avec ce que l'on sait du mode de perception de l'environnement par certains animaux.)

Je crois pour ma part que, avec les projections "astrales" comme avec le rêve, il est question d'unités bien définies et autonomes d'événements mentaux associés, que seul distingue les unes des autres le degré d'autonomie acquis par l'ensemble de l'activité mentale significative (autonomie par rapport à la perception consciente, telle qu'elle s'exerce communément dans les opérations mentales du quotidien). Dans une opération de conscientisation de ce genre, je sais que j'observe, je sais que j'interprète et je sais que les événements que j'observe provoquent en moi certaines réactions intellectuelles ou affectives. Alors que, dans le sommeil profond, je n'ai conscience d'aucune de ces activités de mon esprit.

Pour expliquer la dissociation de conscience qui pourrait rendre compte de phénomènes tels que les voyages hors du corps, le rêve ou les témoignages de vie après la mort, examinons rapidement quelques-unes des caractéristiques de la mémoire. Qu'ils soient spontanés ou induits, les souvenirs émergent sous la forme d'ensembles d'éléments associés (perceptions visuelles, émotions, parfois même jugements). En arrière-plan des souvenirs les plus immédiatement significatifs ou circonstanciés se cachent des agrégats denses ou dispersés d'autres souvenirs liés aux premiers. Toute unité de mémoire contient non seulement des données objectives telles que la hauteur d'un arbre ou les caractéristiques de différents visages, mais aussi des impressions, des réactions, des émotions, des analyses intellectuelles et des indices qui leur sont associés. Une unité de mémoire est en soi un monde en miniature; ce monde peut de surcroît prendre de l'expansion en s'enrichissant de nouveaux coloris empruntés au désir, à la haine, à la peur ou à l'amour.

Certaines formes de paranoïa ou de schizophrénie nous fournissent des exemples extraordinaires d'autonomie des unités de mémoire-conscience. Il y a quelques années, par exemple, j'ai connu dans un hôpital psychiatrique un malade que tout, dans son comportement, désignait à l'attention comme un être normal et intelligent. Tout, sauf un détail: dès qu'on faisait allusion devant lui à l'U.S. Navy, il entrait dans un état de dissociation de la conscience véritablement insulaire, et tel que jusque-là je n'en avais jamais observé. Cet homme en effet ne supportait pas la moindre critique à l'égard de l'U.S. Navy, ayant fini par se convaincre que son père en était le propriétaire. Il centrait si complètement et si exclusivement son attention, son intellection et ses émotions sur cet univers clos de souvenirs et d'idées associées, que cet univers s'était constitué en unité de conscience absolument réfractaire au bon sens.

Je suppose que le phénomène de *déjà vu* peut s'expliquer de la même façon. Bien des gens connaissent cette impression étrange d'avoir vécu dans le passé une situation pourtant nouvelle, de "reconnaître" dans un environnement physique les éléments qui le constituent, les êtres qui le peuplent et jusqu'aux sensations qu'eux-mêmes éprouvent. Cela signifie qu'une unité de mémoire peut être assez complète pour s'intégrer à une atmosphère, à un environnement, sous forme de construction harmonieuse. Compte tenu de la propension humaine à enjoliver l'expérience vécue, il n'est pas interdit de supposer que la plupart des unités de mémoire sont tout aussi susceptibles d'expansion que de contraction, puisque tout souvenir et toute observation sont associés à une foule de faits, parmi lesquels certains ont une signification qui les rend assimilables, et d'autres pas.

Je crois que nous sommes aussi pourvus de ce qu'on pourrait appeler un "intégrateur logique", c'est-à-dire d'un dispositif qui nous permet de mettre systématiquement en mémoire nos observations, selon un certain ordre dont le bien-fondé nous a été confirmé par notre éducation ou notre expérience. Il ne s'ensuit pas nécessairement que la logique de cette intégration soit appropriée, étant donné qu'en maintes occasions cette logique est infléchie par nos ancrages émotionnels, nos préjugés intellectuels ou par les justifications que nous nous donnons. Mais c'est pourtant ainsi que nous fondons nos espoirs, que nous formulons nos conjectures à propos de ce qui devrait être, que nous inventons ce qui nous semble faire défaut à une situation.

Si, par exemple, j'en viens à croire en la réalité de la projection dans l'éther astral et à pressentir que je puis apprendre à transporter ailleurs mon ego éthéré, mon "intégrateur logique" pourra sans difficulté projeter et construire de bout en bout tout un voyage de ce genre, ainsi qu'inventer de toutes pièces l'ensemble des détails qui se rapportent aux êtres et aux lieux découverts au cours de ce voyage, à partir d'un assortiment sélectif d'informations contenues dans ma mémoire, procédant aussi bien de mon expérience et de mes réactions passées que de mes expectatives et de mes préoccupations pour le futur. Il suffit que ma détermination soit assez intense pour que mes intentions, secondées par une vaste composante inconsciente, deviennent assez obsessives pour se constituer en une unité de conscience pleinement fonctionnelle, d'une logique interne parfaite, totalement indépendante et autonome par rapport à toutes les autres opérations conscientes de mon expérience subjective.

Cette unité isolée de mémoire-conscience peut se raccorder au reste du champ de conscience de façon à *inclure* des fonctions mentales telles que l'interprétation, le jugement et les réactions affectives (comme dans le rêve), ou encore à *exclure* ces fonctions (comme dans le cas des projections de conscience de mon enfance), voire à exclure toute appréciation de la relation sociorelationnelle (comme dans certains comportements paranoïdes ou schizophrènes).

Un élément distingue le rêve et la maladie mentale des expériences de voyages hors du corps: la fréquence des premiers phénomènes par rapport aux seconds, qui restent relativement rares. Mais toutes ces formes de dissociation de la conscience accusent aussi des différences fondamentales les unes par rapport aux autres. Le rêve est un phénomène qui se produit naturellement; la maladie mentale frappe seulement ceux qui, pour une raison quelconque, sont intellectuellement ou affectivement incapables d'endurer le stress du quotidien auquel les soumet une société complexe et exigeante; le sentiment de *déjà vu*, l'expérience de la vie après la mort et la projection dans l'espace "astral" représentent encore d'autres modes de rupture de l'activité consciente par des processus de dissociation mentale. Ce qu'on appelle communément l'âme a une étroite parenté avec toutes les croyances spirituelles qui ont existé depuis que l'être humain, pour la première fois, a tenté de donner un sens à ce qu'il ne pouvait expliquer, en peuplant la nature d'esprits invisibles et capables de se mouvoir aussi bien sur la terre qu'au ciel et à travers l'homme lui-même.

La vie après la mort

De nos jours circulent de multiples témoignages de vie après la mort, et divers livres énumèrent à n'en plus finir des exemples de gens revenus à l'existence après avoir accusé tous les signes cliniques du trépas. Ces récits ne laissent pas de fasciner des milliers de lecteurs, et plus spécialement encore, j'imagine, ceux qui par avance veulent se convaincre de la possibilité d'un éternel bonheur.

La mort étant ce qu'elle est, et la communication avec les défunts se révélant bien douteuse (pour autant qu'elle ait jamais existé), il reste bien peu de chance, dans le meilleur des cas, de pouvoir démontrer la réalité d'une vie *post mortem*. Le simple fait que les expériences de vie après la mort relèvent du psychisme suffit à dissuader les chercheurs qui seraient les plus qualifiés pour le faire d'en établir les preuves. Or, si le lecteur profane considère que les comptes rendus personnels et les témoignages se rapportant à ce genre d'expériences sont suffisamment convaincants pour qu'il les accrédite, la science, elle, préfère fonder ses affirmations sur des preuves physiques, quand par exemple elle peut adéquatement vérifier qu'un événement survenu pendant une brève interruption de vie, et ensuite rapporté par le ressuscité, est bien réel et ne repose pas exclusivement sur les déclarations de l'intéressé. Néanmoins, le fait même que l'impossibilité de démontrer *l'existence* de la vie après la mort ait découragé l'exploration des caractéristiques mentales qui sont à l'origine de ces phénomènes n'est guère à l'honneur de la science.

Ici encore, c'est à une expérience personnelle significative que je vais faire appel. Un jour, pour les besoins d'un examen médical, on dut m'administrer une anesthésie locale et, en moins de dix minutes, je manifestai une réaction anaphylactique d'hypersensibilisation accompagnée de perte de connaissance. Selon ce qu'on me rapporta plus tard, le médecin crut que j'allais mourir, et même qu'en fait j'étais déjà morte. Quand je revins à moi, ce fut pour constater que j'étais étendue sur une table d'examen et que des bras monstrueux agitaient d'énormes seringues au-dessus de ma poitrine. Apparemment, cette vision raviva en moi d'importants souvenirs et, quand je recouvrai toute ma lucidité, je vis que de part et d'autre de la table se trouvaient le médecin et l'infirmière, chacun tenant une grosse seringue pointée vers mon thorax.

"Pour quoi faire?", leur demandai-je en réagissant.

"L'infirmière va vous faire une injection de coramine, et moi d'adrénaline", me dit le médecin, sachant que j'étais pharmacologiste. "Une injection intracardiaque. Pour essayer de vous sauver."

"Mon Dieu, surtout pas!" fis-je en réagissant plus violemment encore. "C'est complètement inutile. Ce qu'en disent les manuels n'a aucune importance. Ni la coramine ni l'adrénaline ne rétablissent les fonctions cardio-vasculaire et pulmonaire. C'est de moi-même que je dois les rétablir."

Se rendant compte que de toute évidence j'avais recouvré ma lucidité, le médecin éloigna l'infirmière et m'ausculta de nouveau.

Avec du recul, la fin de l'anecdote me semble bien sûr comique. Mais le plus important de l'histoire reste que mon soudain retour à la conscience et le recouvrement de ma faculté de raisonner non seulement favorisèrent mon rétablissement, mais me permirent aussi de me souvenir instantanément des sensations que j'avais éprouvées au cours de cette expérience.

Durant le laps d'inconscience où j'allais supposément mourir, il ne s'était rien passé. S'il était possible de décrire cela, je dirais que j'eus l'impression de n'être pas et aussi l'impression d'un grand vide où seule la noirceur offrait une quelconque relation avec des sensations déjà connues.

Je citerai encore une autre anecdote de ce genre, mais qui cette fois ne m'est pas personnelle. J'eus un jour la chance inouïe de ramener à la vie une femme adorable qui, au cours d'un voyage aérien, fit une crise d'infarctus du myocarde. Nous échangeâmes quelques mots quand elle fut revenue à elle: elle me raconta que les seules sensations et les seules pensées dont elle se souvenait étaient liées à la douleur (quand je lui avais renouvelé l'oxygène) et à sa famille. Elle non plus n'avait pas eu la moindre vision de béatitude céleste et éternelle.

Mon expérience personnelle ne m'incline pas à accepter l'idée d'une vie après la mort. Selon moi, une interprétation d'un ordre différent rend compte de ce phénomène, que je tiens pour un autre exemple de partition et de dissociation des souvenirs de l'esprit-conscience, ce qui expliquerait que les sensations subjectives décrites après coup dépendent presque exclusivement de l'information, de la connaissance, des antécédents, des convictions et des motivations de l'intéressé. Dans mon propre cas, il apparaît en effet que cet ensemble de facteurs s'amalgamait intimement à la perception de mes fonctions organiques et à la connaissance que j'avais des techniques médicales d'urgence à mettre en oeuvre pour sauver une vie dans les situations semblables.

Mais pour certains, il existe une réalité différente, une sorte d'îlot de conscience contenant la croyance en une éternelle félicité après la mort; cette croyance, qui se nourrit de perceptions, de souvenirs et de données acquises de leur vivant par apprentissage, a aussi pour effet de dissiper la peur de mourir. La plupart des gens qui croient en cette forme de spiritualité élaborent leurs visions de la vie après la mort bien avant de trépasser, et il n'est pas impossible que ces réalités qu'ils construisent se dissocient de la réalité consensuelle exactement comme le font d'autres états d'esprit et de conscience.

D'autre part, il est certain que l'engouement récent suscité par cette notion de vie après la mort a fait naître une conscience consensuelle qui lui est propre, du fait que l'identification de l'ego à des visions de béatitude rend l'avenir infiniment moins angoissant, en même temps qu'elle rend cet état particulier de modification de la conscience plus acceptable pour la société.

Les soucoupes volantes

Je suis moins sûre de pouvoir considérer les apparitions de soucoupes volantes comme des dissociations de conscience d'un genre particulier. Je suppose que le lecteur ne sera pas surpris outre mesure d'apprendre que j'ai moi aussi fait plusieurs expériences de ce phénomène de notre temps. Des expériences exclusivement visuelles, s'entend. L'apparition la plus convaincante qu'il m'ait été donné d'observer s'est produite un jour que je me trouvais devant ma maison. Celle-ci est située à flanc de colline et domine la vallée de San Fernando. C'était en début de crépuscule; soudain, je vis un énorme objet volant en forme de disque se déplacer à basse altitude dans la vallée et venir vers moi en s'élevant. Comme on peut s'en douter, il possédait toutes les caractéristiques de ces soucoupes typiques, telles qu'on en a décrites et dessinées des milliers de fois, avec plusieurs rangées de grands hublots qui lui donnaient l'aspect d'un stade illuminé de feux rouges, jaunes et bleus. Tandis que l'objet se rapprochait à faible allure, il obliqua soudainement pour virer, reprendre une direction opposée, puis survoler la vallée dans l'autre sens, mais cette fois avec une vitesse fulgurante.

Je l'avais vu si distinctement qu'aussitôt j'écoutai les nouvelles à la radio, sûre que des centaines d'autres personnes avaient aperçu elles aussi le monstrueux objet volant. Le souffle coupé, j'entendis le journaliste annoncer qu'un reporter de la station, qui occupait une maison toute proche de la mienne, l'appelait à l'instant même au téléphone pour témoigner de ce qu'il venait de voir. Et j'entendis ce reporter décrire exactement l'apparition dont je venais d'être le témoin!

Je passai toute la soirée à écouter l'une après l'autre les différentes stations de radio et à prendre les nouvelles télévisées. Le lendemain matin, je scrutai le journal. Rien. Nulle part on ne mentionnait le passage de la soucoupe.

J'éprouve bien de la difficulté à expliquer ce phénomène. Car si je n'ai jamais été pleinement convaincue de ne pas avoir vu l'apparition, je n'ai jamais été très sûre non plus de l'avoir réellement vue. Et la confirmation du passage de l'objet volant par la radio locale ne m'est pas d'un grand secours non plus, étant donné que du point de vue journalistique, tout s'est passé comme si le reportage de mon voisin n'avait éveillé aucun écho.

Je suppose donc que lui et moi avons vu ce jour-là quelque chose que, par un curieux concours de circonstances, nous avons tous deux interprété comme une soucoupe volante, alors qu'il pouvait fort bien s'agir d'un prototype d'avion expérimental qui nous était inconnu. Il n'y a là rien d'exceptionnel dans le sud de la Californie. Il est donc très probable que nous avons l'un comme l'autre projeté sur l'objet qui se déplaçait dans le ciel des réminiscences de dessins de soucoupes volantes qui nous étaient familiers, plutôt que de nous donner la peine d'assimiler un nouveau profil d'appareil quelque peu effrayant qui dérangeait nos habitudes d'esprit.

Le génie de l'idiot

Jamais sans doute l'esprit ne révèle mieux ses stupéfiantes facultés et sa mystérieuse nature que lorsqu'il se sépare de façon inattendue en fragments capables de reproduire les aptitudes intellectuelles les plus achevées de l'être humain en développant jusqu'à la caricature ces aptitudes.

Ce qui nous désempare le plus dans l'esprit, c'est le dérèglement que parfois il manifeste, par exemple dans la schizophrénie, la paranoïa ou la folie. Que la cause de ce dérèglement soit attribuée à une perturbation de la biochimie cérébrale ou à un défaut qui rende l'intelligence incapable de s'accommoder des contraintes de l'existence, nous oublions souvent que ce qui caractérise l'aliéné, c'est que les distorsions de son esprit *s'étendent rarement à la totalité de son intellect* et n'affectent pas en permanence ses fonctions. Un maniaque ne manifeste qu'occasionnellement des bouffées délirantes, un paranoïaque ne peut discriminer le réel que dans certains domaines de l'existence et du vécu, et il arrive même au schizophrène chronique d'avoir de grands moments de lucidité. Les ruptures de la machinerie mentale, qui provoquent cette dissociation en entités autonomes ou qui peuvent être assez prononcées pour que l'individu soit partagé entre plusieurs personnalités toutes aussi *complètes* les unes que les autres, révèlent l'aptitude de l'esprit à se diviser en une multitude de fragments et reflètent à la façon d'un hologramme la nature de tout ce qui constitue l'être humain.

Derrière toute pathologie mentale se profilent donc des fonctions de l'esprit parfaitement normales. Et chaque fois que l'esprit altère et corrompt les fils de la pensée, l'intellect survit. Quand la maladie, le sommeil et le rêve, ou encore l'expérience mystique obscurcissent certaines fonctions mentales, ces fonctions n'en continuent pas moins de s'exercer, mais à d'autres fins. Ce qui demeure mystérieux, c'est de comprendre comment l'esprit peut de lui-même s'engager dans des voies qui défient la compréhension de la pensée consciente et consensuelle.

Il n'est pas d'exemple illustrant plus parfaitement les merveilles de l'esprit éclaté que celui de l'idiot de génie.

Je compte, parmi mes relations, une femme qui, à une certaine époque, faisait fonction de demoiselle de compagnie auprès d'une dame âgée du nom de Nora. Nora était atteinte de débilité mentale. De temps à autre, cette femme associait sa "protégée" à des activités sociales susceptibles de la détendre, prenant bien soin d'avertir tout le monde que Nora avait pour manie de s'asseoir au clavier dès qu'elle voyait un piano et que mieux valait ne pas l'en empêcher. La première fois que je vis Nora, la stupéfaction dut se lire sur mon visage. Elle était la caricature même de la vieille Fofolle bouffie: elle portait une affriolante robe en crêpe de Chine mauve puce, une antique lavallière, des escarpins à lanières datant des années 1900 et un manteau sans teinte définissable, rehaussé de parements de fourrure mités. On eût dit une pièce de musée prête à s'effriter. À peine son accompagnatrice l'eutelle débarrassée de son manteau et de son sac à main que la vieille dame se glissa vers le tabouret du piano. La plupart des gens qui étaient présents ne lui prêtèrent aucune attention et continuèrent à bavarder.

Et soudain, tout le monde se tut. Les mains de Nora couraient sur les touches, interprétant un concerto de Mendelssohn. Tour à tour les tonalités se faisaient éclatantes, puis d'une grande douceur. Les glissandos étaient pleins de brio et de feu. J'étais transportée. Nous avions tous

conscience d'écouter une pianiste d'une extraordinaire maîtrise. Le dessin mélodique était d'une absolue clarté, les harmonies envoûtantes et le phrasé irréprochable.

Nora avait le génie des débiles. Et pourtant, quelle contradiction dans cette formulation psychomédicale! Comment
un idiot peut-il avoir du génie? J'ai réfléchi à cette question
chaque fois que, par la suite, j'ai entendu Nora jouer. Elle
interprétait toutes les pièces de son répertoire, lequel était
considérable, avec une grande délicatesse de sentiments et une
merveilleuse compréhension de l'oeuvre. Dès qu'elle s'as-
seyait au piano, elle qui d'ordinaire avait des gestes gauches,
sa coordination musculaire devenait d'une totale perfection.
Comment l'avait-elle donc acquise?

J'appris qu'à l'âge de dix ans on lui avait donné des
leçons de piano, mais pendant quelques années seulement, et
pas de façon assez suivie pour que cela explique ses talents de
concertiste. Il semblait par ailleurs inconcevable que son
esprit débilité ait pu assimiler sans la moindre erreur des
séquences musicales complexes, créées voilà des siècles par
des musiciens inspirés.

Cette dissociation très tranchée qui, chez les idiots de
génie, oppose le surdéveloppement d'une forme d'intellect
très particulière à l'état rudimentaire et sous-développé de
l'ensemble des autres facultés intellectuelles, appelle deux
observations de grande importance. D'abord, une aptitude à
la musique comme celle que possédait Nora semble procéder
d'un don qui non seulement implique une coordination parfaite des muscles des doigts, des mains, des bras et des
épaules, mais exige encore la faculté de mémoriser des
séquences mélodiques très longues, parfois sans relation les
unes avec les autres, et aussi — ce qui relève peut-être de la
fonction de l'esprit-cerveau la plus décisive et la plus élaborée
— la faculté de pouvoir évoquer à volonté ces séquences pour
les restituer de façon parfaitement adéquate, avec toutes leurs
nuances et selon une coordination musculaire appropriée. Il
ne faut pas perdre de vue en effet que les formes musicales
auxquelles nous sommes aujourd'hui accoutumés sont des
formes intellectuellement très élaborées, mathématiques,

complexes, et qui ne prennent tout leur sens que pour ceux qui ont une solide connaissance de la musique. Dans tous les cas, ces formes relèvent d'un niveau de développement intellectuel élevé; il faut bien admettre que le fait de pouvoir atteindre à la perfection en restituant à la nuance près une pensée véhiculée par la musique représente un étonnant exploit pour quiconque, et *a fortiori* pour un débile mental.

Des exploits de ce genre, certains idiots de génie en ont pourtant accomplis dans bien des domaines, de l'artisanat aux mathématiques, en passant par la mécanique et les arts. Pareille aptitude tient à ce qu'une partie d'eux-mêmes est totalement dissociée du reste de leurs activités mentales, cérébrales et organiques. Mais la question de savoir *comment* une telle spécialisation intellectuelle autonome peut se produire soulève des inconnues psychophysiologiques d'une telle ampleur qu'on n'ose en risquer la moindre interprétation.

Quant à la seconde observation qu'appelle la dissociation de l'intellect chez les idiots de génie, jamais je n'ai encore entendu quiconque en débattre: n'existe-t-il pas dans notre société d'autres exemples fréquents, et qui passent inaperçus, de dissociations semblables, mais moins évidentes, dans lesquelles telle ou telle forme de talent s'accomplit magnifiquement sans que se développent les autres fonctions intellectuelles? Il ne s'ensuit pas pour autant que la majorité des artistes, des musiciens, des écrivains, des mathématiciens et des inventeurs présentent par ailleurs une forme ou une autre de déficience intellectuelle. Encore qu'il soit loin d'être exceptionnel, semble-t-il, qu'artistes et musiciens — pour ne rien dire des scientifiques — dont le talent ne s'exerce que dans une direction bien précise *soient* véritablement insuffisants dans d'autres domaines.

La plus commune des dissociations de l'intellect est celle qui sépare les émotions procédant des interactions socio-relationnelles de l'intellection abstraite. Chez la plupart des gens, l'intellect sert à maîtriser les émotions. C'est là la marque de la maturité. Mais il existe aussi des individus incapables de parachever une intégration de leurs composantes affectives et intellectuelles qui soit socialement acceptable.

J'ai personnellement connu deux hommes adultes de ce type, un mathématicien et un philosophe-écrivain, qui l'un comme l'autre faisaient autorité dans leur domaine et qui pourtant se comportaient émotionnellement comme des enfants de dix ans. Et mon propre père, qui était un génie intellectuel (il pouvait par exemple lire d'une traite et parfaitement comprendre mes textes médicaux spécialisés), affichait dans ses relations sociales une conduite qui ne le différenciait guère d'un adolescent. Bien entendu, avec des cas semblables nous sommes bien loin des désordres de la personnalité authentifiés par les psychologues et les psychiatres et nous ne pouvons qualifier ces attitudes d'esprit de névrose ou de troubles du comportement. Car même si l'on peut parler d'une carence de la personnalité, cette carence n'est pas "reconnue", du fait principalement que le "désordre" est difficile à diagnostiquer dans les circonstances ordinaires de la vie quotidienne, qui ne font guère appel à une maturité affective particulière.

Ce que pourrait nous apprendre l'étude systématique des idiots de génie — plus particulièrement encore quand il s'agit de gens doués de talents intellectuels très spécialisés et pratiquement indécelables —, c'est comment exploiter au maximum le potentiel intellectuel de l'être humain. Le plus souvent nous nous contentons, et avec nous les spécialistes de l'esprit, de constater le fait accompli et de croire que le talent ou la spécialisation intellectuelle sont affaire d'hérédité, d'environnement, de motivation ou de stimulation d'un genre spécial. Mais le fait même qu'il existe des idiots doués de génie infirme ces explications un peu faciles. Il est généralement admis qu'aucun agrégat de gènes favorables, aucun environnement particulièrement riche d'idées, n'est capable de faire d'un enfant qui se sent "prédisposé" un musicien, un mathématicien ou un scientifique. Donc, si le talent ou l'aptitude à la spécialisation ne sont ni déterminés au départ par les gènes, ni affectés de façon significative par l'environnement, en quoi *consiste* donc l'influence qui, au cours d'une vie humaine, affirme sa réalité de façon si spectaculaire? Faut-il l'attribuer au pur hasard? À un hasard selon lequel des combinaisons chromosomiques et génétiques particulières seraient fécondées par des environnements favorables et donneraient naissance soit au génie, soit à la folie, soit à une aberration quelconque affectant une moitié ou un dixième de l'esprit? S'agit-il d'un "accident de conscience", d'un ensemble de circonstances permettant la compréhension (mais subconsciente, et en dehors de toute communication directe) de certains modèles d'ordres, d'harmonies, ou permettant encore une identification à l'inexorable logique de toute nature? Il serait grandement invraisemblable, au contraire de ce que suppose la science, qu'un corps chimique bien précis, ou qu'une variante typique d'un corps chimique normal, puisse prédéterminer des séquences complexes d'idées, d'émotions, de conduites, et aussi modeler le talent, le désir, l'essentiel de l'outillage mental, pour les commuer en compétences intellectuelles qui soient à la fois exceptionnelles et acceptables.

Le plus curieux, c'est que cet intellect supérieur que nous associons au génie peut éclater et se confiner dans une sorte d'isolement désespéré par rapport à la conscience consensuelle, cette conscience qui éveille chez tous les êtres humains une même compréhension de la vie et de ses implications. Le génie de l'idiot ne résulte que d'un fractionnement de son esprit, associé à une indifférence complète, pour le retentissement que peut avoir ce génie sur le reste de la société.

L'hypnose

Si l'idiot de génie nous fournit l'exemple, poussé à l'extrême, de l'extraordinaire aptitude de l'esprit à se subdiviser en unités fractionnaires autonomes et souvent dotées d'un intellect supérieur, en un certain sens l'hypnose nous apparaît comme un phénomène banal très peu différent, étant donné qu'elle représente elle aussi un état de dissociation de l'esprit. Malheureusement, si des milliers de travaux lui ont été consacrés, aucun ne nous en fournit une explication théorique valable.

Entre autres phénomènes spectaculaires qui se produisent chez l'individu sous hypnose, on notera l'exaltation des processus imaginaires qu'elle suscite, autrement dit le pouvoir qu'elle a de générer des images mentales tridimensionnelles de la réalité physique, si achevées, si vivantes et si véridiques que le sujet tient pour parfaitement réel l'environnement imaginaire qu'il se crée*.

L'hypnose peut également provoquer certains phénomènes mentaux aussi étonnants que l'amnésie, le sentiment d'avoir rajeuni, l'hallucination, l'évocation onirique de certains événements du passé, l'inhibition totale de la vision ou de l'audition, la rigidité des membres, la distorsion temporelle et la suggestion posthypnotique. Toutes ces activités mentales inhabituelles s'effectuant sous hypnose résultent de manipulations intentionnelles et directionnelles différentes, par leur spécificité et leur intensité, des habituelles aptitudes similaires et de même nature. Pourtant, si l'on excepte les états de somnambulisme, on n'a accordé qu'une très faible attention à l'étude des activités mentales qui produisent et font durer les phénomènes de transe. On s'est bien davantage attaché au contraire à cataloguer les traits émotionnels et comportementaux qui distinguent les sujets hypnotisables des non hypnotisables. Il est évidemment malaisé d'interpréter les opérations internes de l'esprit en se bornant à enregistrer ses expressions extériorisées. Et le fait qu'après un siècle de "recherches" prétendument actives on en sache si peu sur la transe hypnotique est en soi une sévère mise en accusation de la démarche scientifique dominante.

Ce qui fait obstacle à l'exploration productive du phénomène de la transe, c'est entre autres, me semble-t-il, la tendance qu'ont les chercheurs à interpréter l'hypnose à partir

---

* Ainsi, une technique qui consiste à convaincre le sujet que certains caractères en remplacent d'autres illustre parfaitement la mise à contribution chez lui d'un intellect particulier. Quand par exemple l'hypnotiseur affirme au sujet que le chiffre 5 n'existe plus et qu'on lui substitue le chiffre 7 et que par la suite il lui demande d'effectuer certaines opérations arithmétiques, on constate que le dit sujet remplace de lui-même tous les 5 par 7, de sorte qu'une suite logique telle que 1, 2, 3, 4, 5, 6, 7 devient alors 1, 2, 3, 4, 7, 6, 7. Il est frappant de constater en outre que le sujet ne semble éprouver aucune difficulté à effectuer des calculs complexes dans ces conditions, comme si pour lui le chiffre 5 n'avait jamais existé.

de la conception qu'on se fait du comportement de l'être humain *en dehors de l'hypnose*. Pendant une bonne vingtaine d'années par exemple, une coterie de spécialistes de l'hypnose — coterie fort modeste, mais bruyante — a estimé qu'elle faisait le tour de la question en affirmant qu'il ne s'agissait nullement là d'un état particulier, mais d'un phénomène qu'il était tout simple de susciter chez certains individus combinant à un haut degré les aptitudes, les motivations et les attentes requises. Les théoriciens établissent pour leur part une analogie entre les sujets aisément hypnotisables et les gens qui, dans un public, réagissent intensément au jeu émouvant d'un acteur, s'autorisant de cette analogie pour conclure que, si les individus sous hypnose réagissent chacun différemment, "ce n'est pas parce qu'ils se trouvent dans des "états" différents, mais parce qu'ils sont l'objet de différents types de communications".

Personnellement, je ne puis concevoir que des individus réagissent différemment à une même situation pour l'unique raison qu'une information est communiquée différemment à chacun. Qu'il s'agisse en effet de *n'importe quelle* situation, de n'importe quel film ou de n'importe quelle scène de la vie réelle, l'information transmise est la même pour tous. C'est l'esprit *récepteur* qui détermine quelle information est acceptable, agréable, souhaitable ou désirable, et c'est lui seul qui décide de mobiliser l'attention en conséquence. De toute évidence, dans n'importe quelle situation dirigée par l'être humain, qu'il s'agisse de cinéma ou d'hypnose, certains éléments situationnels peuvent être placés sous un éclairage spécial, et selon différents agencements, afin d'attirer sur eux l'attention de façon différente selon les spectateurs ou les sujets. Mais c'est en définitive le mode d'interception de l'information qui conditionne les variations observées d'un individu à l'autre.

Certains chercheurs avancent pour argument que bon nombre de gens sont infiniment plus suggestibles qu'on ne le pense et par conséquent se plient aisément à toute suggestion que peut bien leur faire l'hypnotiseur. Ces chercheurs croient donc que la plupart des incitations faites sous hypnose (oublier son propre nom, s'enivrer en buvant un verre d'eau, etc.) pourraient tout aussi bien provoquer le même effet en dehors de tout état hypnotique. Mais je doute fort que la majorité des individus soient aussi suggestibles que nos autorités scientifiques semblent le croire, sans quoi les publicitaires auraient la partie autrement plus facile. Si je vous invite à oublier votre nom, cela vous fera probablement rire. Mais si en revanche c'est vous qui *essayez* de l'oublier, l'effort mental que vous allez faire n'aura pour résultat que de mieux vous inciter à vous en souvenir, et un tel effort est facile à détecter. De sorte que, quand vous réagissez à une suggestion hypnotique de ce genre, votre visage, votre corps, votre voix, tout en vous révèle clairement qu'à l'instant même vous *n'avez* effectivement plus de nom. Il existe bien sûr une différence fondamentale entre la façon selon laquelle l'esprit réagit au mode de suggestion hypnotique et celle selon laquelle il réagit dans la vie courante à une suggestion quelconque.

On se fonde aussi sur d'autres travaux de recherche pour expliquer qu'à partir du moment où l'on persuade un individu qu'on *attend* de lui qu'il réponde intensément aux suggestions qu'on va lui faire et aux ordres qu'on va lui donner, cette démarche ne fait que renforcer sa suggestibilité innée. Voire. Vous est-il déjà arrivé de suggérer à un groupe d'adolescents de changer leur activité pour une autre? Ou d'agir de la même manière avec des adultes? Ici encore, les données d'observation courante révèlent une différence très nette et fort importante entre la suggestion hypnotique, qui relève d'un mode très particulier, et la suggestion ou tentative de persuasion banale.

C'est à peine si la recherche s'est intéressée à deux phénomènes majeurs susceptibles de se produire au cours d'une transe hypnotique.

Le premier se rapporte à la domination exercée par l'esprit sur le corps et se marque par l'aptitude de certains sujets en transe à exercer sur leurs fonctions physiologiques un contrôle qu'il leur serait impossible d'exercer dans des circonstances normales. Bien que l'hypnose soit parfois utilisée en chirurgie pour inhiber la perception consciente de la douleur, elle représente également un moyen de réduire une hémorragie. Le vieux truc qui consiste à ordonner sur la scène à un sujet de ne pas saigner alors qu'on lui plante une aiguille dans la main (et, en vérité, le sujet ne saigne pas), est en soi un exploit beaucoup plus remarquable que les expérimentateurs ne semblent l'avoir compris. Car ne pas saigner met en jeu une activité physiologique tout à fait différente de celle qui provoque *l'arrêt* d'un saignement. (L'expérience personnelle d'hémostase que j'ai analysée au chapitre 3 constitue en soi un bon exemple d'autohypnose.)

Le second phénomène passant tout à fait inaperçu des scientifiques qui font des recherches sur l'hypnose, c'est la suggestion posthypnotique. À mon sens, ce phénomène seul suffit à démonter tous les arguments qui veulent que l'hypnose ne représente pas un état particulier. J'ai été je ne sais combien de fois témoin de ce processus qui consiste pour l'hypnotiseur à faire au sujet sorti de transe une suggestion de ce genre: "La prochaine fois que vous entendrez prononcer le mot "sexe", vous embrasserez la personne la plus proche." Et le sujet fait exactement ce qu'on lui dit. Si on lui demande après coup pourquoi il l'a fait, il répond généralement avec gêne: "Je ne sais pas. Je n'arrive pas à comprendre pourquoi." Le plus intéressant dans ce phénomène, c'est que souvent même plusieurs heures s'écoulent et que le sujet n'en obéit pas moins à l'ordre qu'on lui a donné, presque impétueusement pourrait-on dire, dès que la condition est remplie (l'énoncé du mot "sexe"), cela sans prendre pleinement conscience de son acte avant de l'avoir accompli.

Le fait qu'une instruction et un mot-code donnés à un individu, alors plongé dans tel état de conscience, puissent déclencher la réaction précise qu'on lui demande d'avoir tandis qu'il est dans un état de conscience entièrement différent soulève en effet des questions qui sont loin d'être simples. La première observation qui vient à l'esprit, c'est que, si le "gage" posthypnotique donné au sujet consiste en un acte considéré par lui comme un peu loufoque, il est pour le moins suprenant qu'il s'en acquitte avec tant d'empressement, de spontanéité, et sans que rien ne semble l'en retenir.

La plupart des théoriciens de l'hypnose, ainsi d'ailleurs que beaucoup d'hypnotiseurs qui se produisent sur scène, affirment que les suggestions faites à un sujet en état de transe sont sans effet si ses convictions personnelles sont opposées à l'acte qu'on lui demande d'accomplir. L'exemple le plus connu que l'on cite à ce propos est qu'il est impossible de demander à un individu sous hypnose de commettre un crime, du fait que certains préceptes moraux et culturels sont trop profondément enracinés dans son inconscient pour qu'il les transgresse. Mais comment un tel individu, tout absorbé qu'il est dans l'accomplissement de ce qu'on lui demande de faire, pourrait-il discriminer entre une conviction et une autre? Il peut fort bien vouloir en tuer un autre en temps de guerre par conviction patriotique. Et si, dans une expérience hypnotique réussie, le sujet fait suffisamment confiance à l'hypnotiseur pour exécuter les ordres que celui-ci lui donne, qu'il s'agisse de prendre dans ses bras une chaussure pour la bercer ou de ne rien sentir de la douleur provoquée par le bistouri du chirurgien, alors il s'ensuit que sous hypnose, n'en déplaise à une conviction sociale arrêtée, les croyances morales peuvent bien évidemment faire elles aussi l'objet d'une manipulation spectaculaire.

Dans l'hypnose, l'environnement suggéré s'érige en image mentale si puissante que l'organisme de l'individu sous hypnose réagit tout entier à cette image et non plus à la réalité qui, elle, continue d'être neurophysiologiquement perçue comme à l'ordinaire, ni non plus à la réalité telle que définie par les critères socioculturels.

C'est cette déduction parfaitement évidente et de toute première importance qu'ont totalement négligée les scientifiques qui ont étudié l'hypnose: à savoir que, durant l'état hypnotique, il se produit une dislocation qui rend parfaitement autonome une certaine unité complète de conscience, laquelle s'isole ainsi fonctionnellement de toutes les autres et de tous leurs éléments constitutifs, faits de perceptions associées, de souvenirs, de jugements et d'associations logiques. L'hypnose illustre la *faculté de manipuler intentionnellement la conscience*. Authentifier cette remarquable capacité mentale, c'est se donner les moyens de partir du phénomène hypnotique pour observer divers compartiments de l'esprit et de la conscience et pour découvrir comment opèrent à différents niveaux certaines unités de conscience, soit isolément, soit simultanément, soit séquentiellement. Mais ce que d'ores et déjà nous savons, c'est que rien ne surpasse en potentiel la suggestion — telle que dans l'hypnose — pour provoquer la dissociation de l'esprit en unités de conscience très spécifiques et les induire à fournir une réponse fonctionnelle adéquate sans plus tenir compte de la conscience consensuelle qui, à l'état normal, contrôle le comportement conscient.

Classification des altérations de la conscience

En analysant au fil de ce chapitre les différents types d'états de conscience dissociés, j'ai mentionné quelques-unes des caractéristiques qui les distinguent les uns des autres. J'ai fait remarquer, par exemple, que certains états d'altération peuvent être néfastes à l'individu, alors qu'au contraire d'autres lui sont bénéfiques, que dans certains cas la perception se dissocie des associations émotionnelles et dans d'autres pas, et j'ai encore relevé maintes divergences significatives. Or, à ma connaissance, la littérature scientifique ne fait état d'aucune analyse de ce genre. Il n'en reste pas moins que les caractéristiques propres aux différents types d'altération de la conscience sont assez tranchés pour justifier une étude sur la nature extraordinaire de ces états qui soit plus systématique que toutes celles qu'on a pu nous proposer jusqu'ici.

Je n'ai pas tenté — et telle n'est pas non plus mon intention — une analyse en profondeur des phénomènes de conscience exceptionnels ou des propriétés inhabituelles de l'esprit, dans l'ambition avouée de proposer un cadre explicatif fondamental du mode de production des états modifiés. Néanmoins, je soutiens qu'une étude fondée sur l'approche descriptive ferait passablement mieux comprendre aux scientifiques la véritable nature de la conscience. En dépit du fait que les progrès les plus décisifs qui ont été accomplis dans ce sens sont dus à des hommes qui ont recouru à la méthode descriptive — Freud, Jung, Janet, et aussi des biologistes du comportement tels que Lorenz, Tinbergen et d'autres —, ce type de démarche a peu à peu été relayé par la méthode dite "scientifique", procédure de recherche stéréotypée dans laquelle une hypothèse est d'abord formulée avant d'être testée. Le défaut le plus évident de cette méthode, c'est que l'hypothèse de départ décide de ce que vont être les tests, lesquels doivent répondre à des "conditions standard", permettre certains "contrôles" ainsi que la manipulation de certaines "variables", pour être ensuite formulés en termes de changements physiques numériquement mesurables.

Rien, dans ce type d'approche, ne s'applique directement à l'esprit et à la conscience. Le mieux que nous puissions faire est donc de scruter les écrits pour y glaner ici et là des comptes rendus d'états de conscience distinctifs et exceptionnels se révélant bénéfiques à l'homme, puis d'en faire l'analyse systématique pour les départager. Quand l'analyse met en lumière de légères similitudes ou de légères différences entre les états d'esprit inhabituels, alors ces données peuvent servir à en établir la classification, laquelle tiendra lieu ensuite de point de référence pour les opérations mentales susceptibles de produire ces états inhabituels.

À la lumière de ce que j'ai mentionné précédemment, un mode de classification vient d'emblée à l'esprit, à savoir que certains états d'altération de la conscience relèvent de la pathologie, alors que de nombreux autres sont tout le contraire et nous permettent de mieux comprendre la nature de l'ego, de l'homme et de la société.

J'ai donc pensé que nous pourrions caractériser les états d'altération de la conscience selon la nature des effets qu'ils exercent sur le bien-être. Autrement dit que certains états, comme on en observe dans les maladies mentales graves ou comme ceux que provoque l'abus de drogues telles que le LSD ou le PCP (phénocyclidine), sont à la fois réprouvés par la société et préjudiciables à l'équilibre individuel. En revanche, des altérations de la conscience comme le samâdhi, les éclairs créatifs, le dépassement de soi-même sur la scène ou au stade, font l'objet de l'admiration, voire de la vénération sociale, tout en étant bénéfiques à l'individu.

Les états modifiés néfastes sont principalement représentés par les changements qui surviennent dans l'ensemble esprit-affectivité-conscience au cours des crises d'angoisse, des phobies, ou encore dans des dissociations perceptuelles étranges et génératrices de malaise telles que les synesthésies (amalgames d'images sensorielles qui peuvent par exemple amener un individu à entendre "en couleurs"). Par opposition à cette catégorie d'états de conscience modifiés, on en observe d'autres qui, au contraire, sont profitables à l'individu et l'enrichissent intérieurement, mais n'affectent guère la société, comme par exemple l'imaginaire, les victoires que remporte l'esprit sur le corps, la conscience corporelle, les éclairs de compréhension ou l'intuition.

Donc, dans ce domaine, au moins quatre facteurs sont à considérer au départ, ce qui permet de dresser une première classification des états modifiés de la conscience en deux catégories majeures, selon qu'ils sont néfastes ou bénéfiques, puis de subdiviser ces catégories selon que la modification néfaste ou bénéfique affecte essentiellement la société de façon générale, ou bien exerce principalement ses effets au plan individuel.

D'autres caractéristiques propres aux modifications de conscience peuvent encore être définies et mises en ordre. Certains traits, par exemple, surviennent spontanément (comme dans les phobies ou les rêves), alors que d'autres sont induits ou intentionnellement provoqués (comme les états consécutifs à l'absorption de LSD ou la domination du corps par l'esprit) et que d'autres encore — dans le samâdhi ou la performance parfaitement réussie — surviennent eux aussi spontanément, mais seulement après un effort de mise en condition. Cette distinction peut paraître simpliste au premier abord, mais un des avantages les plus importants de ce mode de classification tient à ce qu'il facilite l'extraction des propriétés ou des caractéristiques grâce auxquelles on peut identifier différentes classes de phénomènes.

TABLEAU 2
Caractéristiques permettant une nomenclature des états modifiés de la conscience

1. États perturbateurs
   - a. pour la société   abus de certaines drogues
   - b. pour l'individu   phobies
   - c. pour l'un comme l'autre   maladies mentales

2. États bénéfiques
   - a. à la société   performance accomplie
   - b. à l'individu   conscience corporelle
   - c. à l'un comme l'autre   éclairs créatifs

3. Mode d'induction
   - a. spontané   révélation
   - b. intentionnel   drogue
   - c. spontané, mais consécutif   méditation
     à un effort intentionnel

4. Types d'activités mentales dissociées
   - a. émotion et intellection
     procédant de la
     réalité consensuelle   rêves
   - b. émotions procédant
     de l'intellect   voyages "hors du corps"
   - c. intellection procédant
     de la volonté   hypnose
   - d. intellection procédant
     de l'émotion,
     de l'autoreprésentation, etc.   samâdhi

5. Affectivité
   - a. présence d'émotion   rêves
   - b. absence d'émotion   voyages "hors du corps"

Notre analyse nous a déjà permis de dégager deux propriétés permettant d'identifier les états modifiés de la conscience, selon qu'ils sont néfastes ou bénéfiques, spontanés ou induits. À ces propriétés vient s'en ajouter une troisième: la présence ou l'absence d'émotion. Des états de conscience tels que ceux qui sont induits par une drogue, ou encore tels que l'anxiété et la plupart des modifications qui sont cause de stress pour la société, s'accompagnent en effet d'émotions bien marquées. Mais, autant que je sache, les états bénéfiques à l'homme (individuellement ou socialement) sont virtuellement dépourvus de toute réaction affective, puisqu'en fait toute émotion associée à un état d'altération de la conscience ne se produit que longtemps après coup et doit donc être considérée davantage comme une manifestation d'appréciation que comme une émotion de joie, de paix ou de compréhension à proprement parler.

Enfin, pour parachever cette tentative de description systématique, on pourrait introduire dans la classification des sous-catégories, selon que les types d'activité mentale considérés sont dominants ou absents *pendant* tel ou tel état d'altération de la conscience. Au cours du rêve, par exemple, l'activité intellectuelle (la logique onirique), l'imaginaire et l'émotion sont dissociés de la conscience lucide, tandis que, dans l'hallucination provoquée par le LSD, l'activité perceptuelle active et l'imaginaire dominent généralement le champ de conscience (sous forme de perceptions, de représentations et d'émotions associées) et que nombre d'opérations de conscientisation font alors cavalier seul par rapport à la constellation d'activités mentales que nous considérons comme normales et pertinentes. Dans l'état d'hypnose, au contraire, seuls les processus de la volition se séparent des autres qui, eux, continuent à s'exercer de façon normale. Un autre mode de dissociation se produit encore dans le samâdhi, ou dans différents types de dépersonnalisation, où l'esprit se désolidarise de l'ego.

Cette disparité devrait assurément nous éclairer sur la nature des états d'altération de la conscience. Je souhaite simplement qu'elles soient prises en considération.

Chapitre 11

•

La conscience quintessentielle

Parmi tous les modes selon lesquels des fragments de conscience pleinement fonctionnels peuvent faire sécession et prendre la direction de l'être doué de sensations, il en est deux qui mettent parfaitement en évidence la nature essentielle et magique de l'esprit. Ils sont pourtant aussi différents l'un de l'autre que peuvent l'être la vue et l'ouïe, encore que tous deux expriment fort bien comment s'y prend l'esprit pour se connaître lui-même. Il s'agit d'abord du mystérieux mode de conversion de la conscience banale en une conscientisation qui transcende la connaissance ordinaire par la révélation ou le renouveau de la compréhension, et que nous décrivons sous l'appellation d'expérience mystique. Il s'agit ensuite de cet état insaisissable de stimulation du psychisme dû à l'ego créateur, et que nous qualifions d'imagination ou d'imaginaire. Ces deux états révèlent l'extraordinaire aptitude de l'esprit à mobiliser son intelligence interne et à réorganiser les relations qui lient le moi au non-moi, l'être au non-être, l'innovation à l'archaïque, l'expérience au concept, et qui révèlent aussi sa capacité d'exploiter l'information qu'il possède sur le monde extérieur, sur sa logique et sur son ordre, pour donner naissance aux racines psychiques de l'existence humaine. Car c'est à une faculté intérieure que l'esprit-cerveau doit de pouvoir contempler d'un seul regard des objets et des événements non présents, mais aussi des objets et des événements qui n'ont jamais eu d'existence réelle, pour les agencer en visions, en révélations, en fantasmes, en allégories et en incursions à travers l'ego ignoré. On en sait pourtant bien peu sur les opérations par lesquelles l'esprit et la conscience suscitent les dispositions mentales d'où procèdent l'imaginaire ou l'expérience mystique. Les pages qui suivent aideront peut-être le lecteur à y voir un peu plus clair.

L'expérience mystique

Les états mystiques, par exemple le samâdhi ou le satori, sont généralement considérés par ceux qui cherchent à donner un sens à la vie comme l'expérience la plus achevée qu'un être humain puisse vivre. Tel qu'il est ordinairement décrit, l'état d'esprit qui accompagne l'expérience mystique est celui d'une conscience capable d'embrasser l'unité de tous les éléments, naturels et artificiels, ou encore d'une "connaissance", d'une compréhension de l'essence même de la vie s'infiltrant dans les espaces ordinairement occupés par l'esprit, le sentiment et la pensée. Les mystiques qui tentent d'expliquer ce qu'on ressent dans ces états affirment que toute sensation physique, toute perception, toute interprétation procédant de l'expérience commune sont alors abolies et que l'observateur se confond à l'objet observé.

Il est curieux que personne n'ait jamais cherché à démêler ce qui, dans l'esprit lui-même, conduit aux états mystiques. Car si mystiques et gourous nous indiquent ce qu'il convient de faire pour susciter ces états et nous décrivent ce qu'on perçoit alors, aucun scientifique, aucun philosophe ne semble empressé de vouloir comprendre par quelle interaction des processus mentaux on en arrive à la transcendance mystique. Peut-être ce désintérêt vient-il d'une superstition inconsciente, qui nous pousse à croire obscurément que la curiosité pour les opérations se déroulant dans l'esprit au cours de l'expérience mystique risque de retentir sur notre façon tout entière de considérer ce qui touche au surnaturel. Mais ce n'est pas en termes de processus cérébraux mécaniques qu'on peut aborder l'étude des états mystiques. Mieux vaudrait au contraire examiner certains traits de l'esprit caractérisant ce genre d'expérience, que ni les philosophes ni les psychophysiologistes n'ont tenté de décrire. En fait, chercher à en savoir davantage sur la nature de cette expérience, sur son mode de production et de révélation intérieure, serait assurément un des exercices les plus productifs auxquels nous puissions nous adonner.

Je tiens tout d'abord à préciser clairement que l'analyse que je donne ici de ces états n'a strictement rien à voir avec le contenu même de l'expérience mystique, ni avec les objectifs que celle-ci se propose d'atteindre. Je ne m'attache qu'aux caractéristiques non mystiques de cette expérience, c'est-à-dire aux opérations mentales, aux pensées et aux perceptions sous-jacentes ou associées, au mode de production des révélations qu'elle apporte, à l'appréciation consciente qui est portée sur elle et à la façon dont elle peut être rapportée à autrui par évocation.

Ce qui est étonnant, c'est que plusieurs activités mentales inhabituelles préalables, qui généralement passent inaperçues en dépit de leur importance, préparent ou accompagnent l'expérience mystique. L'analyse permet en effet d'énumérer un certain nombre de caractéristiques d'observation courante, comme la dissociation de ces états par rapport aux états de conscience ordinaires, les révélations intérieures qu'ils apportent en opérant une synthèse inhabituelle de la connaissance, le sentiment d'ineffable qu'ils procurent, et aussi le mode très particulier de perception, de mise en mémoire et d'évocation ultérieure de l'expérience elle-même.

Les états mystiques — c'est-à-dire, étymologiquement, qui se rapportent aux mystères — sont la plupart du temps associés à l'ascèse religieuse, encore qu'on les observe beaucoup plus fréquemment dans des démarches purement philosophiques, étrangères à la foi religieuse, et dont le but, pour ceux qui s'y livrent, est de comprendre la nature même de l'existence. C'est la raison pour laquelle je les qualifie d'états de "conscience quintessentielle". Je pressens qu'en fait ces états sont probablement beaucoup plus communs qu'on ne le croit ordinairement et que bien des gens vivent des expériences mystiques sans pleinement en prendre conscience et sans en faire part aux autres, tout simplement parce que les concepts ou le vocabulaire dont ils disposent sont trop limités pour qu'ils puissent formuler avec précision ce qu'ils ont vécu.

De ces expériences, les mystiques et les saints tirent une connaissance particulière, à savoir que les éléments et les événements du monde sensible sont tous la manifestation d'un ordre et d'un agencement universels. L'idée selon laquelle l'information relative aux relations qui unissent entre eux les éléments matériels puisse être réagencée dans un autre ordre (entendons par information la connaissance rendue compréhensible par l'activité cérébrale) ne devient difficile à accepter qu'à partir du moment où aucun processus ordonné de réorganisation ne peut être trouvé. Depuis l'origine des temps, l'enseignement et la vérification des observations de l'expérience directe ont virtuellement apporté à tout être humain une certaine représentation du monde. Pourtant, c'est aussi à travers des états d'altération de la conscience, d'essence mystique ou étroitement apparentée au mysticisme, que nous avons acquis certaines révélations profondes sur la nature de l'univers.

Ce qu'on peut en déduire, c'est qu'au cours de l'expérience mystique, l'esprit fait (ou accepte) une extraordinaire synthèse d'éléments procédant de l'essence même de la vie et procédant aussi des relations qui unissent entre eux les objets et les événements de l'univers physique, synthèse que transcende l'expression — excepté quand elle peut se traduire en analogie ou se transposer par le comportement dans les dimensions plus vastes du temps et de l'espace — et qui opère selon une harmonie et un ordre bien définis.

En dépit de sa nature mystique et surnaturelle, il nous faut aussi admettre que ce phénomène de réagencement des relations unissant entre elles les essences des objets et des événements constitutifs de l'univers sensible, phénomène qui représente le coeur même des expériences de ce genre, est régi par des processus physiques et ordonnés se déroulant dans le cerveau. À partir du moment où un individu accède à la conscience que tout, dans l'univers, procède d'un même flux, d'un même agencement, et que tout est unité, cette conscientisation semble plus logiquement se relier à un processus de réorganisation de l'information déjà mémorisée dans les gisements de données du cerveau. Et *cette* partie du phénomène peut valablement être considérée comme une opération physique naturelle. Ce qui peut sembler surnaturel, c'est ou bien l'impulsion initiale qui est à l'origine de l'expérience, ou bien l'ordre unique selon lequel est agencée l'information contenue dans la substance physique du cerveau, grâce auquel l'ensemble du phénomène revêt une cohérence unificatrice, ou bien encore le mode spécial selon lequel l'information mémorisée permet plus tard de n'évoquer que l'essence même de l'expérience mystique.

Le caractère d'ineffabilité de ces expériences représente lui aussi une persistante énigme. Car il y a là bien sûr une gigantesque contradiction. Si, comme il est universellement admis, l'expérience mystique défie toute description précise, comment se fait-il que le souvenir qui en reste soit si totalement radieux que la mémoire semble en être définitivement impressionnée dans ses structures conscientes et inconscientes, au point que ceux qui ont connu ces états tentent malgré tout d'en communiquer quelque chose aux autres? Il semble donc que l'expérience soit non seulement mémorisée (c'est-à-dire impressionnée dans le tissu nerveux), mais qu'il soit également possible de l'extraire ensuite de la mémoire selon un mode qui, par le détour de l'analogie et d'une mise en relation avec des concepts philosophiques élaborés et sophistiqués, permet à l'esprit conscient de reconstituer dans l'abstrait l'expérience de façon authentique.

Étant donné que les êtres humains sont ainsi faits que la transmission de leurs idées et de leurs sentiments ne peut s'opérer que si leur substance nerveuse est intacte, nous sommes bien forcés de conclure que l'information cohérente et organisée représentant l'expérience vécue s'impressionne sur ce tissu nerveux, seul support et seul moteur possibles permettant l'évocation et la communication de ces expériences.

L'absolu de cette loi rend difficile, sinon impossible, l'explication ou l'acceptation des états mystiques autrement que par une réorganisation de la connaissance, acquise et expérimentale, réorganisation due aux facultés naturelles de l'esprit humain. Il est donc clair que nous sommes ici en présence d'un phénomène très particulier. Ce qu'on ignore, c'est si ces états mystiques sont accidentels ou artificiellement induits par le désir, l'apprentissage, ou s'ils résultent de quelque autre activité mentale de nature inconnue. En tout état de cause, il est impossible d'isoler les éléments de l'esprit et de la conscience qui sont à l'origine du processus, compte tenu du peu que nous savons du domaine de l'inconscient et de ses relations fluctuantes avec la conscience lucide. Tout désir de connaître l'inconnaissable peut aussi bien résider dans la faculté inconsciente que dans la faculté consciente de conscientiser.

On peut encore faire observer, à propos de cet état d'altération de la conscience qu'on appelle expérience mystique, que les sensations qui l'accompagnent s'impressionnent dans l'esprit de façon apparemment paradoxale. Alors qu'on croit généralement que ces états suppriment les sensations ordinaires, le fait est que s'ils sont par la suite jugés et évoqués comme des expériences vécues, c'est qu'un dispositif sensoriel quelconque du cerveau est capable d'en percevoir, d'en détecter ou d'en évaluer la réalité, et que par ailleurs un mécanisme organisateur permet d'en déceler le caractère ineffable, même si la signification de la sensation et le type auquel celui-ci se ramène sont impossibles à traduire en termes ordinaires de communication. C'est assez dire qu'il s'agit là de sensations que les scientifiques sont bien évidemment incapables de mesurer et de catégoriser.

Nous en revenons donc au point de départ, c'est-à-dire à la difficulté de comprendre les états d'esprit exceptionnels, quels que soient les efforts déployés en ce sens. Car nous ne disposons pas de mots adéquats pour décrire la pensée "pure", telle que nous la concevons. Je crois pourtant que cela résulte moins de l'insuffisance de notre vocabulaire que de l'indigence des notions scientifiques se rapportant à l'étude de l'esprit, notions qui pour la plupart ne se prêtent pas à l'examen des processus mentaux d'un ordre supérieur. Pour les scientifiques, le mot sensation s'applique généralement à une perception associée à la stimulation d'un organe des sens, ou à un état organique spécifique, alors que le mot "perception" est le plus souvent employé pour exprimer que la signification des objets ou des événements est conscientisée.

Mais les états mystiques ne sont pas seulement la source d'une conscientisation spéciale. Pour l'être humain, une impression se confond aussi à une certaine façon de ressentir, tout comme une sensation se confond à la récognition de certains événements qui impressionnent l'organisme. La difficulté vient donc de ce que le mot "sensation", dans le langage courant, est rigoureusement réservé aux réponses provoquées par un stimulus physique. Mais le fait que l'expérience mystique s'imprime elle aussi dans la substance physique de l'organisme (le cerveau) devrait être une condition suffisante pour que nous puissions qualifier de sensation la réponse qu'elle met en jeu, bien que cette réponse procède d'un stimulus intangible. Car il semble bien que des pensées et des expériences abstraites provoquent en nous des sensations*.

Examiner les pensées en ne faisant référence qu'à leurs *significations* est bien loin de faire le tour de la question. D'après certains comptes rendus d'expériences mystiques et d'autres états de dissociation de la conscience, tout indique que les pensées et les concepts s'accompagnent d'une *sensation* véritable, comme si l'homme détenait une "faculté mentale d'auto-appréciation". Il s'agit certainement là d'un processus sensoriel bien réel, étant donné que le tissu nerveux cérébral est en réalité le siège des activités perceptuelles, dans lequel toute sensation est évaluée et ressentie. Ainsi l'existence

---

* On peut bien sûr objecter que les sensations liées à l'expérience mystique semblent être le résultat de l'appréciation émotionnelle qui établit une distinction entre un état de dépersonnalisation identifié en tant que tel et un état physique également identifié en tant que tel. Mais je doute fort que ceux qui vivent de telles expériences tombent d'accord avec cette interprétation.

de pensées-sensations expliquerait-elle l'empreinte profonde laissée dans la mémoire par les expériences mystiques.

La même observation vaut pour les mécanismes de l'autoconscientisation. J'ai déjà examiné dans ce livre certains sens "évolués", par exemple celui de la conscientisation biologique et celui de la mise en ordre des données, ou catégorisation. Les philosophes ont depuis fort longtemps identifié eux aussi le sens esthétique. Mais il semble bien qu'il en existe d'autres: celui du moi, de l'identité, celui de l'harmonie et de la continuité, par exemple. La philosophie hindoue définit de multiples niveaux de conscience, parmi lesquels il en est qui semblent bien représenter des étapes préliminaires du samâdhi. Elle définit aussi neuf *nava rasas*, ou "émotions" esthétiques de base. Quant à la philosophie des Amérindiens, elle accrédite pour sa part la notion de sensations liées à l'activité de l'esprit. Ce qui n'est pas le cas de la science occidentale. Pourtant, le processus de l'esprit-cerveau qui donne naissance à des sensations telles que la compassion, le sens de la justice et bien d'autres encore ne semble guère différent de celui qui nous procure le sens de la beauté, de l'harmonie ou de l'ordre. À mon avis, si un jour nous nous mettions à l'étude de ces modes d'appréciation relativement complexes avec la même ferveur qui nous anime quand nous étudions des émotions primitives de haine, de colère et de peur, nous serions mieux en mesure de favoriser le déploiement du potentiel humain.

Bien des expériences vécues de la vie quotidienne s'apparentent aux états de mysticisme. Il peut nous arriver par exemple d'en venir consciemment à la compréhension intellectuelle du concept taoïste, selon lequel *existe* le flux vital dont l'essence ne saurait jamais être appréhendée par l'esprit humain, et ensuite d'éprouver à certains moments la sensation de participer de cette essence. Ce type de récognition inconsciente est parfaitement mis en évidence dans l'activité créatrice — l'art, la musique, la littérature, la peinture, le modelage, l'invention — quand l'artiste se coupe du réel pour s'absorber tout entier dans le processus créateur, c'est-à-dire dans le flux, l'harmonie et l'ordre de la création. Il est certain que de telles dipositions d'esprit présentent une remarquable ressemblance avec les états mystiques.

En supposant même que la clairvoyance prodiguée par l'expérience mystique ne soit pas aussi pleinement développée qu'elle l'est dans la révélation, l'étonnante synthèse opérée par l'esprit et aussi son pouvoir de nous faire faire *l'expérience* d'idées complexes, abstraites et quintessentielles en disent long sur la faculté mentale de réorganisation de l'information donnant naissance à des concepts d'un ordre supérieur, concepts qui ordinairement échappent à toute tentative de conceptualisation. Si cette faculté existe, comme de toute évidence c'est le cas, alors la question cruciale qui se pose à propos du potentiel humain est la suivante: nous est-il possible d'apprendre à déployer cette faculté chaque fois que nous le décidons, sans plus attendre éternellement d'être placés dans les conditions psychiques spéciales qui prédisposent à la révélation propre aux états d'altération de la conscience? Nous savons parfaitement qu'un nombre croissant d'être vivent à un moment ou à un autre une expérience de révélation spirituelle. Et nous le savons en partie parce que nous avons aujourd'hui appris qu'un individu normal peut y parvenir, pour peu qu'il se discipline mentalement, et en partie aussi parce que les exercices mentaux qui préparent à ces expériences ont fait l'objet d'une systématisation de plus en plus rigoureuse.

La troisième observation (ou peut-être bien la première, si l'on procède par ordre d'importance), c'est que les états mystiques résultent eux aussi d'une dissociation, ou si l'on préfère d'une modification de la conscience. Mais ici, la nature de la dissociation diffèrent totalement de celle qu'on relève dans les autres cas de modification, à l'exception peut-être des états de dépersonnalisation non pathologiques et de certains états de conscience induits par la mescaline. En effet, l'expérience mystique semble caractérisée par: (1) une dissociation de la pensée par rapport aux émotions et aux sensations; (2) une totale fixation de l'attention et de l'ensemble des opérations mentales sur certains types de pensée très particuliers; (3) une compréhension et une révélation qui n'existent pas dans la plupart des activités de l'esprit et de la conscience; et (4) le bénéfice tiré ultérieurement de la révélation, par l'individu, bien sûr, et souvent même aussi par une partie de la société.

Le phénomène de dépersonnalisation non pathologique (phénomène à ma connaissance jamais étudié encore) semble partager avec les états mystiques leur caractéristique la plus essentielle: la dissidence de la pensée par rapport aux sensations organiques et à la conscientisation de l'information sensorielle en provenance de l'environnement. Ce sentiment qu'éprouve l'esprit de se détacher du corps et de ses perceptions et l'absence concomitante d'interception sensorielle (ou l'impossibilité, pour les perceptions, d'accéder à la récognition) expliquent pourquoi seule est évoquée par la suite l'impression indélébile d'une *absence* de sensation ordinaire. (Ces états non émotionnels de dépersonnalisation ne doivent pas être confondus avec la dépersonnalisation névrotique, dans laquelle l'angoisse émotionnelle résultant de la séparation corps-esprit est généralement paroxystique.)

Chez certains individus, il est pratiquement impossible de distinguer les effets de la mescaline d'une expérience mystique, ce qui laisse fortement supposer que l'information sur les états mystiques se rapporte bien plus à un phénomène proche de l'extase désirée qu'à l'extase elle-même. Bien que certains contestent la similitude entre les effets de la mescaline et les états mystiques, la question ne s'en pose pas moins de savoir si ces contestataires ont fait l'expérience des uns et des autres, ou aucune expérience du tout. Reste à savoir si une telle contestation ne traduit pas tout simplement un préjugé spirituel excluant toute possibilité de vision mystique qui serait due à la drogue. En revanche, Aldous Huxley et John Blofeld comptent parmi les rares auteurs qui ont décrit les similitudes existant entre les deux phénomènes, et c'est à une discussion avec Huxley que je dois ma seule et unique expérience de la mescaline. L'effet que j'en ressentis est très proche de l'état mystique décrit par Blofeld dans ses livres*, et tout se passa comme si mon expérience se déroulait conformément au scénario qu'il avait écrit, même si je ne pris connaissance de ses ouvrages que des années plus tard. Au cours d'une discussion ultérieure que j'eus à Bangkok avec Blofeld, il m'affirma que pour lui il n'existait pas ou que très peu de différence entre son expérience de la mescaline et l'illumination du satori, à laquelle il n'avait accédé qu'après des années d'initiation à la tradition du bouddhisme tantrique (Vajrayana).

Bien que les symptômes (préalables et consécutifs) à ma propre expérience de la mescaline étaient typiquement liés à l'absorption de la drogue (nausée, modifications de la perception), la majeure partie du phénomène vécu consista pour moi en un état durable de complet détachement par rapport à toute sensation, accompagné de dépersonnalisation. Je n'éprouvais aucune sensation ordinaire, et la seule chose que je "savais", la seule "sensation" dont j'étais consciente, c'était que je faisais partie de la nature essentielle de l'univers. Au fur et à mesure que les effets de la drogue se dissipèrent, j'eus conscience du chaos et du désordre qui régnaient dans le monde "réel" et familier, et cela de façon purement conceptuelle, du seul fait de ma propre interprétation et de mon propre jugement, mais sans que cette conscientisation s'accompagne de paroles émues ou de pensée logique. Alors se manifesta un conflit entre l'état de détachement dans lequel j'étais encore plongée et cette conscientisation grandissante du monde réel. Rien de bien grave au début mais, autant que je m'en souvienne, plus s'affirmait en moi la conscience des distorsions introduites dans le monde par l'homme, plus les effets de la drogue s'amenuisaient, et mieux je me rendais compte que je n'étais plus très sûre de vouloir reprendre pied dans ce monde réel. Et quand il m'apparaissait qu'il était pour moi inévitable d'y retourner, je m'immergeais de plus en plus dans

---

* *The Tantric Mysticism of Tibet*, E. P. Dutton, New York, 1970, et *Wheel of Life*, Shambala Publications, Berkeley, Calif., 1972. Seul le premier de ces deux ouvrages de John Blofeld a été traduit en français sous le titre: *Le Bouddhisme tantrique du Tibet*, Seuil, 1976.

la houle de l'état mystique. L'illumination que m'avait valu mon expérience était si profonde, si envahissante, qu'elle me dépossédait pour ainsi dire de mon être et de toute vie. Si bien que, au contraire de Blofeld, je n'eus pas l'ombre d'un désir de renouveler l'expérience par la suite. Mais durant quelques heures j'avais eu bien plus de révélations que je puis espérer en avoir jamais de toute mon existence.

Je suppose que le sentiment d'unité et d'harmonie qui est perçu au cours des expériences de ce genre pénètre l'être et est absorbé par lui selon un mode tout à fait différent du mode habituel d'intégration des stimuli sensoriels. Encore que, j'en suis certaine, la plupart des neurophysiologistes ne seraient probablement pas de cet avis. Assurément, si l'on considère l'étrange impact que doit nécessairement avoir la suggestion hypnotique, la conversion religieuse ou l'extase sur le tissu nerveux pour que les données communiquées puissent être évaluées, mémorisées, puis évoquées, cela fait penser à un modèle d'empreinte informationnelle de type gestalt, voire à un ensemble de stimuli conceptuels qui joue le rôle de déclic et appuie sur le ''bouton organisationnel'' commandant les processus supérieurs d'abstraction et de conscientisation de l'esprit-cerveau.

On n'a jamais proposé d'explication satisfaisante aux révélations soudaines et profondes qui, dans l'expérience mystique et les états de conscience du même ordre, ou encore dans la création poétique, l'inspiration ou l'illumination, jaillissent de toutes pièces et envahissent le champ de conscience sans faire directement intervenir la pensée consciente ou même l'attention. Alors que nous formulons des postulats sur la formation des concepts et sur l'aptitude de l'esprit à faire usage d'abstraction et de logique acquises par apprentissage, nous sommes incapables de comprendre les notions de révélation, *a fortiori* si ces notions défient les processus connus de la création, comme c'est le cas par exemple de la théorie relativiste d'Einstein.

Ce qu'il y a de magique dans la suggestion posthypnotique, ou encore dans l'intrusion soudaine d'une pensée incongrue au cours du rêve éveillé (Mon Dieu, j'ai laissé le rôti dans le four!), illustre à la fois la puissance de la complexité de l'intellection inconsciente et aussi, qui plus est, l'existence d'"ensembles" fort différents d'activités intellectuelles passant inaperçus de la conscience claire. Si les opérations inconscientes sont capables d'établir des priorités parmi les pensées et de répondre intelligemment à un commandement inadéquat, alors ces mécanismes inconscients sont certainement capables aussi, dans des conditions appropriées, de réorganiser de bien des manières l'information contenue en mémoire, de telle sorte qu'une partie de cette information puisse permettre d'accéder à certaines vérités fondamentales de l'univers, c'est-à-dire de susciter des modes de révélation et de compréhension que nous attribuons à l'état "mystique".

Je crois que ces différents processus sont facilités et soutenus par l'intelligence innée de l'homme, laquelle a évolué sur de très longues périodes, exactement comme l'ont fait ses structures physiques. Mais l'intelligence de l'être individuel a été réprimée par le processus adaptif de l'espèce qui a permis à la collectivité humaine de se perpétuer en tant que telle, c'est-à-dire réprimée par la nécessité de lutter au plan socio-relationnel pour survivre. Peut-être la nouvelle prise de conscience des capacités de l'esprit à laquelle on assiste de nos jours fait-elle présager une nouvelle étape de l'évolution, à la faveur de laquelle sont en train d'émerger des aptitudes individuelles innées, appelées à développer un état d'harmonieuse compréhension entre tous les êtres humains.

Ce qui est intéressant, c'est que les révélations sur la nature de l'univers — ces révélations que nous qualifions, tout comme d'ailleurs les appréciations que nous portons sur elles, d'ineffables et d'indescriptibles — laissent des empreintes diverses sur le psychisme individuel, ce qui peut-être fait partie du processus évolutif du psychisme. Les seuls sons de cloche qui après coup nous proviennent de ceux qui ont eu ces révélations ne sont rien que des commentaires paradisiaques, divins ou universels sur la nature de l'illumination mystique poussant l'homme à s'engager dans les voies de l'ascèse ou de la sainteté. Mais ces voies ne sont pas toujours sans danger.

Gopi Krishna, par exemple, décrit dans son livre* la soudaine révélation qu'il eut du samâdhi et la plénitude de l'énergie de la kundalini au stade le plus élevé des chakras. En dépit de dix-sept ans de préparation par la méditation disciplinée, les révélations qu'il eut à ce moment avaient un tel pouvoir d'engloutir l'être que par la suite il fut affecté de troubles comportementaux et perceptuels de type schizoïde et qu'il lui fallut des années pour réussir à harmoniser son corps, son esprit et son âme avec l'illumination qu'il avait eue.

J'ai interrogé de nombreux maîtres de yoga sur les risques d'apparition de la gravité des problèmes émotionnels que peuvent poser à leurs élèves certaines techniques de méditation. Et chaque fois il me fut répondu que les réactions d'intolérance étaient fréquentes. On sait qu'il en est de même dans les ordres religieux et les communautés bouddhistes dont les membres pratiquent l'ascèse.

Pour quiconque est animé d'une croyance religieuse, il est tentant d'interpréter ces effondrements émotionnels survenant en cours de route comme le résultat d'un manque de préparation ou de motivation spirituelle authentique. D'ailleurs, ce manque de motivation est souvent mis en avant par les psychologues, encore que ces derniers insistent plus volontiers sur le conflit opposant les désirs matériels et les impératifs du quotidien à l'idéal spirituel. Il est vrai que l'anxiété intense qu'on observe fréquemment chez certains individus à la suite d'une expérience mystique laisse à supposer qu'un rude conflit se livre en eux, entre l'aspiration à une réalité spirituelle inconnue et intangible et la crainte de tout perdre d'une réalité matérielle éprouvée.

Si cette dernière hypothèse me paraît la plus vraisemblable, c'est à cause d'un incident assez spectaculaire survenu dans mon propre laboratoire de recherche. Un jour, un spécialiste connu des maladies organiques, et de surcroît féru de psychiatrie, vint me voir pour me demander de pratiquer sur lui — ou plutôt sur ses ondes cérébrales alpha — un bio-

---

* *Kundalini: The Evolutionary Energy in Man*, Shambala Publications, Berkeley, Calif., 1970.

feedback. (Cette technique n'en était encore qu'à ses débuts et mon laboratoire, qui comptait parmi les plus perfectionnés, était alors considéré comme à la pointe de la recherche.)

Au cours de la séance, je notai soudain dans son tracé électroencéphalographique la présence de gigantesques ondes alpha. Imputant cette anomalie à une quelconque défaillance technique, je vérifiai immédiatement mon appareillage. Mais au bout de dix à quinze secondes je me rendis compte avec effarement que ces ondes géantes étaient de toute évidence émises par le cerveau du praticien. Étant donné qu'il ne s'était servi d'aucun des deux interphones à sa disposition pour donner signe de vie, je jetai un regard affolé à la cabine d'enregistrement, dans laquelle je l'avais isolé. Il semblait rigidifié. Quand je le secouai, il eut d'abord un râle violent, puis poussa un énorme soupir. Il lui fallut ensuite un certain temps pour récupérer.

Il m'expliqua plus tard que, tandis qu'il centrait son attention sur les signaux que lui renvoyait le biofeedback (signaux traduisant sa propre activité alpha), il avait soudain perdu toute sensation physique. Il lui avait semblé être envahi par une sorte de "néant" submergeant son esprit et sa conscience. Aucune sensation organique ne lui permettait plus d'identifier son individualité physique. Cet état l'avait terrorisé. Bientôt, il lui était devenu impossible de se mouvoir, pas même pour presser du doigt l'interrupteur situé à portée de sa main ou prononcer un seul mot dans le microphone disposé près de sa tête. Il me remercia abondamment d'être venue le tirer de là.

J'appris par la suite que cet homme s'était fort sérieusement initié à la méditation bouddhique, mais qu'il avait cessé de s'y livrer après six années de pratique, faute d'avoir jamais ressenti la moindre manifestation d'état mystique.

Je me borne donc à supposer qu'il avait repris ce jour-là ses anciennes habitudes de méditation au cours de la séance de biofeedback et que le fait de centrer intensivement son attention sur un signal traduisant son propre état d'esprit avait permis à sa conscience de franchir pour la première fois l'obstacle qui pendant si longtemps avait résisté à sa démarche spirituelle. Il se peut aussi que du temps où il pratiquait la méditation, son inconscient se soit alourdi du poids des préoccupations liées à son univers concret, à sa sécurité matérielle et aux objets grâce auxquels il confortait son sens du bien-être. Mais, quelle que soit la nature de la lutte inconsciente qui se livrait en lui, le grand vainqueur de cette lutte, c'était la peur: peur d'une perte d'identité sans doute, peur de l'inconnu, peur d'être dépossédé de ce que son être ne pouvait s'empêcher de considérer comme son essence même. Cet incident, soit dit en passant, n'est pas unique. Deux de mes confrères pratiquant le biofeddback ont rapporté des cas semblables qui ne sont pas sans faire penser, toutes proportions gardées, aux effets du LSD, quand la peur de perdre contact avec la réalité coutumière déclenche parfois d'irréversibles distorsions perceptuelles.

Il semble exister un point commun entre les états mystiques et la dépersonnalisation, en ce sens que l'un comme l'autre ont le pouvoir de provoquer soit une clairvoyance insurpassable, soit un dérèglement total de l'esprit. Ce qui, soit dit en passant, laisse clairement supposer que les perceptions conscientes structurent les mécanismes inconscients et affectent leur fonctionnement selon des modalités fort différentes. C'est peut-être là l'explication de ce qui sépare les gens "hypnotisables" de ceux qui ne le sont pas. Ce qu'il faut en retenir, c'est semble-t-il que les mécanismes inconscients de réorganisation de l'information relative à l'univers sensible sont intrinsèques au psychisme humain et que les exercices spirituels ou de méditation fournissent un moyen d'alléger le poids d'une conscience sociale et consensuelle fondée sur l'acceptation tacite de ce qui est salutaire à la survie de l'espèce humaine et de ce qui ne l'est pas. L'incidence croissante des états mystiques n'est peut-être après tout que la preuve qu'un "éclair créatif" neuf est en train d'évoluer sous la forme d'un nouveau système d'existence dans lequel la compréhension, venant relayer la compétition et la possessivité, apporte à la vie sa récompense et lui confère une finalité.

Imaginaire, imagination et représentations mentales

De toutes les aptitudes normales de l'esprit humain, la plus négligée et la plus sous-développée est de loin l'imagination. On considère bien peu comme une véritable ressource la faculté par laquelle l'esprit crée et recrée en images mentales des objets et des événements inexistants (ce qu'on appelle l'imagination ou encore, dans le langage philosophique, l'imaginaire). C'est à l'imaginaire que font appel les psychothérapeutes pour mettre en évidence les problèmes psychologiques de leurs patients et fournir à ces derniers les moyens de mieux s'accommoder de l'existence en lui donnant un sens. Mais pour la plupart des gens il est bien rare — et il n'arrive pratiquement jamais aux scientifiques — de considérer que le pouvoir créateur de l'imagination peut améliorer la condition humaine. Il est assurément exceptionnel que les hommes de science essaient de comprendre les processus de l'imaginaire, ou bien comment cultiver cette faculté pour en accroître la productivité et l'efficience. Le plus fréquemment, on assimile l'imagination à l'outil de la fantaisie, de la lubie ou de l'illusion, et on se résigne comme à regret à considérer qu'elle peut parfois se révéler utile. Pourtant, l'imagination est en quelque sorte la clé oubliée, rouillée, capable de nous révéler les multiples trésors de l'esprit. Elle est cette aptitude unique et merveilleuse qui permet à l'esprit humain de créer et de recréer les expériences vécues, les pensées, les espoirs et les rêves, cela sous forme d'infinies variantes, pragmatiques ou chimériques. C'est grâce à elle que le passé est reconstitué avec une absolue fidélité, ou bien métamorphosé au gré des caprices de l'émotion. Et elle peut tout aussi bien projeter ses représentations ou ses images dans le futur de son choix que les mobiliser pour résoudre un problème, atténuer la pression mentale par un brin de fantaisie, ou tout simplement se divertir.

On ne considère généralement pas l'imagination comme un état d'altération de la conscience, bien qu'il soit sans doute judicieux de le faire puisqu'en certaines occasions (par exemple dans le rêve, l'usage de certaines drogues, la psychose ou l'hypnose) il est évident qu'elle en présente tous les attributs. Elle revêt d'ailleurs encore d'autres formes, pour ne citer que le rêve éveillé, le souci, l'imagination active, formes dans lesquelles les images interfèrent avec la conscientisation lucide. Le moins qu'on puisse dire, c'est que la frontière qui départage l'imaginaire dirigé par l'intention consciente de l'imaginaire dû à de l'activité inconsciente spontanée est une frontière bien incertaine. Quand nous nous plongeons dans l'imaginaire pour essayer de construire intentionnellement des représentations, ce sont le plus souvent des images provenant de notre inconscient qui se pressent à notre esprit pour en chasser celles dont nous voudrions le peupler. Car l'imaginaire est pour une bonne part le fruit de l'inconscient.

L'imagination détient un pouvoir infiniment plus important que ne l'est son aptitude à promouvoir certaines activités mentales, ludiques ou non: c'est celui de déterminer le comportement humain. Et c'est ce pouvoir qui est mis en oeuvre pour interpréter les sensations et analyser l'expérience vécue. Car les images du désir planent irrésistiblement au-dessus des pensées et des attitudes comme un appel à l'assouvissement, et ces images ne se bornent pas à guider le comportement, puisqu'elles exercent aussi une action bien réelle sur la physiologie. Toute représentation mentale — qu'elle soit visuelle, auditive, tactile, musculaire, affective ou intellectuelle — détermine en effet l'activité physiologique du corps comme celle du cerveau.

L'imagination procède d'éléments d'information en provenance des expériences vécues les plus diverses contenues dans la mémoire et modèle ensuite ces éléments pour les organiser en une suite de pensées significatives ou en fantasmes. Il existe autant de façon d'imaginer les objets qu'il en existe de les percevoir. Nous en savons si peu sur l'imagination, sur son mode d'accomplissement dans le cerveau, sur son origine, qu'en général l'individu moyen n'a pas la moindre idée de la diversité possible des processus imaginatifs.

Fonction par laquelle se créent les représentations mentales, l'imagination est presque invariablement considérée comme un processus d'évocation d'images *visuelles*. "Essaie de t'imaginer le tableau" ou "Tu le vois faisant une chose pareille?" sont des formulations qui nous sont familières depuis l'enfance. Nos premières années d'école sont saturées d'injonctions magistrales nous invitant à "fermer les yeux pour mieux nous représenter" telle ou telle image. Une bonne part des tests d'intelligence est fondée sur le présupposé que n'importe qui peut visualiser, autrement dit imaginer par le recours à des représentations visuelles. Alors qu'en fait il est très vraisemblable que vingt-cinq pour cent seulement des êtres humains sont capables d'élaborer des images visuelles cohérentes.

Pour bien des gens en effet, les représentations mentales ne sont pas nécessairement visuelles, mais sont plutôt dominées par des évocations de sons, de sensations tactiles, de perceptions organiques, d'activités musculaires, d'émotions, et même de concepts abstraits. Relativement peu d'individus se représentent des images "pures", c'est-à-dire participant d'un seul sens ou d'une seule émotion. Ceux qui élaborent des images visuelles intenses, frappantes et pour ainsi dire aussi vraies que nature, sont relativement rares et constituent sans doute moins de dix pour cent de la population. Et très rares sont ceux qui sont capables de se représenter des images auditives qu'on dirait authentiques. La plupart d'entre nous créons et recréons des images qui reflètent tout à la fois notre façon de voir, d'entendre, de sentir et de penser une expérience vécue, et qui combinent des sensations visuelles ou acoustiques à des perceptions et des émotions.

L'imaginaire présente deux caractéristiques remarquables, scientifiquement établies l'une comme l'autre, mais dont les effets sur l'esprit et l'organisme sont malheureusement sous-exploités: (1) plus l'image est spécifique et plus spécifique est son effet. Autrement dit, les images déclenchent exactement les mécanismes physiques qui sont susceptibles de provoquer des réactions appropriées; (2) l'image mentale exige *une dépense d'énergie physique*.

Ainsi, l'imagination mobilise les forces physiques. Imaginez que vous soulevez un objet pesant et vous sentirez vos muscles se tendre. Le corps se livre alors à un certain travail effectif et dépense une certaine énergie bien réelle. Les images mentales dirigent et activent les nerfs afin qu'ils mobilisent le corps, et qu'ils le mobilisent exactement comme le dicte l'imagination.

L'athlète qui se concentre en se représentant par des images mentales sa future performance utilise son imagination à des fins encore plus subtiles et remarquables. Car il ne se contente plus de projeter et d'imaginer. Il *prépare* aussi ses nerfs, ses muscles, son corps et son esprit à unir leurs actions physiques en vue d'atteindre un objectif unique et bien déterminé.

L'esprit se concentre et les nerfs répondent. Quelque part dans l'intimité de la dynamique interne, un mécanisme se met en branle et fait taire toutes les opérations mentales et organiques qui risquent d'interférer avec l'activité dominante ou d'être une cause de distraction. Voilà qui reflète une fois de plus le pouvoir grâce auquel l'esprit sélectionne les instruments physiques appropriés à son action. Les nerfs étant nourris par les impulsions électriques émises par le cerveau, celui-ci se révèle par là même le serviteur de l'esprit.

Le mauvais tour le plus connu que nous joue l'imagination consiste en cette chose fort déplaisante qu'on appelle névrose, dans laquelle l'esprit et l'affectivité sont dupés au point d'être amenés à croire que l'ego est aux prises avec des problèmes insolubles. Dans certains cas, les représentations perturbatrices peuvent même devenir à ce point envahissantes qu'elles submergent ou inhibent toute logique mentale. Le rôle critique joué par l'imagination dans la névrose et dans d'autres désordres liés au stress a été décrit au chapitre 6 de ce livre. Pour comprendre combien certaines images mentales peuvent exercer de fâcheux effets sur l'organisme, il suffit de garder présent à l'esprit le citron qui fait grincer des dents quand on l'évoque. Un névrose discrète et passagère peut être provoquée aussi bien par la crainte paralysante d'être au-dessous de tout quand pour la première fois on prend la parole en public que par la hantise de ne pas être invité à se joindre à un groupe pour aller en promenade. Alors l'incertitude engendre l'anxiété, et l'anxiété provoque à son tour une accélération du rythme cardiaque, une respiration saccadée, un assèchement des muqueuses buccales, une stase intestinale et de la tension musculaire intense. Quant aux névroses caractérisées, elles se marquent par un débridement de l'imagination, mais d'une imagination à ce point coupée du réel que la conscience n'est plus capable d'établir de corrélations entre le souci obsessif et les images mentales qu'il génère.

Mais il arrive aussi à ces images mentales d'être exhubérantes, stimulantes, bénéfiques, douées de pouvoir thérapeutique. Je viens tout juste de prendre connaissance d'un article sur les exercices mentaux d'évocation de fantasmes qu'on recommande de pratiquer aux adultes du troisième âge qui se sont inconsidérément mis en tête que leur vie sexuelle a pris fin. Si votre partenaire depuis trente ans n'est plus la ravissante beauté ou le superbe macho d'antan, usez alors de votre imagination pour recréer dans votre esprit l'excitation érotisante et les joies physiques de jadis, leur conseille-t-on. Car c'est avant tout d'une imagination bien rodée que provient l'excitation. Si vous n'y croyez pas, libre à vous de tenter le coup sans recourir aux images et aux sensations que les images éveillent en vous.

Les fantasmes sexuels — et presque tout le monde a les siens — représentent le matériau de base le plus éprouvé pour les psychothérapeutes et les psychiatres. Mais le rôle que joue l'imagination dans la sexualité est beaucoup plus vaste que la psychologie ne le croit. Nos premières expériences reposent souvent sur des images construites à partir du ouï-dire et du présupposé. Ce n'est que plus tard qu'elles sont générées par l'évocation, les fantasmes, le besoin d'essayer du neuf et par d'autres stimulants mentaux et émotionnels encore. Mais quelles que soient les caractéristiques d'une expérience sexuelle, celles-ci sont incorporées à de nouveaux fantasmes. Alors que nous en connaissons bien peu sur les activités de l'esprit qui échappent à la communication et gisent inexprimées dans le subconscient, nous savons en revanche que les émotions, les pensées, les sentiments et le vécu de l'activité sexuelle physique s'agglomèrent en vastes ensembles. Ce qui n'est pas pleinement reconnu et affirmé, c'est que *les pulsions sexuelles sont contenues dans l'imagination.* Voilà qui nous fournit un évident exemple de système de feedback. Car les pulsions sexuelles naissent de la projection mentale d'images d'excitation et de plaisir, et à leur tour ces images sont nourries et fortifiées par les sensations que procure l'activité sexuelle. Mais, de bout en bout, c'est partout l'esprit qui intervient.

Qu'elles soient informes, refoulées ou magnifiées par la conscientisation lucide, les images sont l'énergie motrice de tous nos appétits et de toutes nos conduites ordinaires; ce sont elles que l'on tient pour coupables à partir du moment où nos appétits et nos conduites sont perturbés. (L'importance primordiale que prennent les images dans toutes les variétés de réactions au stress du quotidien a été traitée au chapitre 6.) Ce sont les images qui font bouillonner nos émotions, qui font que notre corps ressent et exprime du bouleversement, et ce sont elles encore qui définissent nos aptitudes et nos conduites. Elles sont la substance germinative de la supraconscience.

Au départ, c'est donc la fonction mentale qui régit le cerveau dont elle procède, et qui régit aussi ce produit de l'activité cérébrale que nous qualifions d'esprit, selon qu'il s'agit de prendre des décisions, de créer des images et de concevoir des désirs. C'est dans ces impondérables de l'esprit que prend sa source le flux de nos impulsions nerveuses et ce sont ces impondérables qui canalisent ce flux avec une extraordinaire précision à travers notre système de neurones, lequel comprend aussi les réseaux nerveux complexes de notre cerveau lui-même.

Telle est l'oeuvre qu'accomplit la supraconscience, ce produit d'un esprit supérieur que l'homme ne soupçonne ni n'exploite.

Chapitre 12

•

L'intellect de l'inconscient

Une compréhension nouvelle

Ce qui, par le passé, a fait le plus obstacle à la découverte de la nature fondamentale de l'esprit, c'était notre incapacité technique à mesurer et le mode opératoire, et les produits qui naissent et se déterminent d'eux-mêmes à partir de l'activité mentale. Cet obstacle est aujourd'hui levé. Depuis qu'on a découvert que l'être humain est capable d'apprendre à déployer ses activités mentales pour contrôler ses processus physiques internes, nous disposons d'un moyen scientifique précis et fiable d'explorer l'inconscient.

La découverte du phénomène du biofeedback nous a révélé l'aptitude universelle et innée de l'inconscient à assurer le contrôle et la régulation de l'ensemble des processus physiques du corps humain*. Mais il n'empêche que tous les scientifiques ne sont pas unanimes à l'admettre, bien qu'il s'agisse là d'un fait aujourd'hui fondé sur des données vérifiées, sur une logique parfaitement scientifique, et que ce fait n'est pas près d'être infirmé. Pour certains chercheurs, le

---

* Le biofeedback a été décrit dans un autre contexte explicatif au chapitre 5.

phénomène du biofeedback peut s'expliquer par les théories déjà anciennes du conditionnement et de l'acquisition des habitudes physiologiques. Mais une majorité d'expérimentateurs est convaincue que l'apprentissage du biofeedback relève d'une activité mentale complexe. Certains scientifiques, peu familiarisés avec la recherche menée dans ce domaine, n'ont eu ni le temps ni le courage de regarder en face le fait indéniable que l'être humain, à partir du moment où on lui fournit quelques données d'information biologique sur lui-même, est capable d'apprendre très rapidement à maîtriser une fonction physique quelconque. Aucun autre type d'apprentissage n'est comparable à celui du biofeedback. Car si ce dernier n'exige pas d'"enseignement" à proprement parler, s'il ne consiste pas à suivre un exemple, s'il n'est pas assorti de récompenses et de punitions précises, il n'en demeure pas moins qu'il s'agit bel et bien là d'un apprentissage. Et d'un apprentissage qui ne s'effectue qu'en intégrant un symbole utilisé par la suite pour contrôler, avec la plus fine des discriminations possibles, l'activité de systèmes physiologiques ou de cellules isolées.

Il est facile de démontrer que l'intellect raffiné de l'inconscient représente le facteur essentiel de l'apprentissage du biofeedback. Je vais donc à présent décrire deux types d'apprentissage aboutissant au contrôle d'obscures fonctions physiologiques, puis en passer en revue les différentes étapes, afin de mettre en évidence les remarquables facultés de l'inconscient et la nature de ses opérations. Les deux exemples qui suivent sont d'ailleurs abondamment étayés par la littérature spécialisée.

Le premier de ces exemples nous est fourni par l'usage courant qu'on fait aujourd'hui du biofeedback dans le traitement du syndrome de Raynaud, pathologie caractérisée par la vasoconstriction des vaisseaux sanguins de la main, vraisemblablement causée par l'hyperactivité du système nerveux sympathique et aggravée de façon sensible par les situations de stress. Le traitement consiste à faire usage d'un dispositif qui fournit en retour au patient des données d'information sur la température et le débit sanguin de sa main, ou encore sur le diamètre des vaisseaux qui l'irriguent.

Cette information est fournie quasiment en permanence au patient tant que durent les séances, en même temps qu'on l'informe de son état général, des causes de sa maladie, de ce qu'il peut attendre de l'appareil de biofeedback et de la façon de s'en servir. On lui indique également comment mobiliser son esprit et son état de conscience pour amener un changement thermique dans sa main et pour mettre en oeuvre des techniques de stratégies telles que l'imaginaire, l'autosuggestion et la relaxation. Au bout de quelques séances de pratique, le patient apprend ainsi à maîtriser la régulation thermique de sa main (et apprend même à la longue à contrôler sa vasoconstriction). Quand on lui demande ensuite comment il s'y est pris pour y parvenir, il est en général incapable de répondre, sinon pour déclarer qu'il a tout simplement obtenu ce résultat en adoptant un "autre" état d'esprit.

C'est là une démonstration claire du rôle actif joué par l'apprentissage inconscient, bien qu'intentionnel. Ce qui donne le plus à réfléchir, c'est que l'information assimilée est une information symbolique, et que toute information abstraite requiert une interprétation intelligente. En d'autres termes, l'information sur l'état thermique de la main ne consiste pas en une sensation de chaud ou de froid détectée par les sens, mais au contraire en une mesure thermique symbolique et humainement intellectualisée (ou d'une mesure symbolique du débit sanguin, ou encore du diamètre des vaisseaux).

L'information affichée par l'appareil de biofeedback doit donc être détectée par les organes visuels et auditifs, puis appréciée par le cortex interprétatif, et enfin associée à des sensations de chaleur ou de froid. Or, il apparaît clairement que ce sont les facultés interprétatives de l'esprit qui sont mises en oeuvre, du fait que les sens visuels ou auditifs ne communiquent pas directement avec les aires cérébrales qui sont à l'origine des sensations thermiques.

Les autres informations qui sont fournies au patient (instructions relatives au biofeedback, renseignements sur son état général, directives sur l'usage qu'il doit faire de son esprit) sont toutes de type conceptuel, et par là même exigent d'être comprises et interprétées. Ces deux modes d'information — le biologique et le conceptuel — doivent être traduits en types d'activité nerveuse très précis pour être associés aux mécanismes de l'esprit-cerveau capables d'apprécier la signification de l'information fournie et d'opérer un choix sur l'usage qu'il convient d'en faire. C'est l'inconscient qui exécute l'ensemble de ce processus, et c'est lui qui dirige le corps pour qu'il accomplisse la tâche bien déterminée que le patient s'assigne c'est-à-dire augmenter la température de sa main.

C'est à peu de chose près le même processus qui intervient dans quasiment tous les apprentissages de biofeedback dont l'objectif est de contrôler une fonction interne.

Le contrôle d'une cellule isolée

Une preuve particulièrement spectaculaire de l'aptitude mentale à s'acquitter de tâches compliquées sans le secours de la conscience lucide nous est apportée par les êtres humains qui apprennent à activer et à supprimer individuellement l'activité de leurs neurones moteurs (cellules nerveuses aboutissant aux fibres musculaires) dans la moelle épinière. Dans certains établissements hospitaliers de rééducation motrice, l'apprentissage du contrôle des cellules musculaires est désormais de pratique courante, et cet exploit de l'esprit peut être mis en évidence dans n'importe quel laboratoire disposant d'un équipement adéquat.

À l'aide de simples électrodes placées sur la peau recouvrant un muscle, on peut aisément détecter, puis amplifier et afficher sur un écran d'oscilloscope l'activité électrique des cellules musculaires en action. Il est ainsi possible d'afficher à l'écran l'activité groupée de différentes fibres (ou cellules) musculaires, car ces cellules agissent en groupes appelés unités motrices, du fait que toutes reçoivent leur influx nerveux de la même fibrille terminale d'un nerf moteur. Chaque unité motrice comprend environ trois cents fibres, de sorte que, lorsqu'elle s'active, elle provoque un changement électrique qui lui est très spécifique. C'est le nombre des fibres contenues dans une unité motrice qui détermine en quantité et en durée l'activité électrique, de sorte que le tracé de l'oscilloscope varie en forme et en amplitude selon l'unité motrice considérée. C'est dire que chaque unité motrice affiche en quelque sorte sa propre signature électrique et que, même si son énergie potentielle ne s'exprime sur l'écran que par une courbe fugace, il est relativement facile, grâce au profil et à l'importance de cette courbe, d'identifier cette unité motrice. Cette caractéristique, qui facilite grandement l'étude des mécanismes inconscients, représente l'unique circonstance dans laquelle on peut rattacher à une fibre nerveuse isolée de la moelle épinière (nerf moteur) l'influx nerveux fourni à une unité motrice.

L'oscilloscope fournit donc une information visuelle sur l'activité d'une unité musculaire de laquelle la technique du biofeedback peut tirer parti. Cette activité électrique enregistrée est parfois utilisée aussi pour activer un signal acoustique, un bruit de cliquet par exemple. Étant donné que les potentiels provenant de l'énergie motrice mise en jeu sont de différentes formes, de différentes tailles, et qu'ils se produisent à intervalles irréguliers, le "son" provenant de l'activité musculaire de différentes unités motrices est donc perçu selon différents volumes et différents rythmes.

Quand on fournit à l'individu moyen une information de ce type, visuelle ou auditive, sur l'activité de quelques-unes de ses cellules musculaires et quand on lui demande de sélectionner telle ou telle unité motrice et de la contrôler, alors non seulement il apprend à maîtriser la "mise à feu" du groupe de cellules en question, mais il apprend aussi très vite à le faire*. Le fait en soi n'est rien moins que stupéfiant, si l'on songe que le potentiel électrique de chaque unité motrice est représentatif de l'action d'un seul des nerfs moteurs de la moelle épinière: celui qui précisément contrôle l'activité de ladite unité.

---

* Les enfants de cinq ans et les arriérés mentaux sont eux aussi capables de faire cet apprentissage du contrôle de leurs activités biologiques internes, ce qui m'incite à croire qu'il s'agit là d'une propriété innée de l'ensemble esprit-cerveau.

Cet apprentissage très sélectif aboutissant à la maîtrise de groupes musculaires isolés peut se faire de deux façons. Quand il s'agit de thérapeutique ou de recherche expérimentale, on demande ordinairement à l'individu de sélectionner lui-même une de ses unités motrices en l'identifiant sur l'écran de l'oscilloscope par son profil et son amplitude, et le plus souvent aussi par le signal sonore qui lui est associé. On lui demande ensuite d'apprendre de lui-même à modifier l'aspect de son tracé "par un procédé mental quelconque". En général, là se bornent l'information et les directives qui sont données aux sujets. Pourtant, au bout de quelques minutes et dans la plupart des cas, ces derniers apprennent à contrôler l'unité motrice dont ils ont fait le choix. En outre, presque tous les sujets sont capables d'acquérir le contrôle individuel ou simultané d'une douzaine de leurs unités motrices, voire davantage. Et il leur est tout aussi facile d'apprendre à exercer ce contrôle sur diverses unités motrices en les activant en série, ou selon des rythmes spécifiques.

Aussi étonnant soit-il qu'un individu puisse obtenir un tel résultat si rapidement, et à la demande, ce qui est plus étonnant encore, c'est la situation par laquelle il apprend à contrôler l'activité de ses cellules sans même avoir reçu la moindre information sur ce qui anime l'écran de l'oscilloscope. En fait, c'est cette situation même qui a permis la découverte de ce type de biofeedback. C'est elle aussi qui nous a amenés, moi et d'autres chercheurs, à renouveler au laboratoire la recherche expérimentale dans ce domaine. À partir du moment où des électrodes enregistrent l'activité électrique musculaire et où cette activité peut être lue sur l'écran de l'oscilloscope sans autre instruction ou indication d'aucune sorte, beaucoup de gens sentent s'éveiller en eux suffisamment de curiosité pour se livrer d'eux-mêmes au jeu mental qui consiste à découvrir si oui ou non ils sont capables de modifier le tracé qu'ils visionnent, ce qui leur fait très vite apprendre à isoler telle ou telle unité motrice et à contrôler son activité.

Le raffinement de ce contrôle des neurones moteurs du cordon médullaire résultant d'un apprentissage ne peut être pleinement compris en dehors d'une bonne connaissance des structures anatomo-physiologiques des cellules neuromotrices. La moelle épinière est constituée d'importants groupes de cellules de ce type, organisées en faisceaux dont l'importance varie selon les muscles et les aires musculaires spécifiques que ces faisceaux innervent. Pour que puisse s'effectuer une contraction musculaire harmonieuse et coordonnée, telle qu'on en observe dans les mouvements normaux, chaque cellule doit amorcer à son échelle une contraction qui soit asynchrone par rapport à celle des autres cellules auxquelles elle est associée. C'est-à-dire que les différentes contractions doivent s'effectuer selon un "décalage" temporel de quelque deux microsecondes environ, pour donner un ordre de grandeur. Car si toutes les cellules accomplissaient en même temps leur "mise à feu", la masse musculaire intéressée serait soumise à une brutale contracture. Donc, pour qu'une cellule isolée puisse être sélectivement activée, comme cela se produit dans les conditions d'apprentissage que nous venons de décrire, il faut que toutes les autres cellules qui lui sont fonctionnellement associées — c'est-à-dire qui oeuvrent conjointement avec elle pour produire des mouvements coordonnés — soient inhibées dans leur activité. Ce qui revient à dire que lorsqu'une cellule est volontairement contrôlée, cette même cellule sera sélectivement activée, tandis que simultanément toute activité sera supprimée dans les cellules connexes.

À mon sens, c'est là l'exemple frappant d'une conscientisation, d'une intelligence inexprimable et d'une autre nature. C'est là l'exemple d'une intelligence biologique qui ne s'exprime que par le changement physiologique qu'elle introduit dans sa propre activité cellulaire.

Un bilan des données d'observation

La performance d'esprit grâce à laquelle s'effectuent avec une telle précision dans l'organisme ces groupages électrochimiques est proprement inconcevable. Nous sommes ici en présence d'une situation que ne peut expliquer aucun apprentissage élaboré, ni aucune expérience préalable. Au contraire, c'est spontanément que des sujets sans préparation d'aucune sorte réagissent aux signes visuels et sonores qui objectivent l'activité cellulaire de leurs muscles et qu'ils utilisent ces symboles pour identifier et manipuler une ou deux cellules si minuscules que l'esprit, qui à présent les contrôle, ne s'est même jamais représenté leurs dimensions.

Dans cette remarquable démonstration de la faculté d'apprendre, seuls deux traits sont observables dans tout l'ensemble du processus. Un seul d'entre eux suffit à déclencher l'apprentissage: l'information sur l'activité cellulaire. Quant à l'autre trait observable, il est une conséquence de l'apprentissage: il s'agit du contrôle intentionnel exercé sur les cellules musculaires. Entre la simple perception des indices audiovisuels qui renseignent le sujet sur sa propre activité cellulaire et le contrôle des cellules musculaires qui en résulte, il existe certainement des processus mentaux d'une ahurissante complexité, processus qui non seulement sont dirigés par l'esprit avec une extrême précision, mais qui encore le sont en dehors de toute conscience de leur mode d'accomplissement.

En dépit de l'apparente simplicité de ce phénomène d'apprentissage, qui ne requiert rien de plus que des électrodes permettant d'enregistrer l'activité des cellules musculaires et un écran oscilloscopique pour les visionner, la technique nous fournit bien plus de données que nous n'en avons jamais eues à notre disposition pour étudier une activité mentale sur le vif. Mais si l'analyse du phénomène est relativement simple, je crois qu'avant même de décrire quelques-unes des caractéristiques universelles de l'inconscient que l'on peut déduire de cet apprentissage par le biofeedback, il convient de faire un rapide bilan des données d'observation, bilan qui permettra au lecteur de mieux comprendre ce dont je discuterai par la suite.

Étant donné que le degré de l'apprentissage peut être très exactement mesuré chez un sujet par la capacité qu'il a acquise de contrôler ses unités musculaires motrices, cela permet de faire bien des déductions sur diverses opérations mentales. Dans les situations d'apprentissage que j'ai précédemment décrites, par exemple, on peut tenir pour certain que le pouvoir de contrôler des cellules isolées est un pouvoir acquis intentionnellement, que d'une façon quelconque l'inconscient s'est donné pour but de remplir une tâche bien précise (le contrôle d'une activité physiologique spécifique) et que simultanément s'est effectuée une projection des résultats que pourrait amener l'apprentissage de ladite tâche. En d'autres termes, quelque chose dans l'esprit a perçu certains éléments de la situation (l'activité électrique affichée à l'écran, couplée soit aux instructions reçues, soit à diverses associations mentales nées de la curiosité d'approfondir l'expérience), puis s'est fixé inconsciemment sur ce qui *pourrait* ultérieurement se produire, a découvert ce qu'il convenait obligatoirement de faire pour que soit rempli le but poursuivi, a ensuite pris une décision en conséquence et a enfin effectué l'opération cérébrale qui rendait exécutoire l'intention de contrôler les interventions neurophysiologiques indispensables à la réalisation concrète de l'entreprise. Mais du fait que le sujet, dans les cas semblables, n'a aucune conscience claire de l'apprentissage qu'il est en train de faire, c'est donc l'inconscient qui assume tout le processus de direction des opérations mentales et physiologiques mises en jeu pour que soient traduites dans les faits les intentions consciemment formulées.

Résumons pour finir les principaux aspects de ce processus d'auto-apprentissage.

À l'origine, un certain nombre de *concepts* se présentent à l'esprit. Un de ces concepts est contenu dans les signaux électriques traduisant l'activité d'une cellule isolée et affichée sur l'écran de l'oscilloscope. Cette information visuelle est en fait un symbole, une représentation du fonctionnement biologique de cette cellule nerveuse unique et du groupe de myofibrilles qu'elle innerve. Il s'agit donc bien de l'abstraction d'un phénomène affectant le système nerveux central dans le temps comme dans l'espace, c'est-à-dire de la symbolisation sptatio-temporelle d'une certaine activité biologique. D'autres concepts — explicites ou implicites — occupent également l'esprit sous forme d'instructions (ou de stimulants de la curiosité), d'autres l'occupent encore sous forme de préoccupations liées aux attitudes de ceux qui entourent le sujet et aux caractéristiques mêmes de la séance de biofeedback. L'ensemble de ces différents concepts est assimilé et dissocié en une multitude d'éléments d'information et de suggestions que l'esprit examine et auxquels il se conforme.

Étant donné qu'ensuite rien d'autre que l'intimité de l'ego ne sépare plus ce déploiement conceptuel du résultat final, c'est-à-dire de la manipulation de cellules isolées, il nous faut bien admettre que l'esprit-cerveau exploite pleinement l'information qui lui est fournie — l'idée, les symboles, la décision, l'incitation ambiante — pour remplir un but prédéterminé, à savoir celui d'apprendre à accomplir une activité physique bien précise. C'est à l'esprit-cerveau qu'il incombe de se représenter par projection ce que doit être le résultat final pour que le but poursuivi soit prédéfini.

Cette opération mentale, par laquelle l'intention est commuée en action, est en vérité fort complexe. Car en fait l'esprit exploite l'information dont il dispose pour produire de façon concrète une modification *ordonnée* de l'activité biologique. Qu'il s'agisse des cellules, de la chimie cellulaire, du transit électrique dans le système nerveux central, tout est dirigé de façon précise et efficace pour remplir un but prédéterminé qui n'existe encore que dans l'esprit. De cette action résulte un contrôle, et un contrôle volontaire, qui modifie l'activité physiologique de telle façon que les changements introduits s'accordent non seulement à ce que les instructions exigent, mais encore au maximum de précision, à la discrimination la plus fine dont soit capable le système biologique: la modification de l'activité d'une seule cellule. Ici, la décision volontaire transcende le biologique.

L'intellection inconsciente et l'information qu'elle exploite

Pour se faire une idée des extraordinaires pouvoirs que déploie l'esprit quand il apprend à contrôler les fonctions organiques, il suffit de considérer combien l'information à partir de laquelle il opère est indigente et vague. Cette information est de deux types, qui nous sont aussi peu familiers l'un que l'autre.

D'abord, l'information visuelle ou auditive — ou encore audiovisuelle — qui est fournie à l'esprit *sur* l'activité électrique des unités motrices musculaires, information qui concerne aussi l'activité des neurones moteurs spinaux, n'est en soi qu'une abstraction, une représentation électronique qui, pour être interprétée, exige d'être décodée. Cette représentation d'un potentiel électrique visible sur un écran d'oscilloscope, ou audible sous forme de signal sonore, ne traduit, répétons-le, que des événements qui ne surviennent que dans les dimensions spatio-temporelles du cerveau. Il importe aussi de se rappeler que l'esprit, dans ce cas particulier, n'a jamais encore perçu la moindre impression d'activité myocellulaire. Il s'agit donc d'une information qui n'est apportée au sujet s'initiant à la technique du biofeedback que par un conducteur électrique (le câble de l'électrode) et par l'explication donnée par l'expérimentateur.

Ensuite, le second type d'information que va pouvoir exploiter le sujet pour apprendre à contrôler ses cellules neuromotrices est représenté par sa perception cognitive des instructions qu'il reçoit. Ces instructions peuvent consister en un ordre (celui de contrôler l'activité cellulaire) ou en une suggestion. Mais, dans un cas comme dans l'autre, l'information explicite qui est fournie se réduit à un strict minimum et n'en apprend guère au sujet sur le *mode* d'acquisition du contrôle cellulaire qu'on attend de lui, pour qui en outre ce genre d'expérience est tout à fait nouveau. Bref, c'est avec de bien maigres indications didactiques qu'il entreprend ce curieux apprentissage. Mais il reste pourtant que les injonctions ou les directives qui lui sont données, si indigentes soient-elles, n'en recèlent pas moins bon nombre d'éléments implicites d'information. Par exemple, il est implicitement affirmé dans ces directives que la tâche à entreprendre est parfaitement réalisable, qu'au bout d'un certain temps celui qui l'entreprend pourra s'en acquitter avec succès et qu'il est tout à fait en mesure d'apprendre à le faire.

Nous l'avons déjà dit, l'apprentissage s'opère de lui-même, qu'il ait été ou non guidé par des instructions circonstanciées. En présence d'éléments d'information relatifs à un phénomène quelconque, l'être humain est spontanément capable d'extraire et d'abstraire ceux des éléments qui pour lui sont significatifs (conduite exploratoire), de former des concepts, de tenter divers types d'interventions organiques et ordinairement de faire le choix d'une procédure effective permettant d'acquérir la maîtrise de tel ou tel phénomène. Quand l'information disponible se rapporte à son ego, et en l'absence de toute expérience préalable, cette information est alors identifiée à celle dont le sujet dispose déjà sur sa propre image, et cette identification catalyse des pulsions innées tendant à imposer un certain ordre conceptuel.

Qu'une intervention intelligente soit nécessaire pour exécuter des instructions, explicites ou implicites, le fait est illustré par le genre de recommandations ordinairement faites lors des expérimentations psychologiques. Quand il s'agit par exemple d'apprendre au sujet à contrôler ses unités motrices, les instructions données sont le plus souvent limitées à une formule du genre: "Ces symboles visuels et auditifs représentent l'activité de vos cellules musculaires. Vous devez donc en choisir un ou deux et essayer de les contrôler." De telles recommandations, qui contiennent à la fois un constat de situation et un exposé du but à atteindre, exigent donc pour être interprétées certaines capacités mentales intelligentes. L'effet de ces exhortations à faire un certain apprentissage est simplement de fournir à l'individu une information qu'il peut intelligemment exploiter pour atteindre à un but désiré. Une instruction ne peut donc jamais aller droit au coeur du processus d'apprentissage. Elle ne peut que dégrossir la question, donner quelques directives d'ensemble, mettre globalement l'intéressé sur la voie ou bien lui confirmer qu'il progresse.

Une des caractéristiques de l'information apportée par le biofeedback passe particulièrement inaperçue. Car l'information fournie n'est en réalité qu'un substitut d'information. Il convient en effet de ne pas perdre de vue que, dans cette technique, l'information fournie sur l'activité musculaire est exclusivement visuelle et auditive, et n'est représentée que par des tracés sur l'écran de l'oscilloscope et des signaux sonores. Alors que normalement les muscles sont au contraire en grande partie contrôlés grâce à une information fournie au cerveau par des cellules sensitives logées dans les masses musculaires elles-mêmes, et dont le rôle est de détecter les tensions. En d'autres termes, et dans les circonstances normales, les systèmes physiologiques responsables du contrôle et de la régulation automatiques de l'organisme utilisent, pour jouer leur rôle, une information proprioceptive directement puisée dans l'intimité des organes. Dans l'apprentissage du biofeedback en revanche, l'information sur la fonction physiologique qui doit être contrôlée est perçue au terme d'un cheminement sensoriel fort différent, en l'occurrence par l'intermédiaire de la vue et de l'ouïe. Il s'agit donc bien là d'une information substitutive. Il s'ensuit que les mécanismes cérébraux qui exécutent une action projetée peuvent *indifféremment* exploiter n'importe quel type d'information, à partir du moment où cette information renseigne de façon suffisamment précise sur la fonction considérée.

Cette possibilité, qu'on observe dans le biofeedback, de tirer parti d'une information substitutive, démontre que l'esprit est capable de remplacer un lot d'éléments informationnels innés et primaires par un autre lot d'éléments fort différents du premier, ce qui laisse supposer que l'esprit-cerveau dispose probablement de diverses sources d'information sensorielle qui le renseignent sur l'activité physiologique et que ces sources peuvent toutes êtres mises en exploitation à partir du moment où la situation s'y prête ou l'impose. C'est probablement ce même phénomène qui permet aux aveugles et aux sourds de substituer certains lots d'information sensorielle à ceux qui leur font défaut et de compenser l'absence d'un de leurs champs perceptuels en apprenant à aiguiser considérablement les autres sens dont ils disposent. Il nous faut donc considérer ces sources latérales d'information sensorielle comme des dispositifs auxiliaires opérant en quelque sorte indépendamment des systèmes qui normalement s'acquittent de la régulation des fonctions physiologiques. En certaines circonstances, n'importe quel dispositif pourvoyeur d'une information sensorielle de substitution peut être utilisé pour percevoir une situation donnée et renseigner de façon appropriée des systèmes qui, normalement, n'exploitent pas ou ne nécessitent pas cette source auxiliaire d'information*.

Une dernière observation nous apporte encore des lumières supplémentaires: quiconque s'initie au biofeedback est capable d'apprendre à contrôler ses unités motrices musculaires selon diverses modalités, en les activant selon différentes combinaisons, ou encore indépendamment les unes des autres, et selon une fréquence bien définie, toutes les secondes par exemple. Ces performances prouvent non seulement que le sujet contrôle sélectivement l'activation et l'inhibition de ses unités motrices, mais aussi qu'il le fait avec un parfait synchronisme, ce qui démontre l'existence d'un faculté mentale inconsciente et *intentionnelle* d'assigner à la cellule nerveuse un cadre d'activité à la fois spatial et temporel.

Quelques preuves des facultés de l'inconscient

Chacune des observations de routine effectuées quand un individu acquiert la maîtrise de ses unités musculaires est en soi riche d'enseignements.

Le premier fait d'observation consiste bien sûr à constater que l'apprentissage s'effectue aisément et rapidement, le plus souvent en deux à cinq minutes. C'est dire avec quelle célérité se déroulent les opérations mentales incroyablement complexes que nécessite un tel apprentissage. Étant donné que le processus qui s'interpose entre l'intention de réussir et la

---

* Considérer l'information sensorielle selon cette perspective peut nous aider à expliquer certains dérèglements de l'esprit-cerveau, comme la confusion mentale chez l'enfant, les difficultés d'apprentissage ou encore des réponses musculaires inadéquates telles que le rire chez certains sujets qui en réalité ont envie de pleurer. C'est peut-être là le fait d'une dissonance perceptuelle provoquée par le mélange de lots d'informations sensorielles provenant de différentes sources et retentissant sur des sytèmes que normalement ces informations ne devraient pas affecter.

réussite acquise par volonté est un processus parfaitement ordonné, il en résulte que l'intention d'apprendre et de réussir *anticipe* d'une façon quelconque l'ordre dans lequel vont se dérouler les événements neuroniques pour que le résultat obtenu soit conforme à l'intention projetée.

Puis, que ce soit l'inconscient seul qui se charge de mener à bien cet apprentissage — par lequel le sujet se rend capable de contrôler ses unités motrices et les nerfs isolés qui les servent, puis de renouveler à volonté ce contrôle —, voilà qui est riche de conséquences pour qui cherche à percer la nature de l'esprit. Que cette aptitude de l'homme à contrôler ses propres activités physiques puisse relever de ses fonctions mentales inconscientes tout en procédant d'une démarche intentionnelle, c'est là un fait aisément confirmé par cette technique de biofeedback. J'ai décrit ailleurs (dans *New Mind, New Body*) l'expérimentation conduite par Basmajian sur un sujet journaliste de télévision qui s'était mis en tête d'apprendre à contrôler ses unités motrices musculaires en même temps qu'il mènerait une interview filmée. En dépit des mises en garde de Basmajian, le journaliste s'était obstiné à n'en faire qu'à sa tête. La séance de biofeedback avait donc eu lieu. Et aussi l'interview filmée. Une interview de trente minutes qui, on le devine, avait mobilisé totalement l'attention consciente de l'interviewer. Or, à la grande surprise de l'expérimentateur, son sujet avait appris dans le même temps à contrôler ses unités motrices!

Une autre observation, routinière celle-là, ne laisse pas d'intriguer: dès qu'un sujet en vient à parfaitement contrôler son activité musculaire spécifique, si ce contrôle est constamment maintenu (disons pendant cinq minutes ou davantage, pour donner un ordre de grandeur), il en éprouve une fatigue mentale extrême, preuve d'une énorme dépense d'énergie. Étant donné que le travail requis pour activer quelques cellules musculaires est infime, comparé à l'énergie qu'il faut mobiliser pour mouvoir un muscle tout entier, il est donc probable que la dépense énergétique est liée à une intense concentration. Ce qui est troublant dans ce phénomène de fatigue extrême, c'est que le sujet n'est nullement conscient de fournir un certain travail pour accomplir la tâche qu'il s'est assignée, puisque tout le processus d'apprentissage s'accomplit et est mené à terme sans la moindre participation de la conscience claire. Même si, comme je l'ai déjà fait observer, la performance est en tout point conforme aux instructions reçues et exploite à plein les capacités de réponse du système biologique considéré.

Ces observations expliquent pourquoi le phénomène du biofeedback se prête si aisément à l'étude des mécanismes mentaux inconscients. La seule information dont dispose le sujet est une information abstraite, qui exige de lui des opérations cérébrales complexes; et aussi une information substitutive, indépendante de toute expérience préalable. Or, l'apprentissage se fait, et la mémoire inconsciente du sujet enregistre la capacité ainsi acquise de modifier l'activité électrochimique des cellules, capacité grâce à laquelle la performance peut être renouvelée à volonté.

De tout ceci, on peut conclure à l'existence d'une somme remarquable d'activités mentales complexes qui n'affleurent jamais à la conscience lucide. Quand un individu assimile ce type d'apprentissage, il faut pourtant de toute évidence, pour que puissent s'effectuer les associations adéquates, que l'information qui rend signifiante la tâche à entreprendre soit d'abord perçue, puis disposée selon un certain ordre. Il faut aussi qu'interviennent des processus de l'esprit-cerveau permettant une évaluation pertinente et du mode de représentation de l'information fournie par les signaux du biofeedback, et du mode de perception cognitive de cette information. Il faut encore qu'existent des processus capables de sélectionner les réseaux nerveux qui se prêtent à l'apprentissage. Il faut enfin que d'autres processus activent ces réseaux de façon remarquablement sélective. Or, toutes ces opérations sont exécutées "inconsciemment". Ce qu'il y a de miraculeux dans l'activité de l'esprit, c'est cette faculté qu'il possède *d'apprendre à contrôler intentionnellement le flux des impulsions électriques dans les neurones qu'il choisit.*

Le sens de l'ordre, propriété fondamentale
de l'esprit-cerveau

Une des caractéristiques les plus frappantes du phénomène de biofeedback, et plus particulièrement encore quand
celui-ci se donne pour objet le contrôle des cellules neuromus-
culaires, est l'ordre accompli dans lequel s'effectue l'apprentissage. Sans disposer de rien de plus qu'une représentation
mécanique de l'activité des cellules musculaires, assortie d'une
incitation plus ou moins explicite à en prendre le contrôle, un
quelconque dispositif mental se charge d'exécuter de bout en
bout les instructions, cela avec une précision et une célérité
remarquables, pour aboutir à une modification *ordonnée* de
l'activité physiologique. Par l'intermédiaire de réseaux
cérébraux constitués de milliards de synapses, des filaments
nerveux sont sélectionnés, puis telle activité chimique et tel
comportement électrique leur sont assignés, le tout sous une
direction d'une incroyable efficacité, puisqu'elle se révèle
capable de remplir un objectif qui n'existe encore que dans
l'esprit.

La rapidité, la spécificité et l'efficience avec lesquelles
s'accomplit cet apprentissage (en moins de deux minutes
parfois) impliquent l'existence de mécanismes capables d'une
mise en ordre à l'échelle moléculaire des activités physiologiques de l'organisme, cela dans la perspective d'atteindre à
un nouvel objectif conçu et défini par les fonctions intellectuelles de l'esprit-cerveau. En outre, cette opération de mise
en ordre *devient prioritaire par rapport aux effets de toute
autre activité spontanée ou automatique*, ce qui indique fortement que l'esprit-cerveau est doté d'une fonction indépendante capable de formuler et de faire exécuter des ordres
destinés à l'activité physiologique, ordres qui d'ailleurs sont
taillés sur mesure, soit de la propre initiative de l'esprit-
cerveau, soit par quelque autre faculté décisionnelle autonome
de l'esprit. Étant donné d'autre part que le résultat de ce processus de commandement est parfaitement conforme à l'intention de départ (qui était de modifier l'activité physiolo-

gique, même si l'individu n'a pas la moindre conscience de la façon dont il doit s'y prendre pour en venir à ses fins), il s'ensuit que tout le processus s'accomplit de la façon la plus précise qui soit, tout en ne mettant à contribution qu'avec la plus grande parcimonie les mécanismes physiologiques sollicités. C'est en cela qu'on peut avancer l'hypothèse que l'ensemble esprit-cerveau est doué de qualités innées hautement développées et que l'une d'entre elles peut être qualifiée de sens de l'ordre.

Ce sens de l'ordre se distingue nettement des autres sens supérieurs exclusivement perçus par l'inconscient. Il s'agit en substance d'une conscientisation de l'enchaînement selon lequel doivent s'effectuer certaines opérations, conscientisation qui implique la faculté de percevoir comment les choses *vont* s'ajuster les unes aux autres ou encore de percevoir qu'elles s'ajustent convenablement une fois qu'elles se sont enchaînées. Ce sens de l'ordre se distingue nettement aussi du sens de l'harmonie, lequel se ramène à la sensation consciente que les différents éléments d'un ensemble sont agréablement assortis les uns aux autres. Le sens de l'ordre, lui, se marque essentiellement par *la capacité innée d'anticiper des séquences ordonnées.*

On peut également déduire qu'existe un certain sens de l'ordre du *désordre* même dont témoigne la conscience lucide en certaines circonstances. La logique curieusement anarchique du rêve, des perceptions et des sensations subjectives dues aux hallucinogènes est bien connue. Dans un cas comme dans l'autre, ces désordres, par démonstration contraire, prouvent que sensations et perceptions fonctionnent de façon ordonnée quand elles ne sont pas perturbées.

Pour la plupart des théories dominantes qui proposent une explication des facultés de l'esprit, la sensation ou conscientisation naît à partir d'événements nerveux bien réels se déroulant dans le cerveau ou bien s'accomplissant parallèlement à ces événements. La même explication pourrait très exactement s'appliquer au sens de l'ordre, puisque, à partir du moment où des processus neuroniques sont organisés avec une rigueur méthodique, une certaine conscience de cette organisation ordonnée se développe. Mais cela n'explique en rien pourquoi dès le départ une mise en ordre s'est instaurée.

Si les animaux et l'homme développent de nouveaux dispositifs sensoriels, tels que le sens ontologique ou le sens d'une conscience de l'identité individuelle, on ne peut alors que supposer que ce sens de l'ordre, qui semble intervenir dans l'apprentissage du contrôle des unités motrices, est lui aussi un fait d'évolution. Autrement dit, cette conscience innée, différenciée, d'une mise en ordre naturelle des événements biologiques se déroulant dans l'intimité de l'être, pourrait fort bien évoluer davantage encore grâce à l'acquis de l'expérience vécue. Il est vraisemblable que l'ordonnance originelle de l'entité physiologique est déterminée par la substance des gènes et des chromosomes, et que cette ordonnance physique et fonctionnelle est perçue d'une façon ou d'une autre par l'organisme. (À ce propos, le lecteur pourra se reporter aux pp. 73-77 de ce livre, consacrées à la discussion d'une conscientisation biologique.) S'il en est ainsi, alors ce sens inné de l'ordre pourrait donc être modifié par l'expérience vécue et l'apprentissage, développement logique qui ne pourrait que profiter à l'organisme, du fait que le processus méthodique de mise en ordre serait alors conçu en vue d'un maximum d'efficacité et de rendement, facteurs garantissant le bien-être et la survie.

Une des révélations qu'apporte la conscience cosmique consiste en une connaissance inexprimable de l'ordonnance unificatrice qui régit l'univers. Si le sens de l'ordre existe, alors il ne peut que se ramener chez l'individu à la capacité de percevoir, biologiquement et inconsciemment (si ce n'est en toute conscience), que les événements organiques de nature chimique et électrique, indispensables à la réalisation d'un objectif que la conscience appréhende seulement de façon vague, obéissent eux aussi à un certain ordre. Quant à savoir ce qui réduit concrètement ce sens de l'ordre, il ne peut s'agir que d'un facteur double: l'intentionnalité et la directivité.

Le décisionnel et l'exécutif

Des événements qui se déroulent dans l'inconscient au cours de l'apprentissage par le biofeedback, on peut également déduire que l'intention, ou si l'on veut la volonté, semble opérer en tant que fonction mentale autonome. L'intention peut se définir comme une décision qui peut bien sûr consister aussi à ne rien entreprendre du tout. Il s'agit donc d'une volonté d'agir ou de ne pas agir. On définit ou décrit communément l'intention comme une décision d'action fondée non seulement sur la prise en considération de la valeur que représente le but poursuivi (tel ou tel objectif spécifique), mais fondée aussi sur une estimation de l'efficacité relative de différentes actions possibles, ainsi que sur l'appréciation de leurs conséquences futures. La plupart du temps, les théories psychologiques ramènent purement et simplement la volonté à la motivation, alors qu'en fait cette dernière consiste en une sollicitation intérieure pressante, en un élan qui porte à l'action, sans pour autant qu'intervienne la décision ou la volonté déterminée d'agir.

Ce qui est certain, c'est que la volonté d'agir dépend de l'évaluation de l'information considérée comme significative par rapport au but poursuivi, mais que cette volonté en elle-même ne fournit nécessairement l'énergie requise ni pour entreprendre l'action, ni pour l'accomplir conformément à la décision d'agir ou de ne *pas* agir. Car c'est l'esprit lui-même qui décide si l'intention doit être suivie d'exécution ou bien rejetée. De plus, l'intention peut être aussi bien passive qu'active, étant donné que les mécanismes mentaux internes peuvent indifféremment être "mis en veilleuse" — ce qui permet l'émergence de telle ou telle autre sensation ou conscientisation — ou encore être activés en vue d'une action immédiate.

L'intention anticipe les buts, même quand ceux-ci ne procèdent d'aucune expérience préalable et d'aucune connaissance immédiate. Ce qu'on appelle Volonté est probablement la somme de plusieurs opérations mentales distinctes: faculté de projeter mentalement une action avant que celle-ci ne soit entreprise, capacité de comparer entre les différentes possibilités d'action et de jauger leurs efficacités relatives, aptitude à soupeser les mérites intrinsèques des buts projetés. Que la volonté soit une fonction mentale émergente capable d'opérer de façon autonome est démontré par le fait qu'elle peut retentir sur n'importe quel des systèmes organiques, alors que tous sont remarquablement différents les uns des autres par leur composition chimique et histologique.

Un des attributs les plus extraordinaires de la volonté, c'est le pouvoir de régulation qu'elle exerce sur la substance même de laquelle elle procède: le cerveau. Car, à partir du moment où l'intention dirige le comportement, c'est l'activité cérébrale qu'elle dirige.

Ajoutons que ce n'est pas la volonté qui exécute les ordres. Elle se contente de les donner. La mise à exécution des ordres exige en effet l'intervention d'un mécanisme séparé qui soit capable d'assurer la direction des événements mis en jeu. Autrement dit, pour que la volonté puisse s'exercer, il faut qu'une autre fonction de l'esprit, indépendante et opérationnelle, sorte de coordinateur ou d'exécutif, transforme en acte la volition. C'est ce mécanisme directionnel qui définit de façon précise quels trajets effecteurs, parmi les réseaux nerveux, vont véhiculer l'influx vecteur de l'action appropriée, grâce à laquelle telle ou telle fonction organique sera modifiée. Si, pour prendre un exemple, l'envie me prend de mordre dans mon sandwich alors que je travaille, et si quelque chose me distrait au moment même où je vais mettre à exécution mon intention, alors il se peut fort bien que je porte mon crayon à la bouche. L'intention était bel et bien présente, mais pas la direction responsable de l'action volontaire. On entrevoit donc toute la complexité de ce processus par lequel la volition est commuée en action.

Le principe de Brownenberg

Quand, grâce au biofeedback, un individu apprend à contrôler une de ses fonctions physiologiques, la seule chose qu'il peut en dire après coup, c'est qu'il est parfaitement conscient de sa réussite, mais qu'il ignore totalement *comment* il s'y est pris pour acquérir ce contrôle. En fait, c'est exactement ce qui se passe aussi pour n'importe quel autre type d'apprentissage. Nous sommes incapables de décrire le processus interne qui nous a permis d'apprendre.

En effet, il est en dehors de nos capacités de connaître, d'expérimenter ou de percevoir consciemment la nature de nos processus mentaux internes. En d'autres termes, nous sommes incapables de conscientiser *comment* nous pensons *au moment même* où nous pensons. Conscientiser, c'est prendre conscience d'agir, mais non pas prendre conscience de la *façon* selon laquelle nous agissons.

Tout ce qu'on sait de l'apprentissage, c'est que, à partir du moment où l'on dispose de certains éléments d'information et où l'on accomplit un certain effort mental, on apprend quelque chose. Mais on n'a pas la moindre idée du mode selon lequel on a appris, et donc pas la moindre conscientisation de la *façon* dont on apprend *au moment même* où l'on apprend.

C'est en réfléchissant à cet imbroglio que j'ai formulé un principe explicatif inspiré du principe d'incertitude de Heisenberg, bien connu en mécanique quantique.

En vertu de ce principe, si l'on connaît la vitesse d'une particule, il est impossible de déterminer la position exacte que cette particule occupe dans l'espace, et si l'on connaît son énergie, il est également impossible de déterminer sa position exacte dans le temps. Par analogie et à titre de pure facétie, j'ai donc baptisé principe de Brownenberg cette situation qui nous rend incapables d'objectiver consciemment le processus par lequel un individu acquiert le contrôle volontaire d'une fonction organique, ou autrement dit apprend à s'acquitter d'une tâche précise.

Le principe de Brownenberg s'énonce de la façon suivante: à partir du moment où votre cerveau se livre au traitement d'une information, il est impossible de savoir que vous la traitez, du fait même que cette information en cours de traitement occupe le même espace neuronal que celui qui vous permettrait de prendre conscience de ce qui fait l'objet dudit traitement.

Et, bien entendu, la réciproque est vraie: à partir du moment où vous devenez conscient qu'une information *a été* traitée, il vous est impossible de traiter une autre information au moment même de cette prise de conscience, du fait que les mécanismes qui sous-tendent votre activité consciente occupent le même espace neuronal que celui qui vous permettrait de traiter une nouvelle information.

Mais revenons aux choses sérieuses.

L'inconscient, maître ordonnateur des fonctions de l'esprit

Apprendre à contrôler une cellule isolée représente sans nul doute l'exemple le plus achevé de cette faculté inconsciente d'assimiler l'information, d'interpréter les perceptions, d'élaborer des associations, d'évaluer des significations, de faire le choix d'un mode d'exécution d'une intention qui soit le plus judicieux possible et finalement de promouvoir une activité sélective.

C'est tout juste si la science de l'esprit-cerveau a effleuré cet univers extraordinaire de l'inconscient, alléguant pour sa défense qu'aucun fonds de données fiables, expérimentalement contrôlables, ne reflétait les événements les plus obscurs qui surviennent dans l'esprit.

Une telle allégation n'est désormais plus fondée, car nous disposons aujourd'hui de techniques qui ouvrent des voies nouvelles à l'étude de l'inconscient. L'acquisition du contrôle des unités motrices musculaires, par exemple, permet de mettre en évidence avec une précision inégalée les processus inconscients. Nous sommes par ailleurs capables de mesurer plus directement que par le passé les effets de la perception infraliminaire ou l'influence exercée par les motivations refoulées et inconscientes. Nous sommes capables de mettre en évidence le retentissement que peuvent avoir sur les perceptions les souvenirs d'expériences antérieures ou les distorsions de l'esprit "intelligent" consécutives à une fausse information, ou encore d'explorer des processus mentaux dont nous n'avons jamais été très assurés de l'existence*.

Une ère nouvelle, marquée par une meilleure compréhension de la fonction mentale, s'ouvre tout juste à nous, du fait que nous disposons à présent de techniques neuves permettant d'isoler et de caractériser les activités et les pouvoirs constitutifs de l'esprit selon des modalités qui satisfont aux critères scientifiques. Nous sommes désormais en mesure de mesurer quantitativement et d'exprimer en unités physiques les effets des opérations mentales sur les fonctions organiques du corps. Jamais encore nous n'aurions pu comme aujourd'hui entreprendre une étude aussi systématique des mystérieux phénomènes qui se déroulent en arrière-plan de la conscience lucide, qu'il s'agisse de la perception infraliminaire, de l'hypnose, des mécanismes de la conscientisation, de la clairvoyance, et de centaines d'autres encore qui, depuis les débuts de l'humanité, sont autant d'énigmes pour l'homme. À nous de briser les barrières qui emprisonnent l'esprit-cerveau.

---

* J'ai déjà décrit dans *New Mind, New Body*, les expérimentations fort ingénieuses conduites par le Dr David Kahn, lesquelles consistaient à combiner différents types de contrôles des unités motrices acquis par apprentissage et à étudier leur action sur des données ambiguës ou conflictuelles présentées au sujet en mode infraliminaire. En dépit des promesses remarquables qu'offrait cette technique, les expérimentations furent malheureusement interrompues avant d'être menées à terme. Il semble que l'extrême complexité de la procédure mise en oeuvre ait dissuadé les autres expérimentateurs de se livrer à des recherches similaires.

Appendice A

•

Les théories du stress qui font autorité ne nous aident
guère à comprendre le sens de l'adjectif *stressant*. Car,
quand ces théories — qu'elles soient biomédicales, psychologiques ou biochimiques — nous parlent du stress, il en est
certaines qui se préoccupent essentiellement de l'origine des
réactions au stress et non de la nature de ce dernier, alors que
d'autres s'attachent davantage aux changements physiologiques qu'on observe dans un organisme stressé qu'au phénomène de stress en lui-même.

Pour la théorie psychodynamique, par exemple, les
réactions au stress auraient pour origine certains contextes
psychosociaux qu'il faudrait considérer comme des causes de
conflits inconscients, lesquels provoqueraient à leur tour des
réactions de défense, également inconscientes, grâce auxquelles l'individu se prémunirait contre l'angoisse générée par
ces conflits. Mais cette interprétation a pour principal défaut
de ne pas tenir compte des caractéristiques essentielles qui
rendent stressant le contexte psychosocial considéré et, pis
encore, ignore la question pourtant fondamentale de savoir
comment des opérations purement inconscientes peuvent
transformer les molécules et les corps chimiques sur lesquels
repose la physiologie organique pour provoquer des dérèglements pathologiques tels que l'asthme ou l'ulcère.

Quant à la théorie cognitive, elle prend pour postulat
que des "intermédiaires" cognitifs s'interposent entre les

événements stressants et les réactions organiques au stress, ce qui nous éclaire à peu près autant que lorsqu'on nous déclare que sur les automobiles un dispositif de combustion s'interpose entre la pompe d'alimentation du carburateur et la pédale de l'accélérateur. Si la théorie cognitive est si ambiguë, c'est essentiellement parce que le mot cognition s'applique en fait à *tous* les modes de connaissance, depuis l'imagination jusqu'au jugement porté sur des valeurs morales. Mais il n'empêche que certains adeptes de cette théorie n'en ont pas moins réussi à formuler *quelles* activités cognitives sont mises en jeu dans les réactions de stress ou à décrire comment l'idéation peut commuer en changement physique un événement qui se déroule dans l'esprit.

La recherche psychophysiologique avance la théorie de l'"éveil". Selon elle, le "stress" stimule (éveille) les systèmes physiologiques, eux-mêmes responsables de signes physiques et des symptômes de désordre du "stress". Comme par hasard, cette théorie oublie de suggérer comment le "stress" s'y prend pour réaliser une telle prouesse.

Il faut mentionner enfin la théorie de Hans Selye, qui tout entière tient dans la description qu'il a faite de son syndrome d'adaptation, caractérisé par des immunoréactions de systèmes physiologiques et biochimiques, à un stress *physique* tel qu'une agression due à des agents chimiques ou bactériens, mais non pas à un "stress" psychologique ou socio-relationnel.

Appendice B

•

Si c'est véritablement l'esprit qui fabrique le "stress", la question qui se pose est la suivante: comment cette entité unique se transforme-t-elle en des réactions si nombreuses et si *variées*, telles que nous les avons répertoriées dans le premier tableau de ce livre?

Alors que je réfléchissais à cette question, il m'apparut clairement que les différents modes d'expression du stress ne pouvaient dépendre que des diverses expériences contenues dans les réceptacles mentaux des individus stressés, de leurs connaissances acquises, de leur culture propre, de leurs souvenirs, de leur personnalité distinctive, ainsi que des empreintes comportementales gravées dans leurs systèmes intellectuels de mémorisation. Ce principe selon lequel un agent causal, le "stress", se transforme en différents types de désordres émotionnels et physiologiques n'a pas été sans me rappeler les observations originales de Selye sur le stress physique.

Le jour où le futur Dr Selye, du temps qu'il n'était encore qu'un jeune étudiant en médecine, commença de se creuser la tête pour tenter de donner un sens cohérent à la cohorte des malades illustrant la diversité des manifestations de stress, il se pourrait fort bien que se soit esquissée une interprétation intuitive de l'homme moderne qui compte parmi les plus décisives. Car si les consultants qu'il observait étaient affligés de désordres fort différents les uns des autres, tous affichaient certaines apparences, certaines caractéristiques communes. Tandis que Selye tentait de comprendre le pourquoi de ce phénomène, ses observations se cristallisèrent en une conclusion toute simple, mais assez fondamentale pour faire craquer le cadre sophistiqué de l'interprétation scientifique. Car tous les patients qu'il examinait, et indépendamment de la symptomatologie clinique qu'ils présentaient, manifestaient les signes d'un syndrome que Selye ne put baptiser autrement que "syndrome de malaise".

Reconnaître qu'un malade a l'air malade, voilà qui à première vue ressemble bien peu à une observation clinique! Et pourtant, ce que Selye sut voir, c'est que ces gens n'étaient pas seulement malades *chacun à sa manière*, mais aussi que tous avaient en commun une certaine et même façon de souffrir, et que d'un simple coup d'oeil on pouvait s'en apercevoir. C'est donc qu'il existe, se dit Selye, un processus qui provoque invariablement de la part de l'organisme un même type de réponse à une agression ou à une invasion bactérienne, *quelle qu'elle soit*. Car le "syndrome de malaise" s'accompagne toujours de la même symptomatologie, peu importe la cause de l'affection. C'est de cette observation pourtant bien modeste et sans fioritures que Selye devait tirer plus tard sa conception du stress.

Car ce qu'il venait de découvrir, c'est que les différents types de stress physique sont convertis par des mécanismes physiologiques en diverses réactions physiques spécifiques, mais aussi en une même réponse stéréotypée, identifiable précisément grâce à ce fameux "syndrome de malaise". Aussi simple soit-il, ce concept n'est pas si facile à saisir. Ce que Selye a démontré, c'est que, quelle que soit la nature du stress physique (chaleur, froid, blessure, infection), il se superpose toujours à la réaction spécifique (vasodilatation, vasoconstriction, tuméfaction, migration de leucocytes) des réactions organiques non spécifiques qui sont invariablement les mêmes, indépendamment du type d'agression physique dont l'individu a fait l'objet. Ce sont précisément ces changements biochimiques non spécifiques qui indiquent que l'organisme est véritablement le siège d'un "syndrome de malaise".

Je ne voudrais en rien marcher sur les brisées de Selye. C'est à lui qu'on doit d'avoir ouvert la brèche qui nous a permis de considérer ce qu'il y avait de simple derrière le complexe; c'est son exemple qui m'a persuadée que ce que j'appelle "syndrome d'inquiétude" met en oeuvre des processus mentaux communs, dont l'effet est de convertir les différentes manifestations du stress sociorelationnel en diverses maladies de stress.

Ce "syndrome d'inquiétude" relève en effet du même type général de principe que le "syndrome de malaise". Des centaines de problèmes sociorelationnels particuliers se posent, et chacun d'entre eux peut être à l'origine d'une affection physique. Mais aucun de ces problèmes ne cause en soi une maladie émotionnelle ou organique *spécifique*. On peut donc raisonnablement affirmer que certaines actions individuelles sont requises pour qu'un problème sociorelationnel bien précis se transforme en une réaction elle aussi bien précise plutôt qu'en telle autre parmi les multiples réactions possibles. D'aucuns convertissent en ulcère le stress auquel les soumettent leurs conditions de travail, alors que d'autres font une névrose ou manifestent de l'hypertension. Les processus qui transforment des influences psychosociales en dérèglements pathologiques nerveux ou viscéraux sont avant tout des processus intellectuels dont l'objet est la résolution d'un problème (l'inquiétude, en l'occurrence), faute de disposer de l'information qui permettrait d'assurer un fonctionnement organique normal.

Mais les mécanismes qui interviennent dans le "syndrome d'inquiétude" diffèrent profondément de ceux qui opèrent dans le "syndrome de malaise". Car dans ce dernier cas il s'agit de mécanismes physiologiques, alors que dans le premier nous abordons des mécanismes mentaux. Mais il semble bien que les deux phénomènes relèvent d'un même principe.

Appendice C

•

Pour l'individu, le rôle que joue l'information est d'une importance primordiale. La plupart des gens sont privés de l'information qui leur serait la plus indispensable pour soulager leur état, cela du fait même de la politique suivie par la médecine et la psychologie institutionnelles, lesquelles s'attribuent le monopole de la prévention et de la guérison des maux qui frappent la société humaine. Ce qui revient ni plus ni moins à usurper sur la faculté que possède l'individu de comprendre par lui-même ses pensées, ses sentiments et son propre corps. Car l'attitude qui pendant une éternité a prévalu dans les disciplines de la santé physique et mentale a consisté à considérer que seul le spécialiste qui pose le diagnostic doit décider de l'information qu'il va fournir au patient sur son état. Cette curieuse attitude dérive d'une notion singulièrement aberrante, selon laquelle le thérapeute étant seul à pouvoir interpréter la nature d'une affection, seul il doit être habilité aussi à prescrire le traitement. Pour justifier cette conception des choses, les spécialistes font valoir qu'ils doivent éviter au patient de recourir de lui-même, par ignorance et défaut d'information "adéquate", à une initiative thérapeutique maladroite qui risquerait de lui faire plus de mal que de bien. Ce n'est que depuis une époque relativement récente qu'on accorde au malade la possibilité d'atténuer lui-même les maux affectifs et physiques qui l'accablent.

Le tableau que j'ai esquissé pour expliquer comment le stress et les réactions au stress se développent révèle aussi que ce qu'on observe dans les cas semblables consiste essentiellement en une aberration de l'activité intellectuelle, aberration uniquement due au fait que l'information qui permettrait de résoudre le problème perçu fait défaut. En dépit de ses efforts, l'intellection tourne alors dans le vide. La première étape du processus de stress est représentée par l'inquiétude née de la reconnaissance d'une dysharmonie entre expectatives et perceptions des réalités sociorelationnelles. Si ce problème n'est pas résolu de façon rationnelle ou si encore les défenses psychologiques construites pour faire obstacle aux déceptions et aux conflits sont inadéquates, alors l'inquiétude se tourne en rumination. Faute d'une information pertinente, la rumination se tourne en obsession, et il en résulte de la distorsion et de l'obstruction perceptuelles, dernière étape avant l'apparition des graves dérèglements dus au stress.

Comme dans toute interprétation théorique, si ce tableau que je propose rend véritablement compte du mode de développement des désordres émotionnels et physiques, autrement dit du passage graduel de l'intellection normale à la dysfonction intellectuelle, alors une telle interprétation conceptuelle devrait nous suggérer immédiatement les moyens propres à réparer ou à prévenir ces désordres.

Selon mon interprétation, la fonction intellectuelle devient improductive à partir du moment où l'esprit interprétatif décèle l'existence d'un problème dans la situation sociorelationnelle ou dans la dynamique des échanges sociaux. Et ce problème devient cause de détresse mentale du seul fait que le conflit opposant les expectatives aux perceptions n'est ni compris, ni rationalisé, ni expliqué avec une logique suffisamment convaincante.

C'est donc à l'esprit interprétatif qu'échoit tout le fardeau. Car c'est alors lui qui doit analyser, évaluer, juger ce qu'il perçoit, puis en tirer des conséquences personnelles immédiates. Cette perception s'accompagne encore, dans l'esprit interprétatif, de la nécessité de chercher à comprendre le pourquoi de la dysharmonie perçue et de découvrir comment s'en accommoder ou bien comment en atténuer l'impact sur le psychisme. Pour s'acquitter de ces fonctions complexes, l'esprit a besoin d'une information précise, circonstanciée et significative. Quand cette information, grâce à laquelle il pourrait résoudre le conflit ou tout au moins en comprendre la nature, ne lui est pas fournie, alors, acculé à la conjecture, à l'imaginaire ou au fantasmatique, l'esprit se réfugie dans le seul mode de réponse que lui permette l'information dont il dispose. C'est donc bien le manque d'information qui est l'unique responsable de l'incapacité à résoudre le problème posé, et donc à désarmer le stress.

Si le processus de stress naît et s'aggrave, c'est parce que les êtres humains ne perçoivent que la partie émergée de cet iceberg que représente leur situation sociorelationnelle. C'est, en d'autres termes, parce qu'ils construisent leurs représentations mentales à l'aide d'informations inadéquates, parce qu'ils interprètent faussement, parce qu'ils ruminent et qu'ils sont, au sens littéral du terme, ligotés de l'intérieur sans même en avoir conscience. Ce qui principalement fait d'eux des malades, c'est de ne pas disposer de données précises sur leur propre situation sociorelationnelle, et d'ignorer comment réagit leur propre corps en pareille situation. En l'absence de données appropriées, ils sont alors incapables de concevoir les mécanismes qui leur permettraient de surmonter les aléas de l'existence. Ce qui importe avant tout, c'est donc bien de leur fournir l'information qui leur fait défaut.

Appendice D

•

Les techniques d'éveil de la conscience
et la réduction du stress

Toute technique capable de fournir à l'individu une information sur son état organique est susceptible aussi de faire rétrocéder (ou de prévenir) les réactions affectives ou physiques du stress. Et les mécanismes internes qui sont alors mis en oeuvre comptent parmi les plus intéressantes des aptitudes de l'esprit-cerveau.

Bien des techniques nouvelles permettent aujourd'hui de prendre conscience des différents aspects de l'individualité psychobiologique. Les plus connues de ces techniques relèvent de la psychologie (qu'il s'agisse de la méthode bio-énergétique d'Esalen, préconisant la douceur des contacts tactiles, la maîtrise de soi et la thérapie de groupe, ou de la méthode "ventilationniste" EST*, qui vise à l'affirmation de la personnalité par l'agression individuelle ouverte). Elles font appel tant à la perception de l'ego qu'à celle d'autrui et à celle de la réalité sociale. En possession de ces informations, l'individu est davantage en mesure de développer des mécanismes mentaux grâce auxquels il pourra mieux maîtriser la situation.

---

* Erhard Seminar Training (N.d.T.)

Plus récentes encore, d'autres méthodes préconisent la conscientisation des états internes, et plus particulièrement celle des opérations effectuées par l'esprit et celle des états de conscience. Ces techniques se répartissent en trois catégories principales: éveil corporel et musculaire, éveil viscéral, éveil de la fonction cérébrale ou de la conscience. Cette répartition en trois catégorie tire sa justification du fait que la plupart des gens, comme d'ailleurs la plupart des thérapeutes, croient que ces techniques sont interchangeables, et donc susceptibles d'aboutir au même résultat: la réduction et le soulagement du stress.

Il se trouve pourtant que toutes n'exercent pas les mêmes effets.

La Relaxation Progressive, par exemple, dont on sait surtout qu'elle consiste en des exercices de relâchement de la tension, n'intéresse exclusivement que la musculature et, bien que la détente qu'elle procure puisse finir par s'étendre aux viscères après quelques années de pratique, il ne s'agit là que d'un effet secondaire qui ne se fait sentir qu'à très longue échéance.

On sait que bien des problèmes de stress, pour ne pas dire la majorité d'entre eux, s'accompagnent de tension musculaire prononcée, principal changement physiologique observé dans les états d'anxiété ou dans les tableaux de stress accompagnés d'anxiété caractérisée. Ce qui complique ces réactions de stress, c'est que la tension musculaire qui les accompagne est le plus souvent une tension *non perçue*, une tension qui pour diverses raisons n'est pas ressentie comme un ensemble de sensations soit parce que les masses musculaires intéressées sont considérables, soit parce que la tension générée n'est pas de même nature que celle qui est mise en jeu dans le mouvement normal, soit parce qu'elle se répartit entre de nombreux muscles, soit encore parce qu'une structure physiologique comme le système musculaire finit au bout de quelque temps par s'adapter à certains états d'altération. C'est ordinairement *après* l'épisode de stress que ces tensions sont perçues, c'est-à-dire quand l'attention peut de nouveau se tourner vers l'état organique.

L'objectif que s'assignent les nombreuses techniques d'éveil corporel — et plus particulièrement encore la relaxation progressive, le biofeedback musculaire, le yoga et l'intégration posturale — est donc de doter l'individu d'une conscience accrue du degré de tension qui affecte ses muscles et que généralement il ne perçoit pas. Quand ces techniques d'éveil corporel sont utilisées dans le traitement de désordres liés au stress, on s'efforce d'amener le patient à centrer son attention sur son propre corps et non pas sur son stress. Au fur et à mesure que son attention est ainsi mobilisée et que diverses stratégies (telles que le recours aux images mentales ou aux exercices de relaxation) sont mises en oeuvre pour lui faire mieux prendre conscience de la tension dont il est l'objet, cette tension est peu à peu identifiée par des processus de conscientisation à la fois conscients et inconscients et, la pratique aidant, on peut observer que son degré s'atténue. Les stratégies dont il est question consistent donc à amener le patient à prendre conscience, consciemment ou subconsciemment, des différents niveaux de tension qui affectent son propre corps. Avec un peu de pratique, l'individu développe tout d'abord une conscientisation subconsciente de sa tension, laquelle détourne suffisamment du "stress" sa préoccupation corticale pour que les mécanismes qui gouvernent la tension musculaire rétrocèdent et pour que la fonction de régulation automatique soit restaurée. Une pratique continue de cette technique permet au patient de mieux en mieux prendre conscience de la réduction progressive de sa tension musculaire et d'en éprouver un sentiment accru de détente.

On ignore la raison pour laquelle le relâchement des tensions musculaires entraîne invariablement celui des tensions mentales. Mais on peut néanmoins avancer l'hypothèse qu'au fur et à mesure que la tension physique diminue et que l'attention se porte davantage sur les activités organiques internes, un phénomène concomitant réduit l'attention consacrée aux causes sociorelationnelles du stress. Ce qui permet aux circuits corticaux d'être plus perméables à d'autres types d'informations et d'activités intellectuelles. Voilà bien des années déjà, Edmund Jacobson prenait pour postulat qu'angoisse (la réaction au stress) et relaxation sont mutuellement incompatibles. On ne peut que formuler des conjectures sur les raisons de cette incompatibilité. Mais il apparaît que ce sont les tensions organiques qui sont à l'origine de la sensation subjective d'être tendu, alors qu'aucune sensation de ce genre n'existe dans les états de relaxation. Il semble donc qu'à partir du moment où un individu n'éprouve plus aucune sensation de tension, ses fonctions intellectuelles s'en trouvent améliorées.

L'avantage que présente le biofeedback musculaire sur d'autres techniques d'éveil corporel tient à la précision et à la directivité avec lesquelles il permet de détecter les niveaux de tension des muscles. En effet, l'électromyographe de l'appareil de biofeedback mesure avec précision le niveau de toute activité et de toute tension musculaires par rapport au niveau de référence zéro. C'est dire que le sujet qui fait l'apprentissage de cette technique de conscientisation dispose d'un instrument de détection et de mesure extrêmement précis, grâce auquel il peut prendre directement connaissance de ses tensions sous forme de signaux (données numériques sur l'échelle d'un compteur, tonalités acoustiques, voyants lumineux), puis associer ces signaux aux sensations internes qu'il perçoit et, avec le temps, apprendre à détecter et à maintenir dans ses muscles des niveaux de tension suffisamment bas pour garantir l'état de relaxation.

D'autre part, si le biofeedback permet de centrer l'attention sur un ou deux muscles à la fois, en revanche les techniques d'éveil corporel qui, dans la détection, sacrifient spécificité et directivité, présentent l'avantage de répartir l'attention sur l'ensemble des muscles du corps. Certaines techniques présentent même l'avantage supplémentaire et non négligeable de mettre en jeu de vastes ensembles musculaires, ou encore une myoactivité généralisée, pour aider le patient à intégrer globalement sa tension et à se relaxer.

Amener un individu à conscientiser l'état de ses viscères est une opération beaucoup plus difficile à réaliser. Car non seulement les organes et les systèmes internes sont profondément enchâssés dans l'organisme et la musculature, mais leurs liaisons nerveuses les raccordent principalement à des centres de contrôle du cerveau inférieur relativement primitifs. Il s'ensuit que l'information sur les activités viscérales est une information clairsemée, parcellaire, et qui n'est transmise que de façon diffuse aux centres supérieurs du cerveau chargés de la détection des phénomènes internes. La réduction des tensions viscérales — celles de la pression sanguine, du rythme cardiaque ou respiratoire et du péristaltisme intestinal, par exemple — ne peut donc s'effectuer qu'à l'aide de techniques spécialement adaptées aux fonctions considérées. Il est bien évident que les exercices de relaxation n'affectent pas directement l'activité viscérale. Mais il reste que, si ces exercices sont parfaitement assimilés, la détente qu'ils procurent peut cependant s'étendre aux viscères, comme le prouvent certaines techniques telles que le Training Autogène et la représentation mentale contrôlée, technique dont l'objet est de centrer l'attention sur les activités viscérales en apprenant par exemple aux patients à prendre conscience de modifications thermiques infimes (dues aux changements survenant dans le transit sanguin) ou encore à visualiser le type d'activité spécifique de tel organe ou de tel système organique interne.

Bien qu'on ne le reconnaisse pas formellement, il me semble évident que la conscientisation par l'individu de ses propres états d'esprit et de conscience représente un phénomène très particulier. Dans diverses formes de méditation, et même dans certains exercices poussés du training autogène, l'objectif recherché est d'apprendre au patient à percevoir les opérations et le contenu de l'inconscient en éliminant la conscience des activités organiques et de ce qui peut distraire l'attention. Bien des raisons nous commandent d'admettre que la conscientisation des tensions internes subjectives, conscientes ou inconscientes, se réalise de façon autonome et indépendamment de celle des tensions musculaires ou viscérales dues aux réactions de stress ou, si l'on préfère, d'admettre que les tensions organiques ne représentent pas la totalité des facteurs de réaction au stress.

Une des raisons qui justifient un traitement séparé des tensions subjectives en amenant le patient à centrer sa conscientisation sur son esprit et sur sa conscience nous est fournie par certaines réactions d'anxiété, dans lesquelles l'organisme n'est pas affecté de prime abord, du fait que l'individu a appris à inhiber ou à supprimer ses tensions physiques, de sorte que son anxiété mentale s'exerce de façon tout à fait autonome et sans retentir sur le corps. Une autre preuve de ce phénomène nous est apportées par les comptes rendus d'observations cliniques faisant état de divers cas de névroses d'angoisse guéries à la suite de séances de biofeedback axées sur les ondes cérébrales qui affectent exclusivement les états subjectifs. Enfin, les effets thérapeutiques de diverses techniques de méditation sont là eux aussi pour accréditer l'autonomie de ce mode de conscientisation. Car dans la méditation, on peut tenir pour assuré qu'aucune attention active n'est dirigée vers les muscles ou les viscères. Toute la démarche de ces techniques est en effet de faire conscientiser à l'individu la totalité de l'être et la place occupée par l'être dans la nature. Quant aux divers effets organiques qu'on peut attendre de la pratique de la méditation, ils sont considérés comme indirects et secondaires.

La conscientisation des modèles d'ensemble

Un autre mode de conscientisation n'est lui non plus ni reconnu ni exploité. Bien qu'aucune description adéquate n'en ait encore été proposée, il semble bien que nous possédions la faculté de conscientiser des patterns d'événements, d'objets ou de situations, plutôt que celle de conscientiser sélectivement les éléments compris dans un ensemble. Les choses se passeraient donc en somme comme dans l'interprétation de la *Gestalt-Theorie*. En un certain sens, la perception de ces modèles d'ensemble s'accompagnerait aussi d'une direction inconsciente de l'activité et du comportement, direction appropriée à tel contexte ou à tel événement global. Ce phénomène laisse supposer que l'esprit est capable d'apprécier, d'extraire, de juger, de décider et d'agir avec perti-

nence et spécificité sans pour autant prendre clairement conscience de ces opérations.

Il me semble que ce phénomène peut s'expliquer à la
lumière des concepts que j'ai exposés, à savoir que l'inconscient est parfaitement apte à percevoir, à assimiler et
à exploiter une information quelconque en dehors de toute
participation de la conscience lucide. Mais si une majorité de
psychologues admet tacitement que ce phénomène joue un
rôle important dans les réactions de défense des êtres
humains, on n'a accordé jusqu'ici que très peu d'attention au
bénéfice que l'individu peut tirer de ces opérations. La tenue
quotidienne d'un journal nous fournit un exemple qui nous
permet de vérifier à quel point la perception d'un modèle
d'ensemble peut se révéler riche d'enseignements.

Dans un précédent ouvrage, j'ai exposé la mésaventure
survenue à un chercheur qui tentait de déterminer expérimentalement l'incidence que pouvait avoir le biofeedback sur
les migraines. Il avait au préalable demandé à ses sujets de
consigner quotidiennement par écrit toutes les observations
qu'ils pourraient faire sur la fréquence et la sévérité de leurs
céphalées, et aussi de venir lui soumettre deux fois par
semaine un compte rendu de leur état: une fois quand ils ne
souffraient pas, et l'autre quand ils ressentaient des maux de
tête. Leurs comptes rendus seraient enregistrés sous forme de
données, leur expliquait-on, et ces données serviraient plus tard
d'éléments de contrôle pour le traitement. Au début, les sujets
suivirent ponctuellement les instructions qui leur avaient été
données et vinrent régulièrement au laboratoire faire enregistrer leurs observations, même quand ils ne souffraient pas.
Mais passé un certain temps, il apparut qu'ils venaient de
moins en moins fréquemment informer l'expérimentateur de
leurs migraines, pour la bonne raison que celles-ci avaient virtuellement disparu. Or, l'unique changement survenu dans
leur vie quotidienne était d'avoir tenu un journal sur leurs
maux de tête. La seule déduction possible revenait donc à
constater que cet exercice de consignation par écrit de leurs
douleurs avait influencé et la fréquence, et la sévérité de ces
douleurs.

Le journal personnel a pris rang de technique de traitement dans nombre de dérèglements psychologiques ou de cas de stress, et bien souvent cette technique est couplée à celle du biofeedback. Encore qu'on puisse ne faire que des suppositions sur les raisons qui font un outil thérapeutique de la consignation d'observations personnelles, on est cependant en droit de penser qu'à partir du moment où un individu juxtapose dans son journal des événements et des situations survenant à différents moments, en différents lieux et dans des circonstances différentes, qu'à partir du moment où cet enregistrement écrit mobilise son attention, alors il se met à prendre en considération un modèle d'ensemble, un pattern directement lié à ses migraines ou à quelque autre ennui. Cette prise en considération peut bien entendu s'opérer de façon consciente, mais il arrive aussi que tout se passe dans l'inconscient.

Dans l'étude sur la migraine que nous venons de citer, il se peut que la tenue d'un journal par les patients ait fait établir à ces derniers certaines relations entre douleur et excès de tension; il est vraisemblable que les céphalées ont cessé parce qu'alors l'inconscient aura décidé de se tenir à distance de situations stressantes ou encore d'élaborer d'autres modes de gestion du stress.

Un des exemples les plus spectaculaires de ce phénomène nous est fourni par une étude sur des patients atteints d'épilepsie psychomotrice. La technique consistait à enregistrer sur magnétoscope la série d'entretiens que ces malades avaient avec des neurologues et des psychiatres, entretiens au cours desquels on leur exposait en détail divers cas de situations émotionnelles. En règle générale, il leur arrivait à une ou deux reprises de réagir de façon visible, pendant les entretiens, au contenu émotionnel de ce qui leur était raconté, au point même de manifester parfois un bref épisode de crise. Tous présentaient des antécédents de crises répétées. Un peu plus tard, on leur projetait la vidéocassette enregistrée de leurs entrevues, et ils se revoyaient en train de discuter avec les expérimentateurs. La méthode donna d'étonnants résultats. En effet, même si les discussions n'avaient jamais concrètement abordé les causes mêmes de leurs crises, celles-ci disparaissaient presque complètement.

Ici encore, on est donc en présence d'une remarquable opération mentale, par laquelle l'inconscient se révèle capable d'assimiler de vastes patterns de circonstances et de significations, d'en extraire les éléments les plus déterminants pour le bien-être et de se donner activement les moyens d'exploiter ce qu'il a appris. Comment se fait-il que les patients en question n'aient pas pris d'eux-mêmes une telle initiative? Probablement pour les mille et une raisons qui nous retiennent de nous accorder le temps d'examiner tout ce qui relève de l'esprit: les sciences nous dissuadent de nous livrer à ce genre d'auto-analyse, nous manquons des connaissances générales qui nous permettraient de tirer parti de l'information qui nous est communément apportée et, surtout, notre attention n'a pas été attirée vers une situation jugée plus importante qu'une autre et susceptible de nous fournir une solution.

Bibliographie

Quiconque se risque dans des voies inconnues, comme j'ai tenté de le faire dans ce livre, ne tarde pas à se rendre compte qu'il n'a guère à attendre de la littérature spécialisée qu'elle balise sa démarche de concepts établis. Même s'il va de soi que par affinité je me sens plutôt inclinée à suivre la trace de scientifiques tels que Sperry, Hall, Montagu, Lorenz et Leakey, il me semble pourtant que ce qui stimule davantage encore nos tentatives d'approche de l'esprit humain, c'est cette profusion d'ouvrages dont les conclusions péremptoires et simplistes n'en ont pas moins dominé (et paralysé) pendant une éternité la compréhension du sujet. Le lecteur comprendra aisément que bien peu de représentants de ce courant dominant de pensée sont cités en référence dans cette bibliographie, bien incomplète, que je lui propose ci-après. Je l'ai réservée de préférence aux auteurs qui ont inspiré ma recherche d'une nouvelle mise en perspective du potentiel humain.

Alland, Jr., Alexander. *The Human Imperative*. Columbia University Press, New York, 1972. *La Dimension humaine*. Seuil, Paris, 1974.
_____. *Evolution and Human Behavior*. Anchor/Double-day, New York, 1973.
Ardrey, Robert. *The Social Contract*. Atheneum, New York, 1970.
Barnett, S. A. *Instinct and Intelligence*. Englewood Cliffs, Prentice-Hall, N.J., 1967.
Baron, Robert A., and Byrne, Donn. *Social Psychology*. Allyn & Bacon, Boston, 1977.
Brady, John Paul, and Brodie, H. Keith H. *Controversy in Psychiatry*. W. B. Saunders, Philadelphia, 1978.

Campbell, K. *Body and Min*. Anchor/Doubleday, New York, 1970.

Corcoran, D. W. J. *Pattern Recognition*. Penguin Books, New York, 1971.

Dawkins, Richard. *The Selfish Gene*. Oxford University Press, New York, 1976. *Le Gène égoïste*. Menges, Paris, 1979.

Day, R. H. *Human Perception*. John Wiley & Sons, New York, 1969. *La perception*. Masson, Paris, 1976.

Dimond, S. J. *The Social Behavior of Animals*. Harper Colophon Books, New York, 1970.

Dobzhansky, T. *Mankind Evolving*. Yale University Press, New Haven, 1962. *L'Homme en évolution*. Flammarion, Paris, 1968.

Dodwell, P. C. *New Horizons in Psychology, 2*. Penguin Books, New York, 1972.

Dröscher, Vitus B. *Mysterious Senses*. Hodder & Stoughton, London, 1964.

Elliott, H. Chandler. *The Shape of Intelligence*. Charles Scribner's Sons, New York, 1969.

Fincher, Jack. *Human Intelligence*. Capricorn Books, G. P. Putnam's Sons, 1976.

Foss, Brian M. *New Horizons in Psychology*. Penguin Books, New York, 1966.

Gergen, K. *Social Psychology*. CRM Books, 1974.

Globus, G. *Consciousness and the Brain*. Plenum Press, 1976.

Goodfield, June. *Playing God*. Random House, New York, 1977.

Gould, Stephen Jay. *Ever Since Darwin*. W. W. Norton & Co., New York, 1977. *Le Pouce du panda*. Nouvelle théorie de l'évolution. Grasset, Paris, 1982.

Hall, Edward T. *The Silent Language*. Doubleday & Co., New York, 1959. *Le Langage silencieux*. Hurtubise, Paris, 1973.

_____. *The Hidden Dimension*. Doubleday & Co., New York, 1966. *La dimension cachée*. Seuil, Paris, 1978.

_____. *Beyond Culture*. Anchor/Doubleday, New York, 1976. *Au-delà de la culture*. Seuil., Paris, 1979.

Hanson, Earl D. *Animal Diversity*. Englewood Cliffs, Prentice-Hall, N.J., 1966.

Hass, Hans. *The Human Animal*. G. P. Putnam's Sons, New York, 1970.

Hinde, Robert A. *Non-verbal Communication*. Cambridge University Press, Cambridge, 1972.

Kohler, Wolfgang. *Gestalt Psychology*. Mentor/New American Library, New York, 1947.

Leakey, Richard E. *Origins*. E. P. Dutton, New York, 1977. *Les Origines de l'homme*. Arthaud, Paris, 1979.

Lindsay, Peter H., and Norman, Donald A. *Human Information Processing*. Academic Press, New York, 1977. *Traitement de l'information et comportement humain*. Études vivantes, Saint-Laurent (Qc), 1977.

Lipowski, Z. J., Lipsett, Don R., et Whybrow, Peter C. *Psychosomatic Medicine*. Oxford University Press, New York, 1977.

Lorenz, Konrad. *On Aggression*. Harcourt, Brace & World, New York, 1966. *L'Agression*. Flammarion, Paris, 1977.

_____. *Behind the Mirror*. Methuen & Co., Ltd., London, 1977. *L'Envers du miroir*. Flammarion, Paris, 1976.

406

Mandler, George. *Mind and Emotion*. John Wiley & Sons, New York, 1975.

Marmor, Judd. *Psychiatry in Transition*. Brunner/Mazel, New York, 1974.

Mazur, Allan, et Robertson, Leon S. *Biology and Social Behavior*. Free Press/Macmillan, New York, 1974.

McKellar, Peter. *Experience and Behavior*. Penguin Books, New York, 1968.

Montagu, Ashley. *The Human Revolution*. World Publishing Co., Cleveland, 1965.

_____. *The Nature of Human Aggression*. Oxford University Press, New York, 1976.

Morick, Harold *Wittgenstein and the Problem of Other Minds*. McGraw-Hil, New York, 1967.

Murphy, Gardner. *Outgrowing Self-Deception*. Basic Books, New York, 1975.

Parsegian, V. L. *This Cybernetic World of Men, Machines, and Earth Systems*. Anchor/Doubleday, New York, 1973.

Pohemus, Ted. *The Body Reader*. Pantheon Books, New York, 1978.

Rosenfeld, Albert. *Mind and Supermind*. Holt, Rinehart & Winston, New York, 1973/1977.

Sagan, Carl. *The Dragons of Eden*. Random House, New York, 1977.

Salk, Jonas. *The Survival of the Wisest*. Harper & Row, New York, 1973. *Qui survivra?* Fayard, Paris, 1976.

Selye, Hans. *The Stress of Life*. McGraw-Hill, New York, 1956. *Le Stress de la vie*. Gallimard, Paris, 1975.

_____. *Stress Without Distress*. J. B. Lippincott Co., Philadelphia, 1974. *Stress sans détresse*. Presse, Paris, 1974.

Silverman, Robert E. *Psychology*. Meredith Corp., Des Moines, 1974.

Simpson, George Gaylord, *Biology and Man*. Harcourt, Brace & World, New York, 1964.

Smith, Anthony. *The Human Pedigree*. J. B. Lippincott Co., 1975.

Smith, John Maynard. *The Theory of Evolution*. Penguin Books, New York, 1966.

Vernon, M. D. *Human Motivation*. Cambridge University Press, Cambridge, 1969.

_____. *The Psychology of Perception*. Penguin Books, New York, 1962.

Wescott, Roger W. *The Divine Animal*. Funk & Wagnalls, New York, 1969.

Wolman, Benjamin B. *The Unconscious Mind*. Englewood Cliffs, Prentice-Hall, N.J., 1968.

Index

Table des matières

Lithographié au Canada
sur les presses de
Métropole Litho Inc.

Ouvrages parus chez

**le jour,
éditeur**

**sans * pour l'Amérique du Nord seulement
* pour l'Europe et l'Amérique du Nord
** pour l'Europe seulement**

COLLECTION BEST-SELLERS

COLLECTION ACTUALISATION

COLLECTION VIVRE

COLLECTION VIVRE SON CORPS

COLLECTION IDÉELLES

HORS-COLLECTION

Autres ouvrages parus aux Éditions du Jour

ALIMENTATION ET SANTÉ

ART CULINAIRE

DOCUMENTS ET BIOGRAPHIES

ENFANCE ET MATERNITÉ

Enfants du divorce se racontent, Les,
Bonnie Robson

Famille moderne et son avenir, La,
Lynn Richards

ENTREPRISE ET CORPORATISME

Administration et la prise, L', P. Filiatrault, Y.G. Perreault

Administration, développement,
M. Laflamme, A. Roy

Assemblées délibérantes, Claude Béland

Assoiffés du crédit, Les, Fédération des A.C.E.F. du Québec

Coopératives d'habitation, Les, Murielle Leduc

Mouvement coopératif québécois,
Gaston Deschênes

Stratégie et organisation, J.G. Desforges, C. Vianney

Vers un monde coopératif, Georges Davidovic

GUIDES PRATIQUES

550 métiers et professions, Françoise Charneux Helmy

Astrologie et vous, L', André-Pierre Boucher

Backgammon, Denis Lesage

Bridge, notions de base, Denis Lesage

Choisir sa carrière, Françoise Charneux Helmy

Croyances et pratiques populaires,
Pierre Desruisseaux

Décoration, La, D. Carrier, N. Houle

Des mots et des phrases, T. I, Gérard Dagenais

Des mots et des phrases, T. II,
Gérard Dagenais

Diagrammes de courtepointes, Lucille Faucher

Dis papa, c'est encore loin?, Francis Corpatnauy

Douze cents nouveaux trucs, Jeanne Grisé-Allard

Encore des trucs, Jeanne Grisé-Allard

Graphologie, La, Anne-Marie Cobbaert

Greffe des cheveux vivants, La,
Dr Guy, Dr B. Blanchard

Guide de l'aventure, N. et D. Bertolino

Guide du chat et de son maître, Dr L. Laliberté-Robert, Dr J.P. Robert

Guide du chien et de son maître, Dr L. Laliberté-Robert, Dr J.P. Robert

Macramé-patrons, Paulette Hervieux

Mille trucs, madame, Jeanne Grisé-Allard

Monsieur Bricole, André Daveluy
Petite encyclopédie du bricoleur,
  André Daveluy
Parapsychologie, La, Dr Milan Ryzl
Poissons de nos eaux, Les, Claude
  Melançon
Psychologie de l'adolescent, La,
  Françoise Cholette-Pérusse
Psychologie du suicide chez l'ado-
  lescent, La, Brenda Rapkin
Qui êtes-vous? L'astrologie répond,
  Tiphaine

Régulation naturelle des naissances,
  La, Art Rosenblum
Sexualité expliquée aux enfants, La,
  Françoise Cholette-Pérusse
Techniques du macramé, Paulette
  Hervieux
Toujours des trucs, Jeanne Grisé-
  Allard
Toutes les races de chats, Dr Louise
  Laliberté-Robert
Vivre en amour, Isabelle Lapierre-
  Delisle

LITTÉRATURE

À la mort de mes vingt ans,
  P.O. Gagnon
Ah! mes aïeux, Jacques Hébert
Bois brûlé, Jean-Louis Roux
C't'a ton tour, Laura Cadieux, Michel
  Tremblay
Coeur de la baleine bleue, (poche),
  Jacques Poulin
Coffret Petit Jour, Abbé J. Martucci,
  P. Baillargeon, J. Poulin, M. Trem-
  blay
Colin-maillard, Louis Hémon
Contes pour buveurs attardés,
  Michel Tremblay
Contes érotiques indiens, Herbert T.
  Schwartz
De Z à A, Serge Losique
Deux millième étage,
  Roch Carrier
Le dragon d'eau, R.F. Holland
Éternellement vôtre, Claude Pélo-
  quin
Femme qu'il aimait, La, Martin Ralph
Filles de joie et filles du roi, Gustave
  Lanctôt
Floralie, où es-tu?, Roch Carrier
Fou, Le, Pierre Châtillon
Il est par là le soleil, Roch Carrier

J'ai le goût de vivre, Isabelle Delisle
J'avais oublié que l'amour fût si beau,
  Yvette Doré-Joyal
Jean-Paul ou les hasards de la vie,
  Marcel Bellier
Jérémie et Barabas, F. Gertel
Johnny Bungalow, Paul Villeneuve
Jolis deuils, Roch Carrier
Lapokalipso, Raoul Duguay
Lettre à un Français qui veut émigrer
  au Québec, Carl Dubuc
Lettres d'amour, Maurice Cham-
  pagne
Une lune de trop, Alphonse Gagnon
Ma chienne de vie, Jean-Guy La-
  brosse
Manifeste de l'infonie, Raoul Duguay
Marche du bonheur, La, Gilbert
  Normand
Meilleurs d'entre nous, Les, Henri
  Lamoureux
Mémoires d'un Esquimau, Maurice
  Métayer
Mon cheval pour un royaume, Jac-
  ques Poulin
N'Tsuk, Yves Thériault
Neige et le feu, La, (poche), Pierre
  Baillargeon

Obscénité et liberté, Jacques Hébert
Oslovik fait la bombe, Oslovik
Parlez-moi d'humour, Normand Hudon
Scandale est nécessaire, Le, Pierre Baillargeon

Trois jours en prison, Jacques Hébert
Voyage à Terre-Neuve, Comte de Gébineau

SPORTS

Baseball-Montréal, Bertrand B. Leblanc
Chasse au Québec, La, Serge Deyglun
Exercices physiques pour tous, Guy Bohémier
Grande forme, Brigitte Baer
Guide des sentiers de raquette, Guy Côté
Guide des rivières du Québec, F.W.C.C.
Hébertisme au Québec, L', Daniel A. Bellemare
Lecture de cartes et orientation en forêt, Serge Godin
Nutrition de l'athlète, La, Jean-Marc Brunet
Offensive rouge, L', G. Bonhomme, J. Caron, C. Pelchat

Pêche sportive au Québec, La, Serge Deyglun
Raquette, La, Gérard Lortie
Ski de randonnée — Cantons de l'Est, Guy Côté
Ski de randonnée — Lanaudière, Guy Côté
Ski de randonnée — Laurentides, Guy Côté
Ski de randonnée — Montréal, Guy Côté
Ski nordique de randonnée et ski de fond, Michael Brady
Technique canadienne de ski, Lorne Oakie O'Connor
Truite, la pêche à la mouche, Jeannot Ruel
La voile, un jeu d'enfant, Mario Brunet

Imprimé au Canada/Printed in Canada